Elogios a
CORRUPTÍVEIS

"Envolvente, instigante e engraçado... uma importante investigação de como pessoas comuns podem manter a liderança fora das mãos de monstros."

– **Heather Cox Richardson**, autora de *How the South Won the Civil War* e do boletim *Letters from an American*

"O lado oculto e inesperado da ciência política... Com revelações que vão da política global a como sua empresa é gerenciada, uma leitura penetrante e, acima de tudo, agradável."

– **Max Boot**, colunista do *Washington Post* e membro sênior do Conselho de Relações Exteriores

"Um livro magnífico, tão fascinante quanto uma boa história policial... Klaas mescla ideias da ciência evolutiva, um rico acervo de pesquisas recentes em psicologia social e entrevistas pessoais com os poderosos (e corruptos)."

– **Peter Turchin**, autor de *Ultrasociety: How 10.000 Years of War Made Humans the Greatest Cooperators on Earth*

"Sabemos que o poder corrompe, mas como exatamente? É um colapso moral rápido ou podridão lenta? Perigoso como uma dependência de drogas, o poder transforma tanto os que convivem de forma permanente com ele quanto os que só querem dar uma experimentada. Klaas nos apresenta um roteiro novo, perspicaz e pouco convencional de nosso impulso primal de dominar, que, por sorte, nem todos compartilham com a mesma intensidade."

– **Richard Engel**, principal correspondente estrangeiro da *NBC News*

"Uma investigação brilhante... Este livro constrói a reputação de Brian Klaas, oferecendo um guia essencial em nosso mundo de decadência democrática, corrupção e clientelismo."

– **Dan Snow**, autor do *best-seller On This Day in History*

CORRUPTÍVEIS

Brian Klaas

CORRUPTÍVEIS

*O Que é o Poder, que Tipos de Pessoas o Conquistam
e o que Acontece Quando Chegam ao Topo*

Tradução
Mário Molina

Editora
Cultrix
SÃO PAULO

Título do original: *Corruptible – Wo Gets Power and How It Change Us.*

Copyright © 2021 Brian Klaas.

Copyright da edição brasileira © 2022 Editora Pensamento-Cultrix Ltda.

1ª edição 2022.

Todos os direitos reservados. Nenhuma parte desta obra pode ser reproduzida ou usada de qualquer forma ou por qualquer meio, eletrônico ou mecânico, inclusive fotocópias, gravações ou sistema de armazenamento em banco de dados, sem permissão por escrito, exceto nos casos de trechos curtos citados em resenhas críticas ou artigos de revistas.

A Editora Cultrix não se responsabiliza por eventuais mudanças ocorridas nos endereços convencionais ou eletrônicos citados neste livro.

Editor: Adilson Silva Ramachandra
Gerente editorial: Roseli de S. Ferraz
Preparação de originais: Karina Gercke
Gerente de produção editorial: Indiara Faria Kayo
Editoração eletrônica: S2 Books
Revisão: Daniela Pita

Dados Internacionais de Catalogação na Publicação (CIP)
(Câmara Brasileira do Livro, SP, Brasil)

Klaas, Brian
 Corruptíveis : o que é o poder, que tipos de pessoas o conquistam e o que acontece quando chegam ao topo / Brian Klaas ; tradução Mário Molina. -- 1. ed. -- São Paulo, SP : Editora Cultrix, 2022.

 Título original: Corruptible : Wo Gets Power and How It Change Us.
 ISBN 978-65-5736-166-5

 1. Corrupção - Aspectos sociais 2. Ditadores 3. Líderes 4. Poder (Ciências sociais) I. Título.

22-109433   CDD-303.3

Índices para catálogo sistemático:
1. Poder : Aspectos sociais 303.3
Eliete Marques da Silva - Bibliotecária - CRB-8/9380

Direitos de tradução para o Brasil adquiridos com exclusividade pela
EDITORA PENSAMENTO-CULTRIX LTDA., que se reserva a
propriedade literária desta tradução.
Rua Dr. Mário Vicente, 368 — 04270-000 — São Paulo, SP — Fone: (11) 2066-9000
http://www.editoracultrix.com.br
E-mail: atendimento@editoracultrix.com.br
Foi feito o depósito legal.

Para todas as pessoas de bem, não psicopatas, que estão por aí, que deviam estar no poder, mas não estão.

SUMÁRIO

I - Introdução 11

II - A evolução do poder 33

III - Mariposas em volta de uma chama 60

IV - A ilusão do poder 92

V - Pequenos tiranos e psicopatas 123

VI - Sistemas ruins ou pessoas ruins? 151

VII - Por que parece que o poder corrompe 178

VIII - O poder corrompe 208

IX - Como o poder muda o seu corpo 229

X - Atraindo o incorruptível 250

XI - O peso da responsabilidade 276

XII - Observado 302

XIII - Esperando Cincinato 330

Agradecimentos 335

Notas 339

I
INTRODUÇÃO

O poder corrompe ou são as pessoas corruptas atraídas para o poder? Empresários que praticam fraudes e policiais que matam são fruto de maus sistemas ou não passam de pessoas ruins? Tiranos se criam ou nascem assim? Se *você* fosse empurrado para uma posição de poder, novas tentações para forrar os bolsos ou torturar os inimigos iriam corrompê-lo até você ceder? De uma forma meio inesperada, podemos começar a encontrar uma resposta para essas perguntas em duas ilhas distantes, esquecidas.

Bem ao largo da costa oeste da Austrália, um pontinho de terra chamado Ilha Beacon mal consegue se erguer sobre o mar à sua volta. Uma grama verde rala cobre sua superfície, contornada por areia bege em um litoral triangular. Quase podemos atirar uma bola de beisebol de um lado e acertar o oceano do outro. Parece banal, a mancha desabitada de uma ilha com meia dúzia de corais salpicando os bancos de areia na beira-mar. Mas a Ilha Beacon guarda um segredo.

Em 28 de outubro de 1628, um navio de especiarias de 50 metros de comprimento chamado *Batavia* zarpou da Holanda. O navio mercante fazia parte de uma frota da Companhia Holandesa das Índias Orientais, um império corporativo que dominava o comércio global. O *Batavia* conduzia uma pequena fortuna em moedas de prata, prontas para serem trocadas por especiarias e as riquezas exóticas que o aguardavam em Java, que é parte da moderna Indonésia. O navio carregava 340 pessoas. Alguns eram passageiros. A maioria eram tripulantes. Um deles era um farmacêutico psicopata.

O navio fora organizado seguindo uma hierarquia estrita, "na qual as acomodações ficavam mais espartanas à medida que a pessoa avançava em direção à proa". Na popa, o comandante se esparrava na grande cabine, mastigando carne salgada enquanto gritava ordens para seus oficiais. Dois conveses abaixo, soldados se amontoavam em um porão de teto baixo, sem ventilação, infestado de ratos, que seria usado para transportar especiarias na viagem de volta. Todos no *Batavia* sabiam qual era o seu lugar.

Alguns degraus abaixo do comandante havia um imediato chamado Jeronimus Cornelisz, um ex-boticário falido. Em um momento de desespero, depois de perder tudo em uma série de calamidades pessoais, ele se inscrevera na marinha mercante. E logo depois de as velas serem desenroladas pela primeira vez, Cornelisz pôs em ação um plano para reverter seus infortúnios. Juntamente com um oficial veterano, ele planejou um motim. Desviou o navio do curso, disposto a se apoderar dele em águas distantes. Se tudo corresse de acordo com o planejado, assumiria o comando do *Batavia* e começaria uma vida nova e opulenta, comprada com as moedas de prata que havia no porão.

A coisa não correu de acordo com o planejado.

Em 4 de junho de 1629, o casco de madeira do *Batavia* se estilhaçou ao bater a toda velocidade em um recife de coral nas baixas Ilhas Abrolhos, ao largo da costa australiana. Não houve nenhum aviso, nenhum grito para mudar o curso. Em um instante, ficou claro que o navio estava condenado. A maioria dos passageiros e a tripulação tentaram nadar até a praia. Dezenas se afogaram. Outros tentaram se agarrar ao que restava do *Batavia*.

Percebendo que ninguém ia sobreviver a menos que fosse resgatado, o comandante assumiu o controle do escaler de emergência e da maior parte dos suprimentos que haviam sido poupados. Com 47 pessoas, incluindo toda a liderança veterana da tripulação, ele partiu para Java. Prometeu que logo estariam de volta com uma equipe de resgate. Centenas foram abandonados com pouca comida, quase sem água e não mais que uma débil esperança de que, um dia, alguém retornasse. Nada crescia ou vivia na aridez da ilha. Era óbvio: o tempo dos sobreviventes estava se esgotando.

Cornelisz, o aspirante a amotinado, estava entre os que ficaram para trás. Não havia mais um navio em condições de navegar que pudesse ser tomado. Como ele não sabia nadar, ficar no que restava do *Batavia* que afundava parecia melhor que mergulhar na água e começar a bater freneticamente os braços tentando chegar à ilha. Durante nove dias, 70 homens, incluindo Cornelisz, ocuparam um território cada vez menor de madeira seca. Bebiam, enquanto contemplavam o inevitável.

Em 12 de junho, o navio finalmente se rompeu. A arrebentação jogou alguns dos homens que restavam contra o coral afiado, dando-lhes um fim mais rápido que o de outros, que se debateram por alguns minutos antes de se afogarem. Cornelisz de alguma forma sobreviveu. Acabou "flutuando para a ilha em um amontoado de madeira, sendo o último homem a escapar com vida do *Batavia*".

Quando alcançou a segurança da areia encharcada no que agora é a Ilha Beacon, a anarquia e o caos dos instintos de sobrevivência reverteram à ordem estabelecida de hierarquia e *status*. Embora tivesse sido levado à costa esfarrapado e fraco, Cornelisz não deixara de ser um oficial. O que significa que estava no comando. "O *Batavia* era uma sociedade extremamente hierárquica", diz o historiador Mike Dash, "e essa sociedade sobreviveu na ilha". As centenas de pessoas abandonadas na escassa vegetação da mísera ilha correram para ajudar seu superior. Viveriam para se arrepender disso. Ou, pelo menos, algumas viveriam.

Depois de recuperado e descansado, Cornelisz fez alguns cálculos rápidos. A situação era terrível. A comida, a água e o vinho que tinham sobrevivido ao naufrágio não iam durar. A oferta não ia se expandir, ele imaginou, por isso era necessário reduzir a demanda. Os sobreviventes precisavam ter menos estômagos para encher.

Cornelisz começou a consolidar seu poder eliminando potenciais rivais. Alguns foram enviados em missões temerárias em pequenos barcos e, se voltavam, empurrados para se afogarem no mar. Outros foram acusados de crimes, pretexto usado para sentenciá-los à morte. Essas execuções terríveis afirmaram a autoridade de Cornelisz. E também forneceram um teste de lealdade útil. Homens que matavam sob suas ordens eram diligentes. Homens que se recusavam eram uma ameaça. Uma por uma, as ameaças foram eliminadas. E logo os pretextos também desapareceram. Um garoto foi decapitado para testar se uma espada ainda estava afiada. Crianças foram assassinadas sem nenhuma razão. As mortes eram praticadas por ordem de Cornelisz, mas ele próprio não matava ninguém. Em vez disso, exibia seu domínio vestindo-se com as roupas finas do navio: "meias de seda, ligas com laços de ouro e... ornamentos do tipo". Os outros usavam trapos sujos enquanto esperavam sua vez de serem assassinados.

Quando, meses mais tarde, o comandante do *Batavia* voltou com uma missão de resgate, mais de uma centena de pessoas haviam sido mortas. Finalmente, então, Cornelisz provou um gole da justiça de sua própria ilha: foi condenado à morte. Suas mãos foram cortadas. Ele foi enforcado. Mas o tenebroso episódio levanta uma pergunta incômoda sobre questões de humanidade: se Cornelisz não estivesse a bordo, os massacres teriam sido evitados? Ou apenas teriam sido conduzidos por outra pessoa?

Seis mil e quinhentos quilômetros a leste da Ilha Beacon, no arquipélago de Tonga, do outro lado da Austrália, encontra-se outra ilha deserta chamada 'Ata. Em 1965, seis garotos, com idades entre 15 e 17 anos, fugiram de seu colégio interno. Eles roubaram um barco de pesca e começaram a navegar para o norte. No primeiro dia, não percorreram mais de oito quilômetros antes de decidirem lançar âncora e passar a noite descansando. Enquanto tentavam dormir, uma forte tempestade se abateu sobre o barco de menos de oito metros de comprimento, soltando a âncora. Os ventos fortes logo rasgaram a vela e destruíram o leme. Quando amanheceu, os garotos não tinham como zarpar, não tinham como navegar e estavam à deriva, à mercê de correntes oceânicas. Durante oito dias, avançaram para o sul, ignorando por completo em que direção ficavam suas casas.

Quando começavam a perder as esperanças, os seis adolescentes avistaram um salpico de verde na distância. Era 'Ata, uma ilha escarpada, coberta por uma densa vegetação. Com capacidade limitada de controlar o barco de pesca danificado, os rapazes esperaram até estarem mais próximos da costa e abandonaram a embarcação. Nadaram para salvar suas vidas. Era a última esperança antes de serem varridos para o implacável alto-mar. Por fim, conseguiram chegar, feridos pelas rochas, mas vivos.

Os penhascos que ladeavam 'Ata tinham tornado difícil chegar à terra firme, mas acabaram sendo a boia salvadora dos jovens náufragos. Os dentes das rochas serviam de poleiros perfeitos para as aves marinhas, e os rapazes começaram a trabalhar em conjunto para pegá-las. Sem pista de água doce, improvisaram e beberam sangue das aves. Então, depois de esquadrinhar seu novo lar, fizeram um *upgrade* para água de coco. Finalmente, as refeições melhoraram, passando de cruas a cozidas quando conseguiram fazer o primeiro fogo. Eles concordaram em manter sob constante vigilância as chamas baixas, garantindo que nunca morressem. Cada um tinha sua vez de cuidar das brasas, em um revezamento de 24 horas por dia. Essa tábua de salvação lhes permitiu cozinhar peixes, aves marinhas e até mesmo tartarugas.

Seus padrões de vida melhoraram ainda mais por meio da colaboração. Os garotos trabalharam quatro dias juntos para explorar as raízes de uma das maiores árvores da ilha, coletando água doce, gota a gota. Escavaram troncos de árvores para coletar água da chuva. Fizeram uma casa primitiva com folhas de palmeiras. Cada tarefa foi compartilhada. Não havia líder. Não houve laços de ouro nem meias. Não houve ordens berradas, nem planos para consolidar o poder, nem assassinatos. À medida que conquistavam a ilha, os sucessos – e fracassos – eram igualmente divididos.

Depois de seis meses vivendo como náufragos, um dos garotos, Tevita Fatai Latu, escorregou e caiu durante sua caça diária às aves marinhas, e quebrou a perna. Os outros cinco garotos correram para ajudá-lo, usando o tradicional método tonganês de aquecer talos de coco para criar um tipo de tala, imobilizando o osso para colocá-lo no lugar. Durante os quatro meses seguintes, Tevita não pôde andar, mas os outros cuidaram dele até que pudesse novamente ajudar nas tarefas diárias.

Às vezes, havia brigas (os temperamentos vão de vez em quando explodir sempre que deixarmos seis pessoas juntas, 24 horas por dia, sete dias por semana, com um cardápio que consista basicamente em aves marinhas e tartarugas). Mas quando começava uma discussão, os garotos tinham o bom senso de simplesmente se separarem. Os que permanecessem em desacordo se isolariam em diferentes partes da ilha, às vezes por dois dias inteiros, até esfriarem a cabeça e poderem voltar a trabalhar com os outros pela sobrevivência.

Introdução

Após mais de um ano, eles começaram a aceitar a ideia de que sua nova vida não era temporária. Decidiram, então, se preparar para o longo prazo, passando os dias criando grosseiras raquetes de tênis e fazendo competições, montando lutas de boxe e se exercitando em conjunto. Para evitar o esgotamento do estoque de pássaros para comer, concordaram em definir um limite diário para cada pessoa e começaram a tentar plantar feijões nativos.

Quinze meses após o naufrágio dos rapazes, um australiano chamado Peter Warner estava navegando em seu barco de pesca, procurando lugares adequados para pegar lagostins. Então, ao se aproximar de uma ilha desabitada, avistou uma coisa incomum. "Reparei que havia um trecho queimado na frente do penhasco, o que não é habitual nos trópicos porque não há queimadas espontâneas em uma atmosfera úmida", recorda Warner, agora com 89 anos de idade. Então apareceu algo inesperado, um garoto nu com um cabelo que devia estar há 15 meses sem cortar. Logo outros garotos se juntaram a ele, gritando e sacudindo folhas de palmeira na esperança de chamar a atenção do barco. Quando o barco chegou perto o suficiente, pularam no mar e começaram a nadar para um resgate que jamais pensaram que pudesse chegar. Sem saber o que estava acontecendo, Warner achou que os rapazes podiam ter sido banidos para a ilha como prisioneiros, punição reservada ao que havia de pior na sociedade polinésia. "Fiquei um pouquinho alarmado com a visão daqueles adolescentes de aparência saudável, mas sem roupa e sem cabelos cortados", ele me diz. Warner carregou seu rifle e esperou.

Quando chegaram ao barco, os garotos explicaram educadamente quem eram eles. Como não tinha ideia de que houvesse garotos desaparecidos, Warner fez contato com um radioamador pedindo que chamassem a escola em Tonga para verificar a história. Vinte minutos depois, o pesaroso radioamador informou a Warner que os rapazes estavam desaparecidos, presumivelmente mortos, há bem mais de um ano. "Cerimônias fúnebres foram realizadas", disse o radioamador. O fato é que os garotos foram levados de volta a Tonga e reunidos às suas famílias. Na sequência do resgate, o rapaz mais velho, Sione Fataua, trocou suas ansiedades acerca da sobrevivência pelas preocupações com o retorno a casa: "Alguns de nós tinham namoradas. Será que elas vão se lembrar?"

Como disse o historiador holandês Rutger Bregman: "O verdadeiro *Senhor das Moscas* é um conto de amizade e lealdade; um conto que ilustra como ficamos mais fortes quando podemos apoiar uns aos outros". Para Warner, que ainda navega regularmente com um dos rapazes do naufrágio, todo o episódio fornece "um grande estímulo para a humanidade".

Duas ilhas desertas, duas visões conflitantes da natureza humana. Em uma delas, um único indivíduo sedento de poder consolidou o controle sobre os outros para explorá-los e matá-los. Na outra, prevaleceu um trabalho em equipe igualitário e a cooperação reinou suprema. O que explica a diferença?

A Ilha Beacon tinha estrutura. Tinha ordem. Tinha hierarquia. Terminou em tragédia. 'Ata, por outro lado, era um pedaço de rocha irregular e vertical, mas a sociedade construída por aqueles garotos ao longo de 15 meses foi inteiramente horizontal. Esses contos conflitantes com ilhas desertas levantam questões difíceis. Estamos condenados à exploração por causa de maus humano ou por causa de más hierarquias? Por que o mundo parece estar cheio de tantos líderes estilo Cornelisz em posições de autoridade e um número tão pequeno de líderes como os garotos de 'Ata? E se você e seus colegas de trabalho ficassem presos em uma ilha deserta, vocês derrubariam a figura do chefe e trabalhariam juntos, como iguais, para resolver os problemas, como fizeram os adolescentes de Tonga? Ou haveria uma luta sangrenta por poder e domínio como houve na Ilha Beacon? Como você se comportaria?

Introdução

Este livro responde a quatro perguntas principais.

Primeira: são as pessoas piores que chegam ao poder?

Segunda: é o poder que torna as pessoas piores?

Terceira: por que deixamos pessoas que sem dúvida não têm por que estar no comando nos controlarem?

Quarta: como podemos garantir que pessoas incorruptíveis cheguem ao poder e o exerçam com justiça?

Na última década, tenho estudado essas questões por todo o globo, de Belarus à Grã-Bretanha, da Costa do Marfim à Califórnia, da Tailândia à Tunísia, da Austrália à Zâmbia. Como parte de minha pesquisa como cientista político, entrevistei pessoas – a maioria delas pessoas ruins que abusam de seu poder para fazer coisas ruins. Encontrei-me com líderes de seitas, criminosos de guerra, déspotas, golpistas, torturadores, mercenários, generais, propagandistas, rebeldes, CEOs corruptos e criminosos condenados. Tento descobrir o que os motiva. Entendê-los – e estudar os sistemas em que operam – é crucial para detê-los. Muitos eram loucos e cruéis, outros, gentis e compassivos. Mas todos eram unidos por um traço: exerciam um enorme poder.

Quando você aperta a mão de um comandante rebelde que cometeu crimes de guerra ou toma café da manhã com um déspota cruel que torturava seus inimigos, é surpreendente como é raro que eles correspondam à caricatura do mal. São frequentemente encantadores. Fazem piadas e sorriem. À primeira vista, não parecem monstros. Mas muitos são.

Ano após ano, tenho lutado com quebra-cabeças assustadores. São os torturadores e os criminosos de guerra de uma raça totalmente diferente ou são apenas versões mais extremas dos pequenos tiranos que vez por outra encontramos em nossos escritórios e associações de moradores? Existem pretensos monstros se escondendo entre nós? Nas circunstâncias certas, *qualquer um* poderia se tornar um monstro? Se

19

esse é o caso, então as lições aprendidas com déspotas sanguinários poderiam ser úteis para reduzir os abusos em menor escala em nossas próprias sociedades. É um quebra-cabeças particularmente urgente para resolver porque somos constantemente desapontados pelos que estão no poder. Diga a alguém que é um cientista político e uma pergunta surge com frequência: "Por que há tanta gente horrível no comando?"

Mas outro quebra-cabeças continua exigindo uma resposta: essas pessoas foram *tornadas* medonhas pelo poder que detêm? Tenho minhas dúvidas. Outra possibilidade tem me atormentado: que aqueles que parecem ter piorado com o poder sejam apenas a ponta do *iceberg*. Talvez algo muito maior e mais sério esteja à espreita sob as ondas, esperando ser descoberto para que possamos consertá-lo.

Vamos começar com a sabedoria convencional. Todos já ouviram o famoso aforismo: "O poder corrompe, o poder absoluto corrompe absolutamente". É amplo o crédito que se dá a ele. Mas é mesmo verdadeiro?

Alguns anos atrás, eu estava em Madagascar, uma extensa ilha de terra vermelha ao largo da costa da África. Todo mundo conhece Madagascar por seus adoráveis lêmures de cauda anelada, mas a ilha é também o lar de uma espécie igualmente interessante: políticos corruptos. A ilha é em grande parte governada por criminosos que lucram enquanto governam mais de 30 milhões das pessoas mais pobres do planeta. Para um café com leite e um *muffin*, teremos de gastar o salário de uma semana de um cidadão médio de Madagascar. Para tornar as coisas piores, os ricos muitas vezes exploram os pobres. E estive lá para encontrar um dos homens mais ricos de Madagascar: o mandachuva do iogurte na ilha, Marc Ravalomanana.

Ravalomanana cresceu na miséria. Aos 5 anos, para ajudar a família a sobreviver, enchia cestos com agrião e os vendia aos passageiros de um trem caindo aos pedaços que passava por sua escola. Um dia, teve uma inesperada oportunidade: um vizinho lhe deu uma bicicleta. O jovem Marc começou a pedalar para fazendas próximas para pedir o leite que sobrava, que transformava em iogurte caseiro. Enquanto construía seu novo negócio, tentava fazer alguma coisa por sua comunidade, que vivia com dificuldade. Quando não estava atuando como voluntário na igreja local ou cantando em seu coro, vendia o iogurte que trazia no selim daquela bicicleta surrada, aumentando seu negócio pote a pote e ano a ano.

No final da década de 1990, tinha se tornado o barão dos laticínios da ilha e um dos homens mais ricos de Madagascar. Em 2002, tornou-se o presidente Ravalomanana, um político astuto que entendeu o valor de uma história de superação da pobreza em um país onde quase todos ainda vestiam trapos. Como presidente, prometeu mudança. Inicialmente, ele correspondeu. Seu governo investiu em estradas, fechou o cerco à corrupção e erradicou a pobreza com um elevadíssimo crescimento econômico. Madagascar tornou-se o lar de uma das economias de mais rápido crescimento do mundo. Parecia ser uma história de sucesso, uma parábola, indo contra todas as probabilidades, de que pessoas boas, de origem humilde, se tornassem governantes sábios, justos.

Decidi fazer uma visita a Ravalomanana. Quando cheguei a seu palacete, ele saía pela porta da frente vestindo um agasalho Nike, azul-marinho, com uma faixa branca na lateral. Radiante, apertou minha mão e me convidou a entrar. Mostrou sua sala de treino, onde estivera fazendo calistênicos desde as cinco da manhã ("É o único meio de manter a mente afiada para tomar decisões importantes", ele me disse). Em seguida apontou para seu belo santuário dedicado a Jesus, feito segundo suas instruções, com uma grande cruz de madeira diante de uma miniatura de Belém que lembrava um cenário de trenzinho elétrico. Subimos para o andar de cima e, no final de um corredor, ele escancarou grandes portas duplas de mogno. Havia uma enorme mesa atrás delas. Cada centímetro estava coberto de iguarias, com pilhas de *croissants* quentes, ovos preparados de todas as maneiras possíveis, cinco tipos de sucos e iogurte suficiente para alimentar por uma semana a aldeia de sua infância. Os dias de pobreza e agrião tinham há muito ficado para trás.

Embora o chefe de gabinete de Ravalomanana tenha se juntado a nós, havia apenas dois lugares definidos, um para ele e outro para mim. Eu me sentei, abri o *notebook*, tentei pegar minha caneta, mas logo percebi que a havia esquecido.

"Sem problemas", disse Ravalomanana. "Podemos ser pobres, mas temos canetas."

Ele pegou um sininho ao lado do garfo e o sacudiu. Em segundos, dois funcionários correram para a sala, cada um esperando chegar primeiro à mesa.

"Caneta", Ravalomanana berrou.

Os dois homens saíram apressados. Ambos retornaram em 30 segundos, cada um segurando uma esferográfica novinha em folha, competindo pelos elogios. O homem mais lento pareceu abatido quando não os obteve.

Foi quando Ravalomanana entrou no assunto. Estava se preparando para lançar sua aposta de retomar a presidência na próxima eleição. E me olhou atentamente.

"Vi no Google que tem experiência em assessoria de campanhas", ele falou. "Diga-me, o que devo fazer para ganhar a minha?"

A pergunta me pegou desprevenido. Eu estava lá para estudá-lo, não para assessorar sua campanha. Mas, como queria me conectar com ele, improvisei. "Bem, quando ajudei a administrar uma campanha de governador em Minnesota, criamos um artifício eficaz. Visitamos todos os 87 condados em 87 dias, para mostrar que nos importávamos com todo o Estado. Existem 119 distritos em Madagascar. Por que não visitar 119 distritos em 119 dias?"

Introdução

Ele meneou a cabeça, sinalizando que eu devia continuar.

"Poderia vincular isso à sua imagem de quem passa da pobreza à riqueza. É só atravessar cada cidade de bicicleta, lembrando às pessoas de sua infância vendendo iogurte, mostrando que entende como é ser pobre."

Ele meneou de novo a cabeça, virou-se para o chefe de gabinete e disse: "Compre 119 bicicletas".

Ravalomanana não desconhecia o que era ganhar eleições com táticas incomuns. Também não tinha escrúpulos em quebrar as regras. Em 2006, sua reeleição era apontada como muito provável, mas ele não estava disposto a deixar nada ao acaso. Resolveu, então, manipular a eleição com uma nova tática: forçar seu principal oponente a partir para o exílio e depois impedi-lo de retornar para registrar sua candidatura. Cada vez que o rival tentava retornar a Madagascar, Ravalomanana pegava o telefone e ordenava o fechamento de todos os aeroportos da ilha, obrigando o avião que trazia o adversário a voltar. Deu certo. O rival não teve permissão para se registrar do exterior e acabou ficando fora da eleição. Ravalomanana teve uma vitória esmagadora.

Em 2008, Ravalomanana – um homem de origens humildes, voluntário em coros de igreja e obras de caridade – tornou-se ganancioso. Depois de seis anos no poder, parecia que algo havia mudado dentro dele. Em um país onde o indivíduo médio ganhava algumas centenas de dólares por ano, Ravalomanana usou 60 milhões de dólares de fundos do Estado para comprar um avião presidencial (um tanto ambiciosamente batizado de Força Aérea Dois). Depois tentou licenciar a aeronave em seu nome, não em nome do governo de Madagascar. Com Ravalomanana ano após ano no poder, a corrupção parecia ficar cada vez pior.

Por fim, isso acabaria levando à sua queda. Em 2009, o ambicioso DJ de uma estação de rádio que tinha virado político organizou protestos contra o presidente Ravalomanana. O ex-DJ usou as ondas do rádio para encorajar manifestantes pacíficos a marchar para o palácio presidencial. Assim que eles chegaram, os soldados da guarda do rei do iogurte abriram fogo. Foi um banho de sangue. Centenas foram baleados. Dezenas foram mortos. As pessoas ficaram indignadas. Não muito depois de o sangue ser limpo das ruas, Ravalomanana foi derrubado por um golpe de Estado, uma manobra militar que pôs no poder o DJ do rádio.

Talvez a sabedoria popular esteja certa: o poder de fato corrompe. Quando criança de 5 anos, Ravalomanana sonhava apenas em passar do agrião para o iogurte. Seu negócio obedecia às regras. Ele não era violento. Ajudava outros, não a si próprio. Ao que parece, assumir controle da ilha de alguma forma o transformou. Ele ficou pior. Mas talvez não tenha sido culpa de Ravalomanana. No fim das contas, o presidente DJ pode ter se tornado mais corrupto que o barão dos laticínios que ele substituiu. Talvez se eu ou você de repente nos tornássemos presidentes de uma ilha notoriamente corrupta, nós próprios nos tornaríamos corruptos. Seria apenas uma questão de tempo.

Às vezes, porém, a sabedoria popular entende tudo errado. E se o poder não nos torna melhores ou piores? E se o poder apenas *atrai* certos tipos de pessoas – e essas pessoas são precisamente aquelas que não deveriam estar no comando? Talvez aqueles que mais desejam poder sejam os menos adequados para alcançá-lo. Talvez aqueles que anseiam pelo poder sejam corruptíveis.

Se você já leu um livro de psicologia popular, ou assistiu a um documentário sobre prisões, é bem provável que já tenha ouvido falar de um notório estudo que parecia sugerir que o poder realmente corrompe. Só há um problema: tudo que você pensa que sabe sobre esse estudo está errado.

Introdução

No final do verão de 1971, Philip Zimbardo, um pesquisador da Universidade Stanford, construiu uma prisão falsa no porão do departamento de psicologia. Ele recrutou 18 estudantes universitários como participantes de um experimento de orientação científica que visava determinar se os papéis sociais podem transformar, de forma radical, o comportamento de pessoas comuns. A hipótese era simples: o comportamento humano é surpreendentemente camaleônico. Combinamos com o papel que temos ou com o uniforme que usamos.

Para testar se isso era verdade, Zimbardo designou, de forma aleatória, nove participantes voluntários para serem "guardas". Os outros nove tornaram-se "prisioneiros". Por US$ 15 por dia, durante duas semanas, eles deveriam viver uma dramatização de total realismo da justiça criminal. O que aconteceu a seguir é agora considerado infame. Os guardas começaram quase de imediato a maltratar os prisioneiros. Atacaram-nos com extintores de incêndios. Tiraram seus colchões e os forçaram a dormir no chão de concreto. Despiram esses seus companheiros apenas para mostrar quem eram os chefes. O poder, ao que parecia, os tornara terríveis.

Privados de autocontrole, os prisioneiros se transformaram de estudantes universitários orgulhosos, extrovertidos, em sombras remotas e submissas de seus antigos eus. Em um momento angustiante, um guarda, que já fora abusivo com relação àqueles universitários colegas seus, colocou os prisioneiros em fila para humilhá-los ainda mais.

"Daqui para a frente, você faz o que mandarmos fazer."

"Obrigado, sr. Agente Correcional", responde um prisioneiro.

"Diga isso de novo."

"Obrigado, sr. Agente Correcional."

"Diga: 'Deus o abençoe, sr. Agente Correcional.'"

"Deus o abençoe, sr. Agente Correcional."

O estudo deveria continuar por duas semanas. Mas quando visitou a prisão falsa e viu o que estava acontecendo, a namorada de Zimbardo ficou horrorizada. Ela o convenceu a encerrar o experimento seis dias depois. Quando foram publicados, os resultados chocaram o mundo. Foram feitos documentários. Livros foram escritos. A conclusão parecia clara: os demônios estão dentro de todos nós. O poder apenas permite que saiam.

Mas havia um problema. A narrativa aparentemente direta do Experimento da Prisão de Stanford, que se tornara sabedoria popular em psicologia, não era tão clara. Apenas alguns dos guardas praticavam maus-tratos. Vários resistiram a isso e trataram os prisioneiros estudantes com respeito. Então, se o poder realmente corrompe, algumas pessoas são mais imunes que outras?

Para completar, agora alguns prisioneiros e guardas dizem que estavam apenas representando. Achavam que os pesquisadores queriam ver um *show* e estavam dando um. Uma gravação de áudio recentemente descoberta da fase preliminar do experimento levantou questões sobre se os participantes foram treinados para serem severos com os prisioneiros, em vez de terem se tornado espontaneamente agressivos. A imagem, portanto, é um pouco mais turva do que fomos levados a crer. Mas apesar dessas ressalvas, o experimento é angustiante. Pessoas comuns, se colocadas em determinadas condições, podem se tornar cruéis e depravadas. Seremos todos nós apenas sádicos à espera de sermos desmascarados assim que passarmos a ter controle sobre os outros?

Felizmente, é provável que a resposta seja não. As conclusões de Zimbardo não levaram em consideração um aspecto crucial do estudo: como os participantes foram recrutados. Para encontrar prisioneiros e guardas, os pesquisadores colocaram o seguinte anúncio no jornal local:

Introdução

Precisa-se de estudantes universitários do sexo masculino para um estudo psicológico da vida na prisão. US$ 15 por dia durante uma ou duas semanas, começando em 14 de agosto. Para mais informações e inscrições, fazer contato com...

Em 2007, pesquisadores da Western Kentucky University notaram um pequeno detalhe, que parecia insignificante, nesse anúncio. E se perguntaram se ele não havia, inadvertidamente, distorcido o estudo. Para encontrar uma resposta, recriaram o anúncio, fazendo o pagamento passar de US$ 15 a US$ 70 (para ajustá-lo à inflação desde os anos 1970). Nessa atualização do anúncio, quase todas as palavras foram mantidas. Tinham preparado, no entanto, um novo anúncio. Ele era igual sob todos os aspectos, mas com uma diferença fundamental: substituía a frase "para um estudo psicológico da vida na prisão" pela frase "para um estudo psicológico". Em algumas cidades universitárias, no entanto, colocaram o anúncio da "vida na prisão". Em outras deixaram o anúncio do "estudo psicológico". A ideia era ter um grupo que se apresentasse para um experimento de prisão e outro grupo que se apresentasse para um estudo genérico de psicologia. Haveria alguma diferença entre os indivíduos que respondessem?

Encerrado o período de recrutamento, os pesquisadores convidaram os possíveis participantes para triagem psicológica e uma avaliação completa da personalidade. O que eles descobriram foi extraordinário. Aqueles que responderam ao anúncio do experimento na prisão tiveram uma pontuação significativamente mais alta nos índices de "agressividade, autoritarismo, maquiavelismo, narcisismo, dominação social, e significativamente mais baixa nos traços de empatia disposicional e altruísmo" em comparação com o estudo genérico. Apenas por incluir no anúncio a palavra *prisão*, eles acabaram atraindo um grupo desproporcionalmente sádico de estudantes.

Essa descoberta pode inverter as conclusões do Experimento da Prisão de Stanford de modos que transformam, no que há de mais fundamental, nossa compreensão do poder. Em vez de demonstrar que pessoas comuns empurradas para o poder podem se tornar sádicas, talvez o experimento demonstre que pessoas sádicas buscam o poder. Talvez tenhamos entendido a coisa ao contrário. Talvez o poder seja apenas um ímã para pessoas ruins, em vez de uma força que transforma gente boa em ruim. Nessa formulação, o poder não corrompe – ele atrai.

Mas há ainda outro mistério. Mesmo que pessoas inadequadas sejam atraídas pelo exercício do poder, por que parecem alcançá-lo com tanta facilidade? Afinal, nas sociedades modernas, uma quantidade significativa de controle não é tomada, mas *concedida*. CEOs não se envolvem em combates de gladiadores com gerentes de nível médio para chegar à grande sala com a melhor vista. Políticos covardes e corruptos, pelo menos nas democracias, precisam fazer com que pessoas comuns os apoiem para assumir o comando. As recentes revelações sobre o Experimento da Prisão de Stanford levantam a possibilidade de que más pessoas sejam atraídas para o poder. Mas e se nós, seres humanos, também estivermos de alguma forma prontos a entregar o poder às pessoas erradas pelas razões erradas?

Em 2008, pesquisadores realizaram na Suíça um experimento para testar essa hipótese. Recrutaram 681 crianças locais – todas com idades entre 5 e 13 anos. As crianças foram convidadas a jogar uma simulação de computador em que tinham de tomar decisões acerca de um navio que estava prestes a zarpar em uma viagem. Cada criança tinha de selecionar um comandante para seu navio digital com base em dois rostos que apareciam em uma tela. Nenhuma outra informação era dada. Tudo estava projetado para forçar as crianças a decidir: Quem *parece* ser um bom comandante para você? Que homem ou mulher daria um líder eficiente para seu navio imaginário?

Introdução

O que as crianças não sabiam era que os dois possíveis comandantes não vinham de uma seleção casual de pessoas. Na realidade, eram políticos que haviam competido nas recentes eleições parlamentares francesas. Os pares de rostos eram passados aleatoriamente às crianças, mas cada par que elas viam continha o vencedor de uma eleição e o segundo colocado. Os resultados do estudo foram surpreendentes: em 71% do tempo, as crianças escolheram como comandante o candidato que tinha ganho a eleição. Ao realizar o mesmo experimento com adultos, os pesquisadores ficaram surpresos ao ver resultados quase idênticos. As descobertas foram notáveis em duas frentes. Primeiro, mesmo crianças podem identificar com precisão vencedores de uma eleição com base apenas nos rostos, destacando como nossas avaliações do potencial de liderança podem ser superficiais. Segundo, crianças e adultos não têm processamentos cognitivos radicalmente diferentes quando se trata de escolher pessoas para estar no comando. Isso deu um novo significado à expressão "julgando alguém *pelas aparências*". Como mais uma prova de que nossos poderes de escolha de uma liderança são falhos, vários outros estudos mostraram que aqueles que são mais agressivos ou rudes em discussões de grupo são percebidos como sendo mais poderosos e mais adequados como líderes que aqueles que são mais cooperativos ou tranquilos.

Bem, isso já está ficando complicado. O poder pode corromper pessoas de bem. Mas também pode atrair pessoas ruins. E nós, seres humanos, talvez sejamos atraídos de alguma forma para líderes ruins por motivos ruins.

Infelizmente, a complexidade só está começando. Há outro detalhe a ser levado em conta. E se as pessoas no poder fizerem coisas ruins não porque já fossem, desde o início, pessoas ruins, e não porque tenham se tornado ruins após tomar o poder, mas porque estão presas a um sistema ruim? Essa ideia faz muito sentido. Afinal, jogar de acordo com as regras pode fazer com que sejamos promovidos na Noruega, embora garanta que jamais chegaremos ao poder no Uzbequistão. Isso ajuda a explicar por que *algumas* pessoas em posições de autoridade são genuinamente maravilhosas – dispostas a ajudar os outros em vez de ajudar a si mesmas. O fascínio do poder e os efeitos de estar no comando podem, portanto, depender do contexto. Felizmente, contextos e sistemas podem ser alterados. E isso fornece uma pincelada de boas notícias: talvez não estejamos condenados a um mundo em que a liderança abusiva, no estilo de Cornelisz, seja inevitável. Talvez possamos consertar isso.

Um estudo realizado em Bangalore, Índia, fornece alguns indícios para essa visão otimista. Os pesquisadores queriam saber que tipo de gente era atraída para carreiras no funcionalismo público em um lugar onde o setor público é conhecido pela corrupção e o suborno. O funcionalismo público da Índia fornecia uma boa área de teste, já que é famoso por uma corrupção desenfreada. Todos sabem que tornar-se um funcionário público em Bangalore oferece oportunidades de levar para casa algum pagamento não oficial. No experimento, projetado por dois economistas, centenas de estudantes universitários foram convidados a jogar 42 vezes dados de tamanho padronizado e registrar os resultados. Como sempre acontece com dados, tratava-se apenas de uma questão de sorte. Antes, no entanto, de jogarem os dados, os alunos foram informados que seriam mais bem pagos se tivessem sorte e somassem números maiores. Conseguir uma quantidade maior de faces com quatro, cinco e seis pontos levaria a mais dinheiro.

Mas como os resultados eram informados pelos próprios estudantes, eles poderiam mentir sobre as marcas atingidas por seus dados. Muitos mentiram. O número 6 foi anunciado em 25% do tempo, enquanto o número 1 não ultrapassou 10% do tempo. Com a análise estatística, os pesquisadores puderam ter certeza de que tais resultados incomuns não poderiam de modo algum ser atribuídos ao acaso. Alguns estudantes foram tão descarados a ponto de afirmar que acertaram seis pontos não menos de 42 vezes seguidas. Mas havia determinadas pistas nos dados: os estudantes que trapaceavam no experimento tinham aspirações de carreira diferentes dos que informavam com honestidade os pontos ganhos. Era muito mais provável que aqueles que relatavam falsas pontuações altas, e não a média dos estudantes, dissessem que gostariam de ingressar no corrupto serviço público da Índia.

Quando outra equipe de pesquisadores fez um experimento semelhante na Dinamarca – um país onde o serviço público é limpo e transparente – os resultados se inverteram. Era muito mais provável que os estudantes que informavam suas pontuações com honestidade aspirassem a ser funcionários públicos, enquanto os que mentiam seriam os estudantes que procuravam profissões que pudessem deixá-los podres de ricos. Um sistema corrupto atraía estudantes corruptos, e um sistema honesto atraía estudantes honestos. Talvez não se trate exatamente do poder mudando as pessoas, mas do ambiente. Um bom sistema pode criar um círculo virtuoso de buscadores de poder ético. Um mau sistema pode criar um ciclo vicioso de gente inclinada a mentir, trapacear e roubar até chegar ao topo. Se o caso fosse esse, nosso foco não deveria se concentrar em indivíduos poderosos – deveria se concentrar em reparar nossos sistemas corrompidos.

Ficamos com uma série de soluções possíveis para nosso quebra-cabeças de exasperadora complexidade. Primeira, o poder torna as pessoas piores – o poder corrompe. O agrião leva a um império de iogurte e, antes que se perceba, estamos manipulando eleições e comprando aviões com dinheiro que não é nosso. Segunda, não é que o poder corrompa, mas sim que as piores pessoas sejam atraídas para o poder – o poder atrai o corruptível. Os farmacêuticos psicopatas não resistem a escalar a hierarquia de um navio condenado, e os sádicos não conseguem resistir ao fascínio de vestir um uniforme e espancar um prisioneiro com cassetete. Terceira, o problema não se encontra com os detentores de poder ou com os buscadores de poder, o problema é que *nós* somos atraídos para os líderes ruins por razões ruins, e assim tendemos a *dar-lhes* poder. Nossos comandantes – e não só de navios imaginários – são selecionados por razões irracionais. Quando nos fazem bater em recifes rochosos, só podemos censurar a nós mesmos. E quarta, concentrar-se nos indivíduos que estão no poder é um erro porque tudo depende do sistema. Maus sistemas cospem maus líderes. Criado o contexto certo, o poder pode purificar em vez de corromper.

Essas hipóteses são explicações potenciais para duas das questões mais fundamentais sobre a sociedade humana: quem conquista o poder e como isso nos muda? Este livro fornece respostas.

II

A EVOLUÇÃO DO PODER

"O que nós somos? Humanos? Ou animais? Ou selvagens?"
– William Golding, *O Senhor das Moscas*

De Chimpanzés e Crianças

Antes de mergulharmos nas questões de quem busca o poder, quem o conquista e se ele nos muda, temos de reduzir um pouco o *zoom*. Existe uma questão mais fundamental. Por que nós, seres humanos, instituímos nossas sociedades de um modo que inevitavelmente torna um pequeno grupo de pessoas poderoso e um grande grupo de pessoas impotente?

Voltemos à história dos dois naufrágios perto de ilhas desertas. A justaposição entre o condenado *Batavia* e os garotos tonganeses presos em 'Ata não fornece apenas um quebra-cabeças relacionado à natureza humana. Também levanta uma pergunta sobre a qual raramente pensamos: por que existem hierarquias? Posição e *status* definem a tal ponto nossa existência diária que nunca paramos para imaginar uma alternativa. Mas e se as relações entre as pessoas fossem sobretudo niveladas e igualitárias, em vez de uma série de arranjos de cima para baixo de chefes, generais, instrutores e presidentes? Claro, isso se parece um pouco como o sonho febril de um coletivo anarquista-marxista em uma faculdade de artes liberais burguesas. Mas se olharmos o suficiente para trás na história, esse mundo livre de hierarquia que parece utópico foi exatamente o mundo que existiu para muitos humanos durante a maior parte do tempo em que nossa espécie floresceu no planeta. Para compreender nosso presente, precisamos voltar no tempo.

Entre 3,5 e 4,5 bilhões de anos atrás, se quiséssemos visitar nossos antepassados para uma reunião de família, teríamos de mergulhar profundamente no oceano até encontrar um respiradouro fumegante de alto-mar. Nas temperaturas escaldantes criadas pelo magma fluindo da crosta terrestre, poderíamos nos unir a um organismo unicelular que fosse não apenas nosso ancestral – mas também o ancestral de tudo que hoje vive no planeta. Seu nome é LUCA, o Último Ancestral Comum Universal [*Last Universal Common Ancestor*]. E compartilhamos com ele cada pássaro, cada ouriço-do-mar, cada vestígio de lodo. Por meio de LUCA, toda a vida na Terra está relacionada. Mas isso não nos diz muito sobre nós mesmos.

Avance alguns bilhões de anos e você poderá encontrar um antepassado peludo da família humana que tem um nome mais difícil de pronunciar – CHLCA, ou Último Ancestral Comum Chimpanzé-Humano [*Chimpanzee-Human Last Common Ancestor*]. Seria certamente mais fácil reconhecer que o unicelular LUCA–CHLCA representa o último momento em que não seria possível distinguir nossos predecessores dos chimpanzés. Nos ramos da evolução dos hominídeos, os gibões se separaram primeiro, depois os orangotangos, depois os gorilas e, então, finalmente, em algum momento entre 4 e 13 milhões de anos atrás, nos distinguimos dos chimpanzés.

Contudo, mesmo após milhões de anos de evolução, continuamos intimamente relacionados aos chimpanzés. Os humanos modernos compartilham 98,8% do DNA com os chimpanzés (embora essa estatística pareça *ligeiramente* menos impressionante quando descobrimos que também compartilhamos 80% de nosso DNA com cachorros e 50% dele com bananas). Ainda assim, há uma razão para termos a sensação de reconhecer uma centelha de humanidade ao vermos chimpanzés brincando, tomando conta de seus jovens ou, sem dúvida, quando os vemos em exibições de domínio e submissão. Sob muitos aspectos, são como nós.

Essas semelhanças sugerem uma hipótese sedutoramente simples: se queremos entender como os humanos se relacionam com o poder, o *status* e a hierarquia, talvez nos baste olhar para os chimpanzés. Se eles são nosso mais próximo parente animal, talvez possamos nos compreender ao entendê-los. Por outro lado, se os chimpanzés seguem uma lei da selva em que os chimpanzés maiores, fisicamente mais fortes, governam e os chimpanzés menores, fisicamente mais fracos, são governados, então temos um problema. Esse modelo não nos leva muito longe para explicar, por exemplo, Angela Merkel.

Décadas atrás, um primatologista holandês chamado Frans de Waal reparou que as estruturas sociais dos chimpanzés eram muito mais complicadas do que previamente se sabia. Para estar no comando, um chimpanzé sem dúvida precisava ser grande e fisicamente forte. Mas não era garantido que o maior chimpanzé se tornaria necessariamente o mais poderoso. Na realidade, aspirantes a líderes tiveram de construir alianças, conseguir favores dos mais influentes e distribuir recursos. Os que completaram a escalada para a posição de macho alfa não tinham estabilidade na posição. Usurpadores estavam sempre esperando um momento de fraqueza para formar suas próprias coalizões e derrubá-los. A dinâmica das hierarquias dos chimpanzés era tão sofisticada que Waal começou a ver certas interações como nitidamente políticas. Ele escreveu seu trabalho seminal, *Chimpanzee Politics* [Políticas do Chimpanzé], em 1982.

O livro era polêmico. Atribuía intencionalidade e planejamento social estratégico aos animais, algo que se presumia ser exclusivo dos seres humanos. Havia conspirações, esquemas e construção de coalizões. Chimpanzés fracos podiam formar pactos para compensar o poder de chimpanzés fortes. Chimpanzés espertos podiam passar a perna nos rivais. De Waal chega a descrever golpes de Estado dos chimpanzés, fermentados durante dias, mas executados de modo preciso em um instante. Não importa o grupo de chimpanzés observado por De Waal, havia sempre uma questão de *status*. E esse *status* era definido por alguns chimpanzés que buscavam de forma implacável conquistar o poder sobre os outros. A hierarquia era inevitável. Como no caso do *Batavia*, os chimpanzés sempre sabiam qual era o seu lugar.

"Os chimpanzés – todos os chimpanzés, incluindo fêmeas – são muito ligados ao poder", De Waal me diz. "Você não pode lidar com um chimpanzé sem que ele ou ela tente dominá-lo, ou tente intimidá-lo, apenas para ver como você reage. Eles sempre vão testá-lo. Sempre querem ver onde estão situados com relação a você. E se perceberem algumas fraquezas, vão pressioná-lo tentando obter vantagem."

No entanto, por mais que o poder influencie o comportamento dos chimpanzés, não é só isso que os interessa. Do mesmo modo como alguns seres humanos, alguns chimpanzés são atraídos de forma irresistível para o poder. Outros fazem uma experiência de dominação, mas não se importam se acabam como seguidores. "O esforço para chegar ao topo, que é um negócio muito arriscado, não está presente em todos eles", diz De Waal. "Você pode ter machos muito grandes que se dão por satisfeitos com a posição número três, por exemplo." Essa complexidade nos parece familiar. Alguns buscam o poder. Outros se esquivam dele, colocando-se de lado para deixar que os outros passem. Marque um ponto para a teoria de que chimpanzés e humanos têm uma surpreendente semelhança quando se trata de buscar, conquistar e exercer o poder.

Sob certos aspectos, isso é uma perspectiva perturbadora. Afinal, parece que a maioria dos chimpanzés não consegue escapar do impulso para pelo menos tentar dominar outros. Em um estudo de 1964, chimpanzés que foram isolados ao nascer e criados fora de qualquer estrutura social ainda se comportavam de maneiras associadas a exibições de domínio social. Hierarquia, poder e dominação parecem meros elementos normais de ser um chimpanzé. Será que nosso código genético compartilhado nos condena às mesmas obsessões?

Não exatamente. Apesar de sermos 98,8% geneticamente semelhantes, esse 1,2% do nosso DNA que nos separa dos chimpanzés está repleto de diferenças fundamentais. Nos bilhões de A's, C's, G's e T's que nos tornam quem somos, cerca de 15 milhões de letras se afastam da escrita chimpanzé. Muitas dessas mudanças são insignificantes, erros de transcrição que não tiveram efeito discernível em nossa biologia. Isso porque nem todos os pares de bases de DNA são iguais. Alguns são cruciais, fornecendo um plano para garantir que tenhamos dois braços e que esses braços estejam ligados à parte superior do nosso torso e não brotando de nossa cabeça. Outros são apenas restos.

No início do ano 2000, Katherine S. Pollard, uma bióloga computacional, se dispôs a tentar descobrir quais daqueles 15 milhões de letras que nos separavam dos chimpanzés eram importantes. Para fazer isso, ela seguiu uma lógica simples: no decorrer de milhões de anos, alguns aspectos do nosso genoma mudaram consideravelmente desde nosso último ancestral comum com os chimpanzés; outros permanecem inalterados. Sem dúvida, se pudéssemos identificar que partes do genoma se alteraram mais – quais eram os maiores pontos fora da curva – poderíamos desvendar o segredo do que nos torna humanos.

Mas houve uma reviravolta evolutiva. Com toda a probabilidade, pequenas variações eram resultado de mutações randômicas. Eram o refugo, os acidentes inócuos. Mas quaisquer mudanças importantes não seriam acidentais. Qualquer código genético que estivesse mudando mais rápido que a velocidade da mutação randômica estava sendo "selecionado". Em outras palavras, essas mudanças forneciam a nossos ancestrais quase humanos uma chance melhor de sobrevivência. Como os ajudavam a sobreviver, a transmissão para as gerações futuras do fragmento de DNA reescrito de modo produtivo tornou-se mais provável. Dessa forma elegante, úteis inovações genéticas foram "aceleradas". Se pudesse encontrar os fragmentos que mais se "aceleraram", Pollard poderia entender com precisão como tínhamos evoluído de nossos ancestrais primatas.

Em novembro de 2004, Pollard digitou uma senha em seu computador, deu um clique com o *mouse* e identificou milhões de anos de divergência genética: 118 bases de DNA que se combinaram para formar o que é agora conhecido como HAR1, a região acelerada humana [*human accelerated region*]. O HAR1 é ativado durante o desenvolvimento do nosso cérebro. Se algo dá errado com o HAR1, o cérebro pode ficar caótico e, inclusive, degenerar sob formas mortais. Pollard havia encontrado muitos dos principais pares de bases que nos tornavam diferentes dos chimpanzés.

Mas não basta saber *onde* diferimos. Precisamos saber *como* diferimos. Quando se trata de nosso comportamento, o que nos separa dos macacos e gorilas? O fato é que algumas pistas surpreendentes sugerem que temos uma preocupação inata com justiça e igualdade que os chimpanzés simplesmente não têm. Isso nos traz um vislumbre de esperança de que, no fundo, sejamos mais adolescentes tonganeses que assassinos *batavos.*

Michael Tomasello, professor de psicologia do desenvolvimento na Universidade Duke, pode ter encontrado esse brilho nos olhos das crianças mais novas. Ele projetou um estudo simples. Pares de crianças de 2 e 3 anos foram designados aleatoriamente para ser uma criança "sortuda" ou uma criança "azarada". Eram dadas três recompensas à criança sortuda. A criança azarada recebia uma. Se um senso inato de imparcialidade e justiça faz parte do ser humano, então algo devia inquietar as crianças sobre a discrepância entre elas. Mas se estivéssemos apenas interessados em dominar os outros, a criança sortuda aceitaria de bom grado sua boa sorte e não pensaria duas vezes na criança azarada.

O estudo teve três versões. Na primeira, as crianças andavam em uma sala, e a criança sortuda encontraria três recompensas esperando por ela, enquanto a criança azarada encontraria uma. Na segunda, ambas as crianças puxariam uma corda. A criança sortuda ganharia de novo três recompensas, em comparação com a recompensa única da criança azarada. No terceiro arranjo, as crianças trabalhariam juntas em uma tarefa e, no final, ainda haveria uma repartição de três recompensas para uma e uma única recompensa para a outra. A ideia era ver se nosso instinto era para compartilhar e, de modo mais crucial, se tinha importância o modo como as recompensas eram distribuídas.

Na primeira versão do estudo, nenhuma das crianças compartilhou o que recebeu. Na segunda, algumas o fizeram. Mas a terceira versão – em que um esforço igual, colaborativo, levava a um resultado desigual – produziu o resultado mais intrigante. Nenhuma das crianças de 2 anos compartilhou o que recebera. Mas surpreendentes 80% das crianças sortudas de 3 anos desistiram de uma de suas recompensas para estar em pé de igualdade com a companheira azarada. O instinto delas estava voltado para a justiça – em particular, depois de uma cooperação. Distribuições aparentemente casuais não preocupavam as crianças, mas distribuições injustas após igual esforço claramente as deixavam inquietas já aos 3 anos de idade. Quando paramos de saborear nossas chupetas, começamos a desenvolver uma aversão à injustiça.

A menos que trabalhássemos com um bando de idiotas, presumiríamos um resultado semelhante em adultos. Mas esse impulso de compartilhar que costumamos ver em nossos colegas pode ser aprendido em vez de inato. Também pode emergir como resultado de pressão social. Afinal, quem se arrisca a se tornar o pária do escritório pegando duas fatias de bolo e deixando um colega sem nenhuma? Aos 3 anos de idade, o estigma social não chega a ser um fator. Mas seriam os combatentes pirralhos da justiça social meros subprodutos de uma boa educação recebida dos pais ou das horas que passam hipnotizados diante do *Vila Sésamo*?

"Pode-se argumentar que essas crianças estavam apenas seguindo cegamente uma regra para compartilhar aprendida com os pais", diz Tomasello. "Mas se o caso fosse esse, elas deviam ter dividido igualmente as recompensas com as outras crianças em todas as três condições — a não ser, em uma hipótese implausível, que a regra que lhes ensinaram fosse compartilhar recursos só depois de uma colaboração. É mais plausível que o ato de colaboração tenha engendrado um sentimento de 'nós' que levou as crianças a ver seus parceiros como igualmente merecedores dos despojos." Tomasello e seus coautores começaram a se perguntar se tal instinto — um instinto de cooperação — tinha de alguma forma se desenvolvido nos seres humanos.

Mas seria ele exclusivamente humano? Tomasello decidiu realizar um estudo semelhante com chimpanzés. Quando os experimentos foram executados, o compartilhamento foi raro. O crucial é que a configuração não mudou em nada o resultado. A colaboração foi irrelevante. Não havia um sentimento de "nós" e nenhum senso de justiça. Para os chimpanzés, a domínio não vem com segundas intenções.

Esse, então, é o enigma da evolução do poder humano. Começamos como os chimpanzés. Mas em algum ponto, ao longo do caminho para a humanidade moderna, desenvolvemos um forte sentimento de que o trabalho conjunto deve ser recompensado por espólios iguais. E desenvolvemos um desejo inato de cooperar, não apenas dominar. Como, e por que, isso aconteceu? Para descobrir, precisaremos olhar para nosso passado de caçadores-coletores e responder a uma pergunta que não parece ter relação com isso: por que os chimpanzés não podem jogar beisebol?

Como Nossos Ombros Moldaram a Sociedade

No deserto do Kalahari, na África, vive um grupo de caçadores-coletores conhecido como !Kung. Enquanto à sua volta Botsuana, Namíbia e Angola se transformaram em complexos Estados modernos, o !Kung conservou um modo de vida pré-histórico. No centro dessa vida está um ritual de caça que proporciona uma janela para o impulso igualitário que tem caracterizado os seres humanos pela maioria do tempo em que temos vivido na Terra.

Para sobreviver, os caçadores !Kung devem levar carne para casa. É demorado. Em geral, eles voltam de mãos vazias. E quando conseguem matar um animal e levá-lo para a aldeia, não são celebrados nem aplaudidos. Em vez disso, passam por uma humilhação cerimonial, um ritual conhecido pelos antropólogos como "insultando a carne". Mesmo que a recente matança do caçador possa alimentar a aldeia por uma semana, as queixas são as mesmas: "Você quer dizer que nos arrastou até aqui para nos fazer levar para casa a sua pilha de ossos? Oh, se eu soubesse que a coisa tinha essa magreza toda, não teria vindo". Esse estranho costume tem um propósito: reduzir a importância do caçador. Membros do grupo !Kung explicaram a lógica ao antropólogo canadense Richard Lee no final dos anos 1970: "Quando mata muita carne, um homem jovem passa a pensar em si mesmo como um chefe ou um grande homem, e ele pensa no resto de nós como seus servos ou inferiores. Não podemos aceitar isso. Recusamos aquele que se gaba, pois algum dia seu orgulho o fará matar alguém. Então, sempre falamos de sua carne como sem valor. Dessa forma, esfriamos seu coração e o tornamos gentil".

CORRUPTÍVEIS

Se acontece de um caçador obstinado ter uma casca muito dura para ser humilhado por esses insultos ferozes à sua carne, outro mecanismo garante que ninguém se sinta grande demais para escapar do controle do grupo. Quando caçam, os !Kung usam flechas. Cada cabeça de flecha é propriedade de um indivíduo ou família diferente, independentemente de quem está fazendo a caça. Com regularidade, os membros da comunidade trocam pontas de flechas entre si. Então, quando ocorre uma morte, o crédito não é concedido ao caçador, mas ao dono da cabeça de flecha usada para abater o animal. Como os !Kung trocam com frequência as cabeças de flecha, o processo fica efetivamente randomizado. Graças a esse pedaço inteligente de engenharia social, cada família recebe um crédito mais ou menos igual pela alimentação do grupo. Este sistema assegura que caçadores prolíficos não surjam como líderes e que os sucessos e fracassos dos !Kung sejam distribuídos. A hierarquia como nós a conhecemos não existe. A sociedade é concebida como horizontal.

Isso não significa que os humanos pré-históricos e caçadores-coletores modernos fossem indiferentes ao poder ou à hierarquia. Na realidade, como o psicólogo evolucionista Mark van Vugt me explicou, "seria muito estranho se mesmo nessas sociedades de caçadores-coletores não houvesse pessoas que tentassem dominar outras. Isso basicamente faz parte do nosso legado primata". Mas sempre que uma pessoa tentava tomar o poder dentro da comunidade !Kung, ela era condenada ao ostracismo, ridicularizada, humilhada ou, em casos extremos, morta. Embora os rituais !Kung possam parecer estranhos para nós, eles são normais na história humana. Nós, não eles, somos os estranhos.

Se os trezentos mil anos de história de nossa espécie, a *Homo sapiens*, fossem condensados em um único ano, viveríamos principalmente em sociedades horizontais, não hierárquicas, do Dia de Ano Novo até aproximadamente o Natal. Nos últimos seis dias do ano, a hierarquia se tornaria a norma, à medida que civilizações complexas se enraizassem no planeta. Só então seríamos definidos pelo domínio e o despotismo. Nossas sociedades modernas são atípicas. Os equivalentes ao macho alfa de nossos ancestrais chimpanzés desapareceram de muitas sociedades humanas pré-históricas. Para onde, então, eles foram?

Se você colocar o chimpanzé mais poderoso do mundo em um uniforme de beisebol, der a ele o melhor treinamento e o fizer praticar arremessos diários, ele ainda só conseguiria jogar uma bola de beisebol a cerca de 30 quilômetros por hora. Isso é mais ou menos a velocidade de um arremessador [*pitcher*] insignificante, sem nada de excepcional, um participante de 7 anos na Liga Menor. Uma criança modesta de 12 anos pode neutralizar um rebatedor [*batter*] com uma bola rápida de quase 100 quilômetros por hora, o triplo da velocidade máxima até mesmo do Nolan Ryan ou do Mariano Rivera dos chimpanzés. Seria mais provável nossos ancestrais primatas acertarem o rebatedor ou fazerem a bola voar para os lados do que marcar um *strike*. Mas não seria uma competição justa. "Os humanos são a única espécie que pode lançar objetos ao mesmo tempo incrivelmente rápidos e com grande precisão", escreve Neil Thomas Roach, um biólogo evolucionista da Universidade Harvard. Cerca de dois milhões de anos atrás, nossos predecessores do *Homo erectus* passaram a mostrar em seus ombros os efeitos de uma benéfica cirurgia cosmética* evolucionária. De repente, podiam atirar objetos com velocidade e precisão mortais. E isso mudou drasticamente o curso de nossa espécie.

Quatrocentos mil anos atrás, um de nossos ancestrais moldou a beirada do galho de uma árvore chamada teixo. A madeira também foi trabalhada para tornar o galho mais aerodinâmico. O fruto desse trabalho, hoje conhecido como Lança de Clacton, é o mais antigo objeto de madeira trabalhada descoberto até hoje. Sessenta a setenta mil anos atrás,

---

* Termo leigo para se referir a cirurgia plástica estética. (N. do T.)

arcos e flechas entram no registro arqueológico. Mas antes que qualquer uma dessas armas fosse desenvolvida, nossos ancestrais hominídeos podiam atirar pedras com uma precisão que um chimpanzé só poderia sonhar em imitar. Nosso uso de armas de longo alcance nos separa dos outros primatas. Essa distinção transformou nossa estrutura social.

Com armas de longo alcance, matar tornou-se mais uma questão de cérebros e habilidade que de força e tamanho. Na batalha pelo poder, os projéteis são um equalizador brutal. De repente, um pequeno hominídeo que fez uma lança melhor ou praticou para atirá-la podia facilmente matar alguém muito maior e mais forte. O tradicional elo entre poder e tamanho foi cortado. Golias não eram mais invencíveis. Davis com armas de longo alcance podiam derrubá-los.

Essa mudança ainda pode ser vista na sociedade moderna. Durante a Guerra do Vietnã, por exemplo, um dos assassinos mais cruéis do exército norte-americano era um Boina Verde chamado Richard Flaherty. Ele foi condecorado com a Estrela de Prata e duas Estrelas de Bronze. E era um homem de 1,47m de altura – 15 centímetros mais baixo que a média das mulheres norte-americanas. Mas você nem precisa ser treinado em combate para ser mortal se tiver os projéteis certos. Não precisa sequer ser um adulto. Nos Estados Unidos, cerca de uma vez por semana alguém é baleado por uma criança que dispara acidentalmente uma arma de fogo. Alguns desses acidentes são fatais. Enquanto isso, a ideia de um chimpanzé bebê matar acidentalmente um adulto é ridícula. Nossos primos primatas só podem matar recorrendo à força bruta.

O desenvolvimento de armas de longo alcance, portanto, mudou o que "o mais apto" significava quando se tratava da sobrevivência do mais apto. O tamanho não era mais tão importante. Biólogos evolucionistas argumentaram que essa mudança é uma razão fundamental de as diferenças de tamanho físico entre machos e fêmeas serem menores em humanos do que em qualquer outra espécie de grandes macacos (se os cientistas estão corretos, parte da razão pela qual os homens são geralmente poucos, não muitos centímetros mais altos que as mulheres, se deve ao modo como nossos ombros são desenhados). Mas a maior mudança que veio das armas de longo alcance e o grande nivelamento que elas tornaram possível foi o achatamento das hierarquias – do despotismo do chimpanzé para a cooperação entre caçadores-coletores.

Ainda assim, não devemos pensar em nós mesmos como uma espécie excessivamente fofa. Como os chimpanzés, os humanos são atraídos pelo poder. Mas quando os humanos se separaram dos chimpanzés, o *caminho para o poder* também divergiu. Quando a tomada do poder requeria matar pelo combate físico, tornava-se perigoso e possivelmente mortal desafiar um membro dominante do grupo. Para assumir o controle, tínhamos de correr muitos riscos. Isso fornecia alguma proteção aos que estavam no comando, pois eles sabiam com frequência que venceriam uma luta física. Eram maiores e mais fortes. Mas com o desenvolvimento das armas de longo alcance, supostos líderes precisavam cuidar muito mais de sua retaguarda. De repente, o mais esquelético membro do grupo poderia representar uma ameaça. Um potencial rival podia estar se escondendo na floresta, pronto para atirar uma lança em você. O rival poderia atingi-lo com um arco e flecha enquanto você dormia ou poderia atirar uma pedra em sua cabeça quando você menos esperava.[1] De repente, ficou muito mais difícil para um membro maior de um grupo dominar fisicamente os membros menores do grupo contra sua vontade. Em vez de aceitar a lei dos fisicamente mais fortes, os seres humanos tinham agora uma opção.

Chris Boehm, antropólogo da Universidade do Sul da Califórnia, desenvolveu uma explicação amplamente aceita para o subsequente achatamento de hierarquias na sociedade humana. Ele cunhou uma ex-

---

[1] Esse também é o motivo pelo qual não precisamos saber a altura de Lee Harvey Oswald ou se ele levantou pesos.

pressão meio desajeitada, *hierarquia de dominância reversa*, para explicar o fenômeno, mas a ideia é simples. Uma hierarquia de dominância é um triângulo isósceles, com o chefão na ponta superior elevando-se sobre todos que estão em sua base. Uma hierarquia de dominância reversa é uma linha plana, onde todos são mais ou menos iguais, ao menos em termos formais. Boehm explica que quem tentasse fazer a linha plana voltar a ser um triângulo isósceles agia por sua conta e risco.

Não obstante, os caçadores-coletores muitas vezes precisavam lutar para preservar uma falta de hierarquia. Em nossa espécie, muitos gostam de ter controle sobre outros. Isso faz sentido de uma perspectiva evolucionária. Ter pelo menos algum poder tende a coincidir com a sobrevivência e, por extensão, com o sucesso reprodutivo. Mas se a sociedade estiver configurada para que somente uma pessoa possa ser o líder, então quase ninguém que deseja o poder conseguirá obtê-lo. Claro, você pode ter sorte. Mas para o indivíduo em geral, ser dominado por outra pessoa era o resultado mais provável de uma sociedade hierárquica. Então, em vez de aceitar esse arranjo de estilo primata, muitos dentre os primeiros humanos projetaram um modo diferente de vida, em que ninguém poderia estar no comando. Qualquer indivíduo que tentasse tomar o poder – que Boehm chama de arrivista – seria dominado pelo grupo, jogado de volta no mesmo nível dos outros. O arrivista poderia enfrentar expulsão, perseguição e até mesmo a morte. Os rituais !Kung de insulto à carne e as pontas de flechas rotativas são apenas dois dos mecanismos desenvolvidos para deter esses arrivistas. Como disse um antropólogo: "Todos os homens procuram governar, mas se não podem governar preferem ser iguais". Nosso instinto para governar foi suplantado pelo desejo mais forte de não ser governado por outra pessoa.

Em função disso, Boehm argumenta que por várias centenas de milhares de anos – do dia de Ano Novo ao Natal em nosso ano condensado da espécie – os seres humanos viveram em relativa igualdade nos grupos chamados de bandos, que abrigavam alguma coisa entre algumas dezenas a cerca de 80 membros. Esses grupos refletiam e discutiam antes de decidir. Líderes que fossem particularmente qualificados ou conhecedores de um determinado tópico poderiam ter mais aptidão para persuadir os outros, mas não exerciam qualquer autoridade formal.

Sabemos disso por meio de três tipos de indícios. Primeiro, escavações arqueológicas de locais de sepultamento de antigos coletores-caçadores raramente mostram diferenciação no interior dos túmulos.[2] Isso mudou consideravelmente quando a hierarquia tornou-se normal e indivíduos poderosos foram enterrados em sepulturas maiores, com mais posses ou de um modo indicando que estavam separados das massas (pensemos nas pirâmides). Em segundo lugar, a evidência arqueológica raramente mostra grande variação de nutrição entre os membros do bando. Havia poucos Henriques VIII obesos ao lado de camponeses que passavam fome. E em terceiro lugar, com poucas exceções, os bandos sobreviventes de modernos caçadores-coletores vivem dessa maneira – sem chefes, com deliberações baseadas em consenso. Esses traços vivos de nossas sociedades da Idade da Pedra nos dão um vislumbre de nosso passado coletivo. Marcam uma diferença radical de nosso mundo, onde cada aspecto de nossas vidas é afetado por hierarquias sociais.

É certo que nossa compreensão da sociedade não hierárquica caçadora-coletora é incompleta e pode ser exagerada. Manvir Singh, um especialista em biologia evolutiva humana, tem desafiado de modo convincente a sabedoria popular mostrando que *de fato* existiram algumas sociedades pré-históricas sedentárias e hierárquicas (em locais como o sul da China, o Levante e o sul da Escandinávia). Ele argumenta que havia muito mais diversidade na estrutura de sociedades pré-históricas do

---

2 Existem algumas exceções. Por exemplo, o cadáver de um garoto na Itália foi enterrado com símbolos ornamentados de *status*. Magníficas câmaras mortuárias pré-históricas também têm sido descobertas perto da Moscou dos dias atuais.

que atualmente se admite. Além disso, alguns especialistas questionam se a evidência nutricional é enganosa ou se o "igualitarismo" realmente significava igualdade (em particular, com relação aos sexos). Mas há evidências convincentes de que, durante a maior parte da história humana, hierarquias complexas, formais, eram muito, muito menos comuns do que hoje. À primeira vista, um mundo sem chefes autoritários ou políticos incompetentes parece muito atrativo. É hora de trazer de volta a Idade da Pedra?

Não nos enganemos: essas sociedades sem dúvida não eram utópicas. Mais de um em cada quatro bebês morriam no primeiro ano de vida. Quase metade das crianças não sobrevivia à puberdade. Quando um arrivista ou um valentão sedento de poder emergia na pré-história, conflitos e tragédias com frequência se seguiam. Às vezes acertavam as contas com os arrivistas pelo ostracismo (o estigma social é uma arma poderosa se todo o nosso mundo consiste em 80 indivíduos e não há outras pessoas para fazermos amizade; era como uma turminha do ensino médio ou um grêmio de *Meninas Malvadas* da pré-história usando esteroides). Em bandos de caçadores-coletores, ostracismo significava morte social, ao menos por algum tempo. Mas apesar desse poderoso elemento de dissuasão, as pessoas quebravam *de fato* os códigos sociais da comunidade. Quando isso acontecia, não havia delegacia de polícia a que recorrer, nem juízes para determinar culpa e inocência. Era uma versão antiga, muito mais sem lei, do Velho Oeste norte-americano. O assassinato era usado com frequência para resolver disputas. De acordo com um estudo recente de pesquisadores espanhóis publicado em *Nature*, cerca de 2% de todas as mortes em sociedades coletoras-caçadoras eram causadas por homicídio. Isso reflete de perto a taxa de assassinatos nos conflitos de primatas contra primatas entre os grandes macacos (podemos dizer, em nossa defesa, que sem dúvida não somos o pior do pior no reino animal; a taxa de matança dentro da mesma espécie é de 8% entre os guepardos,

12% entre os lobos; 15% entre leões marinhos e chega a 17% para os aparentemente fofinhos lêmures de Madagascar).

Mas *quem* eram os criadores de caso nesses bandos pré-históricos de humanos felizes e assassinos? Sabemos, pelas modernas sociedades de caçadores-coletores, que o perfil demográfico de arrivistas sedentos de poder não é aleatório. "As personalidades problemáticas eram masculinas", Boehm explica. "Líderes de grupo, xamãs, caçadores competentes, psicóticos homicidas ou outros homens com poderes incomuns ou fortes inclinações para a ambição política". Essa é a complexidade do quebra-cabeças da humanidade: quando já vivíamos mais como os náufragos de Tonga, ainda tínhamos elementos latentes do *Batavia* em nossas sociedades, esperando para serem soltos.

Sabemos que esta ausência de hierarquia não durou. Olhe à sua volta. Nossas vidas são definidas por *status* e poder, da delicada dança de políticas enganosas e dos símbolos de *status* com bolsas de grife ao abuso policial de minorias raciais e à desigualdade de gênero que persiste como um mato que não sai do jardim. Assim como os passageiros a bordo do *Batavia* conheciam seu lugar, somos continuamente lembrados de onde nos situamos na sociedade moderna. Então, o que mudou? Como passamos de uma abundância de primitivas sociedades horizontais para as mais complexas hierarquias na história do mundo?

Guerra e Ervilhas[**]

Entre 11 mil e 5 mil anos atrás, tudo mudou. Em geral, os bandos foram substituídos por tribos, chefaturas[**] e versões arcaicas de Estados.

[**] *War and Peas* no original. Trocadilho com *Guerra e Paz*. (N. do T.)
[***] Conceito criado pelo antropólogo Elman Service para classificar uma forma de organização intermediária entre a tribo e o Estado. Ver Service Elman, R., *Primitive Social Organization*, Nova York: Random House, 1962. (N. do T.)

Sociedades hierárquicas que já existiam ficaram mais hierárquicas. Nosso mundo não era mais horizontal. O poder retornava com uma vingança. O que aconteceu?

Um emigrado russo de óculos e barbudo decidiu descobrir.

Peter Turchin adquiriu uma aversão visceral a hierarquias cerradas desde uma tenra idade. Seu pai, Valentin Turchin, foi um dos mais antigos pioneiros da inteligência artificial na União Soviética. Mas quando falou sobre os abusos soviéticos, Valentim foi longe demais, incomodando seus superiores. Valentim tornou-se um dissidente, fugindo para os Estados Unidos e levando com ele seu filho Peter, de 21 anos. Décadas mais tarde, o Turchin mais jovem é um polímata e professor da Universidade de Connecticut, um dos pensadores mais inteligentes de que você provavelmente nunca ouviu falar. Turchin parece o típico professor que passa suas horas de vigília refletindo sobre grandes teorias e hipóteses. Tem óculos de professor, cabelos grisalhos que combinam com a barba, e se sente mais confortável em uma camisa polo que de terno e gravata. Fala um eloquente inglês acadêmico com um persistente sotaque russo. As mãos de Turchin se movem com entusiasmo quando ele explica cada uma de suas ideias, grandes e abrangentes, para um novo convertido em potencial – convertido não para uma causa, mas para sua maneira de ver o mundo.

Turchin está obcecado por duas perguntas. Primeira, como as sociedades evoluíram para criar níveis grotescos de desigualdade e má governança? E segunda, como podemos responder a esses quebra-cabeças históricos usando matemática e dados? Para abordar essas questões, Turchin inaugurou um campo que chama de cliodinâmica, conforme Clio – a musa da história – e dinâmica, o estudo da mudança. Com sua abordagem inovadora, ele se propôs a desvendar as origens secretas das hierarquias humanas.

No centro de seu pensamento está um conceito denominado seleção multinível. É complicado, mas pode ser ilustrado com um exemplo simples tirado do último livro de Turchin, *Ultrasociety*. Vamos começar com as partes mais básicas da seleção natural darwinista. No nível individual, se uma característica o torna melhor para sobreviver e produzir descendentes, é mais provável que essa característica seja transmitida para a próxima geração. Seus filhos terão essa característica e talvez a transmitam para seus próprios filhos. Essa característica é "selecionada". Por outro lado, traços que aumentam sua probabilidade de morrer e, portanto, de fracassar em ter filhos, são eliminados do *pool* genético ao longo do tempo.

Consideremos agora como essas dinâmicas afetariam os guerreiros. Os traços que tornam os guerreiros bons na luta também aumentam sua probabilidade de morrer. Os melhores guerreiros se lançam avidamente em batalhas mortais. Muitos morrem nessas batalhas, eliminando-se assim do *pool* genético. Covardes que fogem não morrem. Certamente, então, bravura em combate não seria selecionada porque torna menos provável nossa sobrevivência por um tempo suficientemente longo para termos muitos filhos. Então, por que ainda somos abençoados com um suprimento abundante de gente valente?

A explicação para esse aparente paradoxo pode não se encontrar no nível individual, mas sim ao nível do grupo. Se temos um exército cheio de bravos guerreiros e nos encontramos em num campo de batalha avançando contra um exército cheio de guerreiros covardes, não é preciso ser um gênio como Peter Turchin para prever quem ganhará. Um bravo soldado em um exército de covardes morrerá, mas um exército de bravos soldados trabalhando juntos tem maior chance de sobreviver. E se a guerra for uma guerra brutal, em que o lado perdedor é massacrado, os guerreiros covardes que fogem e são mortos (às vezes junto com seus parentes) são aqueles removidos do *pool* genético. Em uma era de guerra, uma sociedade cheia de bravos guerreiros tem mais probabilidade de sobreviver – e produzir muitos filhos – que uma sociedade de covardes. Os grupos são importantes.

Claro, o mundo real é mais complicado. No nível individual, bravos guerreiros podem ter maior probabilidade de morrer em combate, mas os que sobrevivem para contar a história às vezes têm uma fartura de parcerias sexuais. O herói que retorna pode ter mais sorte no equivalente pré-histórico de um bar de coquetéis que o covarde sobrevivente. E às vezes, uma sociedade pode derrotar outra no campo de batalha, mas ambas as sociedades ainda assim sobrevivem e continuam a prosperar, não criando qualquer diferença nas genéticas que são passadas para a geração seguinte. Esta interação complicada entre seleção de nível individual (as perspectivas de sobrevivência de um guerreiro individual em nosso exemplo) e dinâmicas ao nível de grupo (as perspectivas de que a sociedade como um todo vai sobreviver e prosperar) é o enigma central que a seleção multinível procura explicar. Compreender essas dinâmicas é crucial porque nosso mundo moderno é o subproduto de muitos pequenos experimentos sociais, geração após geração. Alguns estilos de vida feitos sob medida para a sobrevivência se espalharam, enquanto outros estilos de vida morreram porque aqueles que os praticavam foram riscados do mapa. (Outro modo de pensar nesse conceito é imaginar uma sociedade que acreditava que ter filhos era proibido por Deus e outra que acreditava que era vontade de Deus que cada casal tivesse dez filhos. A sociedade antifilhos duraria uma geração. A sociedade obcecada com a divina procriação iria proliferar. Dessa forma, traços, crenças e sistemas sociais têm um efeito sobre que ideias, costumes e pessoas sobrevivem na próxima geração.)

Mas o que tudo isso tem a ver com a ascensão da hierarquia?

Por volta de 500 a.C., o filósofo grego Heráclito disse: "A guerra é a mãe de todas as coisas". Ele tinha esbarrado em algo. E de novo nossa história – guiada pelas teorias de Turchin – retorna às armas de longo alcance. Vamos imaginar dois exércitos igualmente qualificados. O exército maior tem mil soldados e o exército menor tem quinhentos soldados. Se os exércitos marcharem um contra o outro para uma luta com punhos ou espadas, o exército maior terá aproximadamente uma vantagem de dois para um. Cada soldado normalmente luta com apenas um soldado inimigo de cada vez, de modo que aos poucos, mas em um ritmo constante, o exército menor ficará sem soldados e será forçado a uma retirada antes que sejam todos mortos. A vantagem é real, mas não é insuperável. Exércitos menores enfrentando chances de dois para um às vezes vencem.

Vamos agora imaginar que os exércitos têm arqueiros em vez de espadachins. Tudo muda porque agora não precisa ser um combate um contra um. É como no jogo da queimada, em que uma vantagem de dois para um provavelmente não terminará muito bem para o último sobrevivente, pois ele será golpeado de dois ângulos ao mesmo tempo. De modo similar, dois arqueiros podem atirar no mesmo soldado inimigo. A matemática do combate a distância é diferente. Vamos ver como. (Tenha paciência comigo para a única pitada de matemática do livro.)

Os dois exércitos – um com 500 arqueiros, o outro com 1.000 arqueiros – soltam suas flechas ao mesmo tempo. Para simplificar, digamos que 30% dos arqueiros acertaram o alvo. Trezentos arqueiros do exército menor são feridos ou mortos (30% de 1.000 flechas disparadas é igual a 300). Mas só 150 arqueiros do exército maior são atingidos (30% de 500 flechas é igual a 150). Depois de uma troca de tiros, temos agora uma batalha de 850 contra 200. A vantagem de dois para um mudou rapidamente para uma vantagem de mais de quatro para um. Depois de mais uma salva, todos do exército menor estarão feridos ou mortos. O exército maior ainda terá uma sobra de 790 arqueiros.

Os campos de batalha nem sempre seguem a lógica da matemática nos quadros-negros. Táticas, terreno, o elemento surpresa e a qualidade das armas ou dos soldados são variáveis de incrível importância. Mas o ponto-chave é: a lógica matemática mostra que a vantagem de ter um exército maior se mostra muito superior para exércitos usando armas de longo alcance do que para aqueles voltados para a luta corpo a corpo (e exércitos menores usando armas de longo alcance podem às vezes conquistar vitórias retumbantes mesmo contra exércitos maiores equipados com espadas e lanças, como Henrique V teve o prazer de descobrir na Batalha de Agincourt).

Mas qual é a importância de tudo isso? Por que a matemática de flechas e espadas é relevante para entender por que você pode ter um chefe, um chefe do chefe e um chefe do chefe do chefe no trabalho? Por uma simples razão: à medida que as armas de longo alcance se tornavam mais comuns, a dinâmica da guerra começou a favorecer de modo espetacular as sociedades com mais soldados. Se algumas centenas de pessoas se juntassem e formassem um exército sob o comando de um único chefe, bandos igualitários de 20 a 80 membros simplesmente não podiam competir. E quando os humanos se reúnem em grupos maiores, sociedades horizontais se tornam impossíveis. Junte um determinado número de pessoas e *sempre* emergem hierarquia e domínio. É uma regra de ferro da história.

Algumas pessoas tiveram que aprender isso da maneira mais difícil. Bandos que teimosamente se amarravam às velhas formas da sociedade horizontal começaram a ser eliminados por aqueles que se uniam e adotavam chefes. Além disso, no próprio campo de batalha, ter líderes (generais) com poder formal sobre os soldados era muito mais eficiente que um amontoado desorganizado de soldados tomando suas próprias decisões. Era o oposto dos rituais de caça dos !Kung. Para ganhar uma guerra, você não queria insultar o que tem de melhor e mais corajoso. Você precisava elevar seus melhores lutadores, não desprezar sua importância.

A evolução do poder

Essas dinâmicas do campo de batalha não ficaram no campo de batalha. Assim que determinados indivíduos se tornavam generais, eles tendiam a sentir o gosto do poder. "As pessoas que eram colocadas no comando – os líderes militares – gradualmente usurpavam mais poder para si mesmas e se estabeleciam como chefes", diz Turchin. Bandos se tornaram tribos e tribos se tornavam chefaturas. Mas se Turchin estiver certo quando diz que a guerra desencadeou esta mudança social, por que isso não aconteceu antes? Por que houve um aumento repentino da hierarquia em uma estreita faixa da história humana? A resposta não se encontra nas armas, mas na comida.

Cerca de onze mil anos atrás, os humanos mudaram a forma de se alimentar. A Primeira Revolução Agrícola (ou Revolução Neolítica) foi introduzida com a domesticação de algumas "colheitas pioneiras", incluindo ervilhas, grãos-de-bico, lentilhas e linho. Cevada, figos, aveias e outras logo se seguiram. A agricultura começou. O que foi desastroso para nossa nutrição. Nosso suprimento de comida tornou-se mais confiável, mas fez os humanos passarem de uma dieta variada para um cardápio que só oferecia uma estreita fatia de nutrientes. Antes da agricultura, a altura média de um caçador-coletor era de 1,77 m para homens e 1,67 m para mulheres. Praticamente do dia para a noite, a estatura média dos homens diminuiu para 1,65 m, e a das mulheres para, 1,55 m. Mesmo hoje, nossa estatura média ainda não foi plenamente recuperada. Mas além de reduzir nosso tamanho, a revolução agrícola também parece ter introduzido uma nova era de desigualdade. Tornamo-nos um bando de pessoas pequenas e ambiciosas.

A explicação tradicional para essa mudança abrupta, popularizada por Jared Diamond em *Guns, Germs and Steel*, acontece da seguinte maneira: a agricultura tornou mais fácil ter comida em excesso. Assim que houve mais comida para distribuir a todos, algumas pessoas passaram a acumulá-la. Estes excedentes tornaram a desigualdade possível.

Também tornaram possível sustentar um grupo maior de pessoas, pois ao contrário da caça às gazelas era possível expandir o cultivo de ervilhas. À medida que cresciam os excedentes e o tamanho da população, as sociedades se tornaram tanto mais complexas quanto mais hierárquicas. E com excedentes e hierarquia surgiram mais conflitos, pois indivíduos e grupos lutavam para estabelecer sua primazia em um sistema em rápida mudança.

Outros propuseram explicações com mais nuances. Manvir Singh aponta que algumas pessoas já foram capazes de obter um fornecimento constante de alimentos antes da revolução agrícola, por meio da pesca, por exemplo. E Robert Carneiro, escrevendo em 1970, desenvolveu uma teoria chamada circunscrição ambiental. A ideia é elegante. Ele argumenta que o aumento da agricultura premiava o controle da terra de uma forma que era simplesmente ausente entre caçadores-coletores. Qual era o sentido de tratar um canteiro de terra se as gazelas que estávamos caçando não param de mudar de lugar? Com a agricultura, nossa sobrevivência ficou ligada ao solo que ocupávamos. Mais solo significava maior capacidade produtiva. O controle da terra tornou-se muito mais importante.

Mas havia um detalhe: se você vivesse, digamos, na Bacia Amazônica, boas terras agrícolas se estenderiam em todas as direções. Ser forçado a sair de sua terra não é tão importante quando há terras igualmente boas em todos os lugares. Isso não aconteceria se você morasse, digamos, na costa do Peru, onde está limitado pelo mar. Na terminologia de Carneiro, a terra no Peru é "circunscrita" de um modo que a terra na Amazônia não é. Como resultado, se fossem travadas guerras na Amazônia, o grupo perdedor simplesmente recuaria, estabelecendo-se em outra parte, em outra área de terra fértil. No litoral do Peru, porém, não havia outro lugar para ir. O grupo perdedor seria conquistado. Ser conquistado significava que você seria morto ou, mais provavelmente, incluído como parte da sociedade vencedora.

Dessa forma, argumentou Carneiro, a guerra em áreas circunscritas criava populações maiores, que acabavam criando sociedades mais complexas. Por fim elas se tornaram protoestados, as primeiras versões do que reconheceríamos como países. A Amazônia, até o dia de hoje, ainda tem muitos caçadores-coletores. A costa do Peru tornou-se o lar de uma série de sociedades complexas, culminando no Império Inca – um império definido pela hierarquia. Talvez a evolução da sociedade humana, de bandos igualitários para impérios organizados de cima para baixo, possa ser explicada por acasos felizes de geografia.

Que teoria, então, está correta? Foi a guerra ou foi o avanço da agricultura? Nosso mundo é complexo demais para uma teoria unificadora que explique tudo. A maioria dos estudiosos, porém, concorda que tanto a guerra quanto a agricultura – "guerra e ervilhas" [*"war and peas"*], se preferirmos – desempenharam um papel significativo na geração de grandes e complexas sociedades hierárquicas. Esta mudança aconteceu com surpreendente velocidade. Segundo os dados de Turchin, grupos de dezenas de pessoas viveram em bandos por centenas de milhares de anos. Então, grupos com centenas de indivíduos formaram vilas agrícolas por volta de 8000 a.C. Grupos de milhares emergiram como chefaturas simples em 5500 a.C. Grupos de dezenas de milhares, conhecidos como chefaturas complexas, seguiram o exemplo por volta de 5000 a.C. Os primeiros Estados arcaicos, compreendendo centenas de milhares de indivíduos, surgiram por volta de 3000 a.C. Em 2500 a.C., já existiam macroestados com milhões de súditos. E por volta de 500 a.C., os megaimpérios atingiram o topo na casa das dezenas de milhões. Num piscar de olhos comparativo, passamos de muitas sociedades menores, mais horizontais, para enormes colossos hierárquicos definidos por desigualdade e dominação.

O resto, em um sentido bem literal, é história.

À medida que as hierarquias se tornavam mais comuns, as lutas pelo poder aumentavam. Arrivistas que em outra situação teriam enfrentado o ostracismo, a humilhação ou a morte tinham agora a perspectiva real de se tornarem genuinamente poderosos. Como poder gera conflito, a violência aumentava. A taxa de homicídio de 2% das sociedades de caçadores-coletores aumentou de forma substancial, aproximando-se de 10% em algumas de nossas eras mais sombrias (da Idade do Ferro a cerca de 500 anos atrás). À primeira vista, então, a hierarquia parece muito ruim. Afinal, a hierarquia do *Batavia* permitiu que um psicopata matasse mais de uma centena de pessoas pelo simples fato de ter poder sobre elas. O número de pessoas assassinadas por chefes e déspotas é maior do que o número de mortos por bandos igualitários. Mas se culparmos a hierarquia, como podemos explicar o fato tranquilizador de que, hoje, apenas 0,7% dos seres humanos do planeta cheguem ao fim através do homicídio – uma taxa que corresponde a cerca de um terço da que esperaríamos de nossa ancestralidade primata? Mais tranquilizador ainda, se olharmos para as sociedades complexas mais bem governadas do planeta – como Japão, Noruega ou Alemanha – é o fato de apenas 0,05 a 0,09% de seus cidadãos morrer nas mãos de outro ser humano. Isso chega a ser 40 vezes mais baixo que a taxa das sociedades coletoras-caçadoras. Os Estados modernos são as mais hierárquicas estruturas sociais jamais concebidas e desenvolvidas. São também as mais seguras.[3]

A conclusão óbvia é que hierarquia e poder não são bons nem maus. Fornecem uma ferramenta – uma ferramenta que pode ser usada para facilitar a cooperação e a criação de uma comunidade ou para explorar as pessoas e matá-las. Turchin concorda: "A hierarquia é como fogo. Pode ser usada para cozinhar comida ou queimar pessoas". Mas sem

---

3 Parte da razão para isso é que, ao contrário de bandos igualitários de caçadores-coletores, os modernos sistemas de justiça criminal fornecem um mecanismo tanto para deter o desvio social quanto para eliminar a necessidade de uma justiça mortalmente vigilante quando acontece.

ela, todas as maravilhas da civilização seriam impossíveis. "Não somos formigas", Turchin explica. "Não temos um sistema de feromônios. A hierarquia, então, é a única maneira que os humanos têm de cooperar e de se coordenar em sociedades de grande escala." Além disso, como a hierarquia pode gerar competição, ela também pode incitar a inovação. A competição por *status* em sociedades mais meritocráticas pode às vezes produzir resultados muito melhores do que se todos descansassem sobre seus louros como iguais.

A história dos náufragos tonganeses é emocionante. A história do *Batavia* é de partir o coração. Mas os náufragos tonganeses não nos oferecem um modelo para nossas sociedades modernas. Sociedades horizontais são profundamente limitadoras para os seres humanos. Nossa opção é viver em pequenos grupos cooperativos ou adotar a hierarquia. É por isso que o poder e o *status* vieram para ficar.

Assim, se estamos presos à hierarquia – se precisamos de chefes, generais, presidentes e guardas penitenciários – por que um número tão grande dessas pessoas se mostram terríveis? Para responder a isso, precisamos descobrir por que pessoas corruptíveis tendem a buscar o poder. Por improvável que pareça, a solução do quebra-cabeças se encontra nas mãos de um estatístico da Segunda Guerra Mundial, da filha de um imperador canibal, de algumas hienas e do presidente de uma associação de moradores no Arizona, um homem faminto por poder e obcecado por flamingos.

III

MARIPOSAS EM VOLTA DE UMA CHAMA

"É sabido que as pessoas que mais desejam governar pessoas são, *ipso facto*, as menos adequadas para fazê-lo. [...] Qualquer um que seja capaz de se tornar presidente não deveria, em hipótese alguma, ter permissão para fazer o trabalho."

— Douglas Adams, *O Restaurante no Fim do Universo* – Vol. 2 da Série *O Mochileiro das Galáxias*

Aviões e Homens das Cavernas

Abraham Wald foi um sobrevivente. No final dos anos 1930, Wald se via pelo que era: um estatístico de Cluj, na Romênia, que estava trabalhando no Instituto de Pesquisa Econômica austríaco. Mas quando invadiram a Áustria em 1938, os nazistas viram Wald como algo mais: neto de um rabino e filho de um padeiro *kosher*. Wald se mudou para os Estados Unidos para escapar da perseguição de Hitler. E finalmente conseguiu uma cadeira de professor na Universidade de Colúmbia.

Em 1º de julho de 1942, um grupo secreto de estatísticos conhecido como Grupo de Pesquisa Estatística (*Statistical Research Group* – SRG) foi formado em Colúmbia. Seu escritório era um prédio sem feições características em uma rua tranquila no bairro de West Harlem, em Manhattan, em frente ao Parque Morningside. Lá, 18 das melhores mentes estatísticas dos Estados Unidos – incluindo Wald – trabalharam durante os três anos seguintes. Sua tarefa era apresentada sem rodeios: ajudar a vencer a Segunda Guerra Mundial. Suas armas não eram revólveres ou bombas, mas probabilidades. Pediram-lhes que usassem métodos estatísticos para identificar possíveis melhoramentos para a máquina de combate Aliada – o tipo de melhorias que generais, presidentes e primeiros-ministros pudessem, inadvertidamente, ignorar.

Os militares trariam um problema para eles, mas os gênios da matemática iam quebrar um pouco a cabeça e chegar a um acordo sobre uma solução: "Quando fizemos recomendações", recordou mais tarde um membro do SRG, "com frequência coisas aconteciam". Metralhadoras em aviões de caça foram carregadas de modo diferente. Verificações de controle de qualidade nas linhas de produção do tempo da guerra tornaram-se mais agressivas. Os fusíveis dos projéteis de artilharia foram ajustados para adquirirem maior confiabilidade destrutiva. A matemática pôde se mostrar uma arma decisiva. Cada cálculo que os estatísticos fizeram, cada equação que resolveram poderia salvar vidas ou ter um custo em vidas.

Nesse estágio da guerra, um grande número de soldados e bombardeiros aliados estavam sendo abatidos em combates na Europa. Para reduzir essas perdas, os generais já sabiam como tornar os pilotos melhores – com mais treinamento no *cockpit*. Mas para tornar os aviões melhores, eles perceberam que precisavam de alguma ajuda dos *nerds* do West Harlem.

Veja se você pode resolver o problema que eles apresentaram a Wald.

Os aviões que retornam dos céus da Alemanha estão crivados de buracos de balas. Você os avalia metodicamente, mapeando as áreas que foram dilaceradas pelo fogo inimigo. Os aviões que você examina têm buracos salpicados nas asas, cauda e fuselagem (ou corpo) do aparelho. A pergunta dos generais era: onde deviam colocar uma blindagem extra no avião para reforçar as áreas que estavam sendo alvejadas?

Os estatísticos tinham que acertar. Qualquer blindagem em excesso nos lugares errados tornaria os aviões mais lentos, transformando-os em alvos fáceis para as metralhadoras nazistas. Deixar de reforçar áreas vulneráveis poderia levar a mais pilotos mortos. Dê uma olhada no diagrama a seguir mostrando a distribuição de buracos de balas nos aviões que retornavam da Europa. Ponha-se no lugar de Wald. Vidas estão em jogo. Onde você diria aos generais para reforçar: nas asas, na cauda, na fuselagem ou em todos esses pontos?

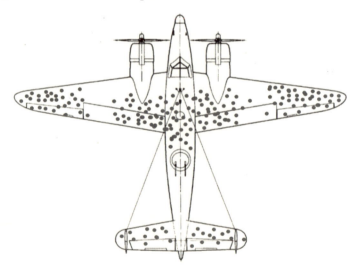

Se você respondeu nas asas, na cauda, na fuselagem ou em todos esses pontos, parabéns, mas sem querer você matou muitos aviadores norte-americanos.

Wald viu algo que não tinha aparecido para os generais: os aviões invisíveis. Quando os aviões aliados eram alvejados nas asas, na cauda ou na fuselagem, a maioria deles conseguia voltar com dificuldade para casa; soltando fumaça, mas em segurança. Sobreviviam. Quando os aviões eram baleados em outro lugar — em especial, quando um motor perto do nariz era atingido —, eles não eram incluídos no estudo militar. Por que não? Porque tinham virado destroços em chamas na Alemanha. Não conseguiram voltar.

Wald percebeu que os aviões que ficaram na Alemanha — aqueles que os militares não podiam estudar porque não existiam mais — eram os únicos que importavam. Se não fosse Wald, os militares teriam reforçado apenas os pedaços do avião que eram menos vulneráveis ao fogo inimigo, tornando os aparelhos mais pesados e mais lentos. Em vez disso, ele pediu que reforçassem os pontos que *não tinham* buracos de balas. Os militares seguiram o conselho. Reforçaram a blindagem dos motores. Salvaram vidas. Wald ajudou os Aliados a ganhar a guerra.

Wald entendeu algo chamado viés de sobrevivência, um subconjunto do conceito estatístico de viés de seleção. A ideia é simples: você precisa estudar todos os casos possíveis, não apenas os casos que "sobrevivem". Pegue outro exemplo que é muito mais antigo que a Segunda Guerra Mundial. Os homens das cavernas viviam realmente em cavernas? Temos muitos indícios que sim. Afinal, há centenas de pinturas em cavernas espalhadas pelo mundo. Isso parece bastante conclusivo. Mas como saberíamos se não houve realmente muito mais Picassos vivendo em pastagens e pintando em árvores? As árvores — e qualquer arte pincelada em seu tronco — há muito se foram. Pode ser que os homens das cavernas raramente se aventurassem a entrar em cavernas para pintar, mas quando o fizeram, criaram as únicas obras de arte que seriam preservadas. É por isso que o viés de sobrevivência é às vezes mencionado como o efeito do homem das cavernas. Nossa compreensão do mundo é muitas vezes bem distorcida não apenas pelos indícios que temos, mas pelos indícios que não temos.

A história de Wald é um ótimo exemplo dos perigos enfrentados pelo mundo real de ignorar o viés de sobrevivência. Mas as percepções de Wald também foram uma forma muito mais literal de viés de sobrevivência. Outros oito membros de sua família também podem ter fornecido contribuições fascinantes em suas vidas. Não sabemos se isso aconteceu, porque eles foram mortos pelos nazistas. E Abraham Wald, que se vingou garantindo que cairia um número menor de aviões aliados durante as missões sobre a Alemanha, foi ele próprio vítima fatal de um desastre aéreo em 1950, nas Montanhas Nilgiri do sul da Índia, quando fazia uma turnê de palestras sobre matemática.

Para entender por que pessoas corruptíveis são atraídas pelo poder, não precisamos estudar aviões ou corrigir o registro sobre os homens das cavernas. Mas as percepções de Wald sobre o viés de sobrevivência são importantes para compreendermos quem busca o poder, quem toma o poder e quem se mantém no poder. Não é aleatório. E se nos concentrarmos apenas no que temos diante de nós, entenderemos muito mal como o mundo de fato funciona.

Vamos aplicar a lógica de Wald ao seu chefe, ao presidente, ao primeiro-ministro de seu país ou àquele treinador de futebol do colégio que o fez dar voltas correndo até você vomitar (pelo menos foi o que ouvi). Por que essa pessoa está no comando? Para responder a esta questão, três níveis de viés de sobrevivência precisam ser explorados. Primeiro, quem busca o poder? Quem quer ser o chefe, o líder ou o treinador? Responder a essa pergunta, identificando as pessoas que *não* querem estar no poder, é tão importante quanto identificar aqueles que querem. Só aqueles que tentam adquirir poder são os "sobreviventes". O restante está fora de consideração.

Em segundo lugar, quem fica com o poder? Com a possível exceção do treinador no ensino fundamental, a maioria dos cargos de autoridade envolvem concorrência. Nem sempre é uma luta justa. Sistemas podem ser tendenciosos. E mesmo que não sejam, algumas pessoas são simplesmente melhores em subir a escada que outras. Os "sobreviventes" neste *round* chegam ao poder. Aqueles que tentam, mas falham, não.

Depois, há o terceiro nível de sobrevivência: quem se mantém no poder? Muitos são um pouco como Ícaro: sobem alto demais apenas para se queimarem e despencar de volta à Terra. Os líderes em que nos concentramos – bons e maus – tendem a ser pessoas que se agarram ao poder por um tempo suficiente para exercê-lo com impacto. Já tinha ouvido falar de Pedro Lascuráin Paredes? Eu também não. Isso faz sentido porque ele detém o duvidoso título de presidente com o mandato mais curto da história, governando México por cerca de 15 minutos durante um golpe de Estado em 1913. Os que tomam o poder, mas o perdem, ou o deixam, são como as pinturas feitas pelos homens das cavernas nas árvores. Elas desaparecem.

Tendemos a nos concentrar nas pessoas que acertam os três cavalos que chegam primeiro: elas buscam o poder; conseguem o poder; e se mantêm no poder. Os que passam por todos os três níveis são os sobreviventes no viés de sobrevivência. São os indivíduos que consideramos poderosos. Comparadas com eles, todas as outras pessoas são invisíveis, como os aviões carbonizados, acidentados na Alemanha. Mas a menos que se inclua a evidência oculta, como fez Abraham Wald, vamos acabar entendendo mal o problema. E se não entendemos um problema, não vamos poder resolvê-lo.

Como a história tem demonstrado de forma tão cruel, nem todos que acabam no poder são pessoas excepcionais. Agora mesmo, temos uma mistura. Há algumas pessoas ótimas em posições de liderança: bons treinadores, chefes que nos capacitam, políticos que genuinamente tentam tornar a vida um pouquinho melhor para os outros. Mas muitas, muitas figuras de autoridade não são nada disso. Mentem, trapaceiam e roubam, servindo a si mesmas enquanto exploram os outros e os maltratam. São, em uma palavra, corruptíveis. E causam muito estrago.

Em uma realidade alternativa ideal, não teríamos uma mistura. Em vez disso, *só* boas pessoas – vamos nos referir a elas, por simplicidade, como incorruptíveis – seriam nossos líderes, nossos chefes, nossos delegados de polícia. Enquanto isso, as pessoas que você não gostaria que estivessem no comando – vamos chamá-las de corruptíveis – não teriam poder algum. Para construir esse mundo ideal, temos de pensar sobre todos os três níveis. Íamos querer garantir que os incorruptíveis buscassem o poder, conseguissem chegar a ele e o conservasse. Enquanto isso, gostaríamos de criar obstáculos por toda parte para deter aqueles importunos corruptíveis em todos os três níveis. Isso é mais fácil dizer do que de fazer. Grande parte do mundo é dominado por sistemas que atraem e promovem pessoas corruptíveis. Mas como os próximos capítulos vão mostrar, os sistemas que são construídos podem ser desconstruídos. E para começar, precisamos nos concentrar em quem *busca* o poder.

O Imperador Canibal e as Hierarquias da Hiena

Quem busca o poder não age ao acaso. Certos tipos de pessoas anseiam por ele e tentam se apoderar de forma concreta dele. Isso produz uma forma de "viés de autosseleção". Reconhecemos com facilidade o viés de autosseleção em outros aspectos de nossas vidas. Por exemplo, crianças altas são mais propensas que crianças baixas a tentar entrar na equipe de basquete do colégio. É por isso que times de basquete nunca são uma amostra aleatória, representativa da população. O mesmo se aplica aos que buscam o poder. Certos traços fazem algumas pessoas quererem mais o poder do que outras. Demasiada atenção é dada à noção de que o poder corrompe. Mas não se dá suficiente atenção ao motivo de pessoas corruptíveis buscarem o poder.

Então, o que faz com que algumas pessoas queiram liderar? Por que os outros se contentam em segui-las? Os líderes já nascem líderes ou são feitos? E será uma sede pelo poder apenas um traço genético, como olhos azuis ou cabelos cacheados?

Em um frio dia de outono de 2019, encontrei-me com Marie-France Bokassa em um bistrô perto da Gare Saint-Lazare, em Paris. Quando cheguei, ela já estava lá esperando, fumando um cigarro, tomando um pequeno copo de vinho branco e mexendo no celular. Estava vestida com elegância, mas não com extravagância. Usava óculos de grife e batom vermelho brilhante. Sorriu quando me sentei. O único indício de que ela poderia ter uma história para contar estava ao redor do pescoço – um enorme diamante que não parecia o tipo de coisa que uma pessoa comum pudesse ter. Mas o fato é que Marie-France não é uma pessoa comum.

Ela é filha de um monstro.

Em setembro de 1979, tropas francesas chegaram a Bangui, capital do Império Centro-Africano – um país pobre de que você provavelmente nunca tenha ouvido falar e que era governado por um tirano cruel do qual você também provavelmente nunca ouviu falar. Esse tirano era o pai de Marie-France: Jean-Bédel Bokassa. Quando tomou o poder, Bokassa não teve apenas de fazer um juramento. Ele foi coroado. Tudo devia tomar como modelo a coroação de Napoleão como imperador em 1804. E nessa mesma tradição, ele seria conhecido como Imperador Bokassa I. Na coroação em 1977, havia um código rígido de vestimenta. As crianças usavam branco. Os funcionários de nível médio usavam azul. Altos funcionários usavam preto. Bokassa, o astro do *show* imperial, vestia uma capa de arminho costurada pelos melhores alfaiates da França. Também usava uma coroa cintilante que tinha na frente um diamante de 80 quilates e fora feita pelo mais exclusivo joalheiro da França. Bokassa ficou postado, com um cetro dourado feito sob medida, na frente da estátua de bronze de uma águia, também encomendada e com mais de 3 metros e meio de altura. O trono custou ao governo 3 milhões de dólares, uma bagatela em comparação com os 5 milhões pagos pela coroa e o cetro. No total, a cerimônia custou 22 milhões de dólares, cerca de um quarto de todo orçamento anual do governo.

Na época, um habitante médio do país ganhava 282 dólares por ano.

Em 1979, os franceses – a antiga potência colonial – concluíram que Bokassa era um perigoso megalomaníaco (será que ninguém pôde antecipar o que estava por vir?) e que chegara a hora de ele partir. Uma pequena mobilização de tropas francesas depôs o ditador e o substituiu por um sucessor escolhido pela França. Quando os soldados chegaram ao palácio favorito de Bokassa, a Villa Kolongo, encontraram um mundo de luxo obsceno. Havia arcas com diamantes, ouro transbordando de armários, câmeras de alta tecnologia suficientes para abastecer todos os *paparazzi* do mundo. Enquanto catalogavam a nauseante riqueza que Bokassa havia roubado de seu povo, perceberam que a lagoa ao lado do palácio ganhara um estoque de crocodilos do Nilo. Para removê-los, tiveram de drenar a lagoa. Quando a água baixou, pedaços de coisas esbranquiçadas, descoloridas, tornaram-se visíveis ao brotar da lama negra. Os soldados franceses descobriram, então, com horror, que eram os ossos em decomposição de cerca de 30 vítimas – tudo que havia sobrado dos que tinham ousado desafiar Bokassa. Dizia-se que alguns haviam protestado quando ele insistiu em dormir com suas esposas. Encontraram seu fim como prato para os crocodilos de estimação de Bokassa.

Mas os crocodilos não eram os únicos comedores dos inimigos de Bokassa. Quando tropas francesas abriram o refrigerador da Villa Kolongo, encontraram dois corpos cortados em pedaços. Um não era identificável. O outro era o corpo de um professor de matemática. Os cadáveres estavam sendo mantidos em refrigeração, já que, segundo se supunha, carne humana fazia parte do menu em ocasiões especiais. Alguns afirmaram que Bokassa a servia aos dignitários que vinham visitá-lo. "Você não percebeu, mas comeu carne humana", Bokassa teria dito a um diplomata visitante francês (Bokassa negou até a hora da morte ser um canibal).

O imperador era um ogro. Tinha uma sede insaciável de poder. Mas teria esta sede se desenvolvido no correr do tempo ou teria nascido com ele? Estava o desejo que Bokassa sentia de controlar, abusar de outras pessoas e matá-las escrito em perturbadores fragmentos de seu DNA?

Bokassa morreu em 1996, tornando meio difícil entrevistá-lo. Precisei, então, recorrer à próxima coisa que me pudesse ser útil: alguém que compartilhasse seu código genético. Tive, no entanto, muitas opções de escolha. Bokassa teve pelo menos 57 filhos, nascidos de 17 esposas oficiais (e é provável que muitos mais das não oficiais). A maioria dos garotos de Bokassa vivem agora na França. Alguns se saíram melhor que outros. Dois foram presos por fraude ou abuso de drogas. Três foram presos por furtos em lojas. E um filho – Charlemagne – era bem diferente de seu homônimo francês. Reinou sobre nada menos que uma estação do metrô de Paris, onde morava e pedia esmolas para sobreviver. Foi encontrado morto nessa estação com 31 anos de idade.

Marie-France Bokassa se saiu melhor que a maioria. Encontrei-a perto da Gare Saint-Lazare porque era o local mais conveniente para ela saltar de seu trem, que vinha de Hardricourt, um subúrbio nos arredores de Paris. Como muitos filhos de Bokassa, Marie-France passou lá grande parte de sua infância, em um dos palácios do pai. Ainda vive na sombra de sua antiga residência. E eu me perguntei: será que ela vive também na sombra genética dele? Estará condenada à mesma sede pelo poder que o fez se tornar ditador?

"Minha única identidade de família foi moldada por meu pai", ela me disse fazendo uma pausa para saborear o vinho. "Não conheci minha mãe. E meu pai deixou um sinal em mim, como se eu fosse parte da marca Bokassa."

Para a maioria das pessoas, a vinculação a uma marca que evoca crocodilos alimentados por humanos e canibalismo ia deixá-las com vontade de correr para a repartição pública mais próxima e agarrar o primeiro formulário de mudança de nome que encontrassem. Mas não foi essa a reação de Marie-France. Ela tem orgulho de ser uma Bokassa.

"Bokassa... esse nome tem muita força", ela me disse com um sorriso largo e malicioso. "Eu não gostaria de trocá-lo."

Toda discussão do comportamento humano acaba voltando ao debate natureza *versus* criação. Então, no interesse de um comportamento polido, dei a Marie-France uma saída fácil: sugeri que o comportamento de seu pai fora moldado por uma educação traumática. Talvez o ogro tenha sido construído, não nascido. Afinal, quando era menino, o pai de Bokassa foi espancado até a morte por um oficial colonial francês. A mãe de Bokassa cometeu suicídio na semana seguinte, deixando-o órfão. Claro, isso basta para arruinar uma infância, mas seria suficiente para tornar Bokassa um depravado?

Marie-France parou para pensar. "Sua infância o ensinou que a pessoa tem de ser dura. Você tem de ser forte." Marie-France rodou seu *chardonnay* no copo. "Mas vi a fragilidade subjacente que foi criada nele por uma infância catastrófica. E a África Central também viu as consequências dessa infância."

Ao que parece, Marie-France sofre de uma variante da síndrome de Estocolmo quando se trata do pai. Ela me contou que a maior parte de sua família ainda funciona com uma pitada de culto, sendo o falecido pai o líder desse culto. Todos eles encaram Bokassa como um herói, não um tirano. Ela me contou que, até pouco tempo, guardava um grande retrato do pai em sua casa, com quem falava todo dia para lhe assegurar que ele sentiria orgulho da mulher que ela se tornara. Essa aprovação era algo que tinha buscado durante muito tempo e raramente recebido.

"Meu pai mudava de humor constantemente", ela explicou. "De repente era jovial, estava relaxado. Um minuto depois tinha um acesso de raiva. Ele sempre foi inconstante, imprevisível. E nunca passou um dia inteiro com o mesmo tipo de humor. Era instável, explosivo." Certa vez, quando uma das irmãs de Marie-France esqueceu de servir ao pai sua dose diária de uísque, ele queimou as roupas da filha como punição.

Ao escrever um livro de memórias sobre sua infância, Marie-France começou a admitir a brutalidade do pai – brutalidade que apenas vislumbrava naquelas mudanças de humor quando era menina. Mesmo, no entanto, quando começou a aceitar o verdadeiro legado do pai, ela rejeitou a noção de que o poder o corrompera. "Não acho que o poder o tenha mudado", ela insistiu. "Foi sempre o mesmo homem. Não vi qualquer mudança. Com certeza não vi nenhuma mudança do dia em que tomou o poder ao dia que o deixou. Teve sempre a mesma personalidade. Os mesmos traços positivos e os mesmos defeitos." Mas mesmo se ela estiver certa ao dizer que o poder não corrompeu Bokassa, não há como negar que ele não conseguiu resistir ao seu magnetismo. Algo dentro dele o fez ansiar por ter controle sobre os outros. O poder o atraiu.

Eu me perguntei se Marie-France havia herdado essa sede de autoridade. Perguntei se ela acreditava que o imperador Bokassa havia lhe dado algo mais que apenas sua marca. Teria ele estampado sua personalidade nela ou apenas o nome Bokassa na certidão de nascimento?

Ela pensou um segundo. "Do lado positivo, eu herdei sua generosidade, sua autenticidade, sua jovialidade e sua inteligência."

Fez uma longa pausa, a voz falhando quando acrescentei o acompanhamento óbvio da pergunta: "E quanto ao outro lado?"

"Eu... também herdei seu temperamento... a personalidade autoritária e as severas mudanças de humor", disse ela suspirando.

Marie-France dirige agora um *salon de thé* – uma casa de chá – perto do antigo palácio Bokassa nos arredores de Paris. Com uma taça de vinho, ela era adorável e encantadora. Mas era impossível não considerar uma possibilidade inquietante. Nas circunstâncias certas, poderia ela se transformar em alguém que não serviria chá às pessoas – serviria as pessoas com chá?

Antes de retornar a Hardricourt, Marie-France me disse que acredita que um Bokassa deve mais uma vez governar a República Centro-Africana. Quando perguntei se o Bokassa poderia ser ela, Marie-France fez o que todo aspirante a político costuma fazer quando se defronta com uma pergunta desse tipo. Ela sorriu e disse que não podia descartar a possibilidade.

De certa forma, estou sendo injusto com Marie-France. Não somos nossos pais. Os genes não são nosso destino. Mas o coquetel químico dentro de nós molda nosso comportamento. A questão, então, é quanto os genes fazem a diferença em quem busca o poder – e quanto resta para nós.

Em um estudo da Universidade de Minnesota (conhecido como estudo dos Gêmeos de Minnesota, que não deve ser confundido com o time de beisebol *Ninnesota Twins*, Gêmeos de Minnesota), os pesquisadores compararam gêmeos idênticos com gêmeos fraternos. Gêmeos idênticos começam como o mesmo óvulo fertilizado, que se divide em dois, o que significa que ambos os gêmeos compartilham 100% de seu código genético. Gêmeos fraternos são apenas irmãos que ocupam o ventre da mãe ao mesmo tempo. Comparando gêmeos idênticos a gêmeos fraternos que são criados no mesmo ambiente, você pode isolar quantos genes fazem a diferença. Isso é exatamente o que fizeram os cientistas em Minnesota. Mapearam os genomas de centenas de gêmeos e, em seguida, fizeram cada indivíduo listar todos os cargos de liderança que já havia ocupado em empresas ou organizações comunitárias. O que encontraram foi extraordinário: quando se tratava de prever liderança, 30% da variação entre os indivíduos podia ser explicada pelos genes. Pode parecer que não é muito, mas dada a complexidade estonteante dos milhares de fatores que impulsionam o comportamento humano, é um número de arregalar os olhos.

Essa descoberta também levantou uma possibilidade intrigante: poderia algum fragmento de DNA determinar se nascemos para liderar ou para sermos liderados? Jan-Emmanuel De Neve (então na University College London e agora na Universidade Oxford) decidiu descobrir. Liderou uma equipe que tentou encontrar fragmentos de código genético associados a pessoas que comandam. Eles sequenciaram os genomas de 4 mil pessoas, mapeando cada pequena química em nosso projeto de DNA. Mapearam, simultaneamente, as histórias de vida de cada pessoa no estudo, identificando as que tinham ocupado posições de liderança e as que não tinham. Em 2013, a equipe de De Neve anunciou a descoberta do que chamaram "gene de liderança". Tinham identificado o rs4950 como um pedaço de código genético fortemente correlacionado com acabar em posições de autoridade mais tarde na vida. Em termos técnicos, o estudo estimou que ter um alelo A adicional em vez de um alelo G nessa parte de nosso código genético aumenta as chances de ter uma posição de liderança em aproximadamente 25%.

Temos cerca de 21 mil genes identificados em nosso DNA. Se De Neve e sua equipe estavam certos e tinham localizado um gene de liderança, poderíamos criar líderes apenas inserindo um pouquinho extra de código genético? Estamos prestes a ser capazes de pagar uma pequena gratificação por um superambicioso bebê *designer* que vai engatinhar direto para a sala com a melhor vista no último andar?

Não tão depressa. Todas essas descobertas são exageradas e enganosas.

Se tentássemos encontrar correlações estatísticas entre genes e líderes atuais, por exemplo nos Estados Unidos, os dois fatores genéticos mais proeminentes seria ter um cromossomo Y (ser um homem) e ser branco. Não que homens brancos sejam de alguma forma melhores líderes (como logo deixaremos enfaticamente claro), mas sem dúvida homens brancos atualmente *chegam* ao poder com mais frequência que outros tipos de pessoas. Esse é um quebra-cabeças diferente de quem *busca* o poder.

Naturalmente, a equipe de pesquisa de De Neves ajustou os dados para levar em consideração características demográficas como raça, idade e gênero. Mas eles ainda constataram que o fragmento rs4950 está correlacionado com a manutenção de uma posição de liderança. Isso, no entanto, podia acontecer pelas mais diferentes razões. Podia estar ligado a traços que nos tornam mais bem colocados para chegar ao poder na sociedade moderna, como sermos ambiciosos, confiantes, afáveis, extrovertidos ou altos. Todos esses traços têm raízes genéticas, mas isso não significa necessariamente que esses traços nos façam *desejar* com mais intensidade o poder. Além disso, nem todas as rotas para o poder são iguais. Talvez a extrema sede de poder – um traço incorporado no Imperador Bokassa – seja transmitida geneticamente, mas o mesmo não se aplica aos filhos de gerentes de nível médio em companhias de seguro. Não sabemos. Estamos de volta à estaca zero.

Mesmo se pudermos encontrar genes que estejam associados aos líderes atuais, continuam existindo fatores de confusão. É extremamente difícil dizer se o comportamento de uma pessoa é impulsionado por seus genes ou por seu ambiente, incluindo pais apoiadores, experiências passadas, riqueza ou mesmo aleatoriedade. Talvez você tenha nascido para ser um ditador, mas seu ambiente simplesmente não alimentou isso. Você cresceu em uma democracia e seus pais não o encorajaram como deviam quando você planejou se vingar de seus inimigos de infância. Você podia ter chegado ao palácio se tivesse nascido em uma família violenta do Uzbequistão. Falta de sorte.

Apesar dessas ressalvas, há uma boa razão para acreditar que os genes desempenham um papel importante na dominação humana: as evidências do reino animal. Afinal, somos animais, e os genes desempenham um papel na determinação da liderança em outras espécies. Por exemplo, hienas pintadas parecem herdar seu lugar na hierarquia da matilha de sua mãe. Se a mamãe hiena fosse o cachorro alfa (tudo bem, ótimo, hienas tecnicamente não são membros da família canina, mas têm sua própria família especial chamada *Hyaenidae*), então o bebê hiena teria praticamente assegurada sua ascensão à liderança da matilha. Além disso, pesquisadores têm usado a reprodução seletiva para acasalar ratos submissos com outros ratos submissos e ratos dominantes com outros ratos dominantes. Com certeza, os comportamentos tornaram-se cada vez mais pronunciados a cada geração. Os netos dos ratos criados seletivamente eram supersubmissos ou superdominantes. Em camundongos, um estudo alterou geneticamente camundongos para remover um gene de interesse, conhecido como SLC6A4. Os camundongos que tiveram esse gene "nocauteado" tornaram-se submissos, independentemente de os pais serem dominantes ou submissos. No peixe-zebra – um peixinho listrado nativo do Sul da Ásia que é muitas vezes encontrado em aquários domésticos – uma série de experimentos demonstraram que a dominância social é de fato herdada do *status* social do pai. Mas isso parece vir em parte da passagem de genes de pai para filho e, em parte, do pai ensinando aos filhos como conquistar *status* dentro da hierarquia do aquário. O mundo é complexo. É claro que os genes importam. Mas não são a única coisa que importa. (Não podemos conduzir experimentos similares em humanos por causa de uma coisa meio incômoda chamada ética.)

CORRUPTÍVEIS

Então, aqui está o que nos resta: *sem a menor dúvida* os genes afetam quem chega ao poder porque certas características o tornam mais capaz de obter autoridade sobre outras pessoas (voltaremos a isso no próximo capítulo). Mas ainda não temos certeza de como ou se os genes afetam, antes de mais nada, quem quer o poder.

O que sabemos é que alguns humanos não querem absolutamente o poder. Em uma recente pesquisa corporativa nos Estados Unidos, apenas 34% dos entrevistados disseram que aspiravam a uma posição de liderança em sua empresa. Apenas 7% queriam uma posição de liderança de alto nível. O poder, ao que parece, não é universalmente cobiçado. Além disso, os motivos desses 7% prontos para o primeiro escalão variam. Alguns querem servir a comunidade ou a empresa. Outros anseiam por reconhecimento ou prestígio. E alguns estão famintos para dominar ou abusar de outras pessoas porque isso seria gratificante para eles. Como podemos saber quem se enquadra nisso ou naquilo?

Essa questão é muito mais antiga que a pesquisa genômica. Os antigos gregos falavam de *thymos*, que tem muitos significados potenciais, mas é com frequência traduzido como uma necessidade de reconhecimento. Tal reconhecimento era geralmente garantido por tornar-se um líder, quer na batalha, na oratória ou na política. Alguns milhares de anos à frente e um falecido psicólogo de Harvard, David McClelland, desenvolve uma medida chamada *nPow*, que significa "necessidade de poder". Está correlacionada ao desejo de controlar outras pessoas e obter reconhecimento por meio desse controle. Outros propuseram medidas diferentes, como algo chamado *Orientação* à Dominância *Social* (SDO – *Social Dominance Orientation*), que mede nossa propensão individual para querer dominar outros e nossa afinidade com hierarquias que põem algumas pessoas acima de outras. Medidas confiáveis de SDO podem ser tomadas até mesmo com relação a crianças (a maioria das pessoas quer poder suficiente para se sentirem como se tivessem o controle de suas próprias vidas – mas não muito mais que isso).

Ainda assim, não temos todas as respostas. Sem dúvida, os seres humanos existem num espectro. Alguns são viciados em poder. Outros o evitam por completo. Mas se essa variação é mais impulsionada pela natureza ou pela criação é ainda uma questão de certa forma em aberto, esperando para ser resolvida. Simplesmente não sabemos.

Mas vamos, por um momento, colocar de lado essas incertezas genéticas e pensar em outra questão: podemos nós, seres humanos, tornar mais ou menos provável que o poder seja buscado por gente boa? Podemos ajustar políticas de recrutamento ou mudar percepções sobre que tipo de gente deveria estar no controle para garantir que pessoas mais amáveis, mais generosas, começassem a se autosselecionar, a atirar seus chapéus no ringue?

De Adolescentes Maoris a M113s

Após o horrível assassinato de George Floyd na primavera de 2020, a reforma policial ocupou o centro do palco nos Estados Unidos e pelo mundo afora. O problema é que a maioria dos esforços de reforma estão cometendo o mesmo tipo de erro analítico que os generais da Segunda Guerra Mundial estavam cometendo antes de serem esclarecidos por Abraham Wald. Departamentos de polícia estão pensando demais em como mudar o comportamento dos policiais que eles já têm, enquanto pensam muito pouco sobre os supostos policiais invisíveis que ainda não têm. Para corrigir o policiamento, precisamos nos concentrar menos naqueles que já estão de uniforme e mais naqueles que nunca pensaram em vestir um.

Doraville é uma pequena cidade com pouco mais de 10 mil habitantes no noroeste da Geórgia. Sua principal atração no TripAdvisor é o *Buford Highway Farmers Market* (um mercado que supera por muito pouco as massagens do *Treat Your Feet,* Trate dos Seus Pés). Situada a cerca de 32 quilômetros a nordeste de Atlanta, Doraville tem uma taxa de criminalidade ligeiramente mais alta que a de muitas pequenas cidades dos Estados Unidos, mas dificilmente seria considerada uma zona de guerra. Na maioria dos anos, há zero assassinatos.

Ainda assim, o departamento de polícia de Doraville possui um blindado para o transporte de tropas, o M113 – "um veículo militar de combate corpo a corpo" que foi usado na luta contra o vietcongue, contra rebeldes em Faluja e contra terroristas no Afeganistão. Se acontecer alguma coisa no *Home Depot* local [loja de materiais de construção e utilidades para o lar], a polícia está pronta.

Alguns anos atrás, qualquer pessoa que estivesse pensando em usar um distintivo do PD [Police Department] de Doraville era apresentada a um vídeo de recrutamento do *site* do departamento de polícia. Durante 15 segundos, um logotipo ia piscar na tela: um conjunto de caveiras ameaçadoras contra um fundo negro. É uma referência ao Justiceiro, personagem de história em quadrinhos que usa o assassinato, o sequestro e a tortura para punir criminosos. De repente, a viatura blindada de batalha com o brasão da SWAT: DEPARTAMENTO DE POLÍCIA DE DORAVILLE aparece tocando a sirene em alta velocidade, as laterais dos pneus levantando poeira. Uma escotilha se abre. Uma figura sombria atira uma granada de fumaça. Seis homens vestidos como soldados saem do veículo. Usam camuflagem, prontos para se misturar com alguma coisa caso tenham de ser deslocados para a selva de concreto ao lado do restaurante Shaking Crawfish ou precisem impor a lei marcial na Marshalls [uma loja de departamentos]. Suas armas de assalto são sacadas. O logo do Justiceiro torna a piscar, seguido pela imagem de uma águia carregando um relâmpago em uma garra e um rifle na outra – insígnia dos operadores da SWAT. Cumprida a missão, os policiais soldados retornam ao seu veículo de combate. O M113 arranca. Todo o espetáculo é ambientado na doçura dos tons de "Die Motherf**er Die", cantado pela Dope.

A maioria das pessoas assiste a esse vídeo do departamento de polícia de uma pequena cidade e pensa: "Isso é loucura". Mas outros assistem e pensam: "Me inscreva!" Não é uma coisa aleatória se você se enquadra em uma categoria ou na outra. Depois de assistir ao vídeo, gente atraída por agir como os soldados de um exército de ocupação estará mais propensa a preencher uma ficha. É provável que pessoas motivadas por atuar como agentes de apoio na comunidade, que ajudam residentes idosos a atravessar uma rua movimentada, não o façam. E mulheres, ou minorias, que nem chegam a aparecer no vídeo de recrutamento, ficarão compreensivelmente em dúvida se seriam bem-vindas no departamento. Quando recrutamos para posições de poder, não se trata apenas de quem fica e de quem não fica com o trabalho. Está em jogo também quem se candidata primeiro.

Em 1997, o governo dos EUA criou algo chamado Programa 1033 para lidar com o equipamento militar excedente. A ideia era mandá-lo para departamentos de polícia, não para o ferro velho. Vencer ou vencer. Ou assim parecia. Durante duas décadas, mais de 7 bilhões de dólares de armamento militar – helicópteros, munição reservada para as forças armadas, baionetas, detectores de minas, veículos resistentes a minas, você escolhe – foram transferidos para departamentos de polícia grandes e pequenos. Um departamento constituído por dois homens em Thetford Township, município do Michigan (população 6.800), adquiriu 1 milhão de dólares em equipamentos do exército, incluindo detectores de minas e Humvees.* O escritório do xerife de Boone County, em Indiana (população 67 mil), tem um barco de assalto anfíbio fortemente blindado. Não

---

* Grandes jipes militares que têm 18 variantes e podem servir para transporte de tropas ou cargas e transporte de obuses. Também podem ser empregados como plataformas de artilharia ou de mísseis terra-ar. (N. do T.)

importa que a maior massa de água em todo o condado seja um pequeno lago perto de uma casa de fazenda isolada. O departamento de polícia em Lebanon, no Tennessee (população 36 mil), possui um tanque de guerra.

Por que ter brinquedos se não podemos usá-los? Ou, colocando na forma de um aforismo, quando temos um martelo, tudo parece um prego. Quando temos um tanque de polícia, até a Walmart parece um campo de batalha. E isso muda quem tenta vestir o uniforme.

Vamos ser claros: um grande número de policiais tem motivos admiráveis para servir sua comunidade. Mas alguns não. "Se você é um valentão, um fanático ou um predador sexual, o policiamento é uma escolha de carreira realmente atraente", diz Helen King, que atuou como comissária assistente da Polícia Metropolitana em Londres. Ela tem razão. Há consideráveis indícios, por exemplo, de que o abuso doméstico praticado por policiais é um problema significativo. Alguns argumentam que tal abuso está relacionado a um trabalho intenso e altamente estressante. Mas outros empregos com trabalho intenso e alto nível de estresse não parecem mostrar esses níveis de violência doméstica. Há uma explicação mais convincente. Talvez algumas pessoas violentas sejam atraídas por uma ocupação que lhes dá poder, como ser policial, porque fica mais fácil escapar das consequências de seus atos. Para quem você liga se seu agressor é a polícia? "O desafio que se coloca para o sistema é tentar erradicar essas pessoas no processo de recrutamento", me disse King.

Para colocar as pessoas certas no uniforme, a imagem do departamento de polícia tem uma enorme importância. A presença de tanques e veículos de assalto condiciona quem é atraído para o uniforme e como a pessoa se comporta depois que o veste. Para requerer um veículo de assalto do Programa 1033, os departamentos de polícia locais precisam justificar o pedido preenchendo um formulário que responda a uma exigência: "Fornecer uma estimativa dos requisitos de uso/missão para os veículos blindados solicitados". Quando começam a encarar seu trabalho como missões militares, os policiais locais vão contratar mais soldados para apoiá-los.

Foi exatamente o que aconteceu. Seis por cento dos norte-americanos serviram nas forças armadas, mas 19% dos policiais norte-americanos são ex-soldados, segundo o Projeto Marshall. Programas do governo – e muitos incentivos de financiamento – encorajam essa transição para soldados reformados. Certas bolsas do governo são concedidas apenas a departamentos de polícia que contratam veteranos. Isso pode ser uma grande ideia, se utilizada com moderação. As qualidades exigidas do comandante eficiente de uma equipe da SWAT se sobrepõem de forma significativa às qualidades requeridas de um comandante eficiente dos fuzileiros navais. O pessoal militar é com frequência disciplinado. Eles são muitas vezes atraídos para o serviço. E como policiais, estão dispostos a se sacrificar ao máximo. Mas policiar as ruas de Boston ou de Kansas City não é a mesma coisa que patrulhar Bagdá ou Cabul. No entanto, Cabul e Bagdá é muitas vezes aquilo a que os soldados transformados em policiais de hoje estão acostumados. O trabalho de soldado e policial de rua não devia ser o mesmo e confundir em excesso dois conjuntos distintos de habilidades pode ser desastroso. Devíamos nos surpreender se alguns ex-soldados revertessem a seu treinamento anterior para usar força letal estando no Humvee da polícia em vez de no Humvee do exército?

Mas aqui está a surpresa: este efeito é mais pronunciado nos departamentos que fazem o policiamento *parecer* a missão de um exército. Mesmo depois de controlar variáveis como taxa de criminalidade ou tamanho da população para que não houvesse confusão, os pesquisadores descobriram que, para começar, os departamentos de polícia que compraram a maior parte do equipamento militar excedente mataram mais civis *e* viram o número de civis que matavam em um determinado ano crescer de forma significativa *depois* da chegada do equipamento militar.

Departamentos que matam mais civis querem se tornar mais militarizados. Adicionar equipamento militar os torna ainda mais letais.

Não obstante, boa parte do debate sobre reforma policial nos Estados Unidos está focada na mudança de táticas policiais: treinamento de redução de escala, câmeras no corpo banindo estrangulamentos, melhor supervisão quando é empregada a força. Todas essas reformas valem a pena. Mas todas visam mudar o que a polícia *faz*. Muito pouca atenção vem sendo dada a uma situação mais fundamental: quem a polícia é. O que provavelmente será mais eficaz: gastar milhões tentando requalificar o pequeno grupo de pessoas excessivamente agressivas que se veem como soldados e veem o policiamento como guerra ou, primeiro que tudo, atrair pessoas menos agressivas para a profissão? Os chefes de polícia dos Estados Unidos precisam de uma versão moderna de Abraham Wald para explicar que eles têm de começar a pensar mais sobre quem *não está* em suas forças.

A Nova Zelândia está fazendo exatamente isso.

Uma mulher asiática vestindo um colete policial sobe correndo um morrote atrás de um suspeito que não vemos. Ela se vira para a câmera. "A polícia da Nova Zelândia está procurando novos recrutas que possam fazer uma diferença real!" Há um corte rápido para um policial indígena maori em febril perseguição do mesmo suspeito. "Aqueles que se importam com os outros e suas comunidades!" O policial maori passa correndo por um homem idoso com um andador que atravessa lentamente uma faixa de pedestres. O agente olha duas vezes para ele e volta para ajudar o idoso a atravessar em segurança a rua. Durante mais de 2 minutos, a caçada continua. Finalmente, a mulher policial alcança o fugitivo. "Largue!", ela grita para o suspeito. Um cachorro late, revelando ser um criminoso canino: abrindo a boca, ele solta a bolsa roubada que trazia nos dentes. Toda a frenética perseguição visava um peludo *border collie*. "Você se importa o suficiente para ser um policial?", aparece na tela.

A cena é de uma campanha lúdica de recrutamento de policiais lançada pela polícia da Nova Zelândia em 2017. O contraste com o anúncio de Doraville, na Geórgia, é tão nítido que chega quase a ser cômico. Nenhuma arma é mostrada. Os objetivos declarados do policiamento estão diretamente ligados a ajudar a comunidade. Com o passar do tempo, uma série de *gags* divertidas ajudou os vídeos a se espalharem como fogo sem controle pelas redes sociais (este vídeo, por exemplo, tem 1,7 milhões de visualizações no YouTube num país de 4,8 milhões de pessoas). "Levamos o policiamento a sério, mas não a nós mesmos", diz Kaye Ryan, vice-presidente executiva de relacionamento com a polícia da Nova Zelândia.

Em outro vídeo, chamado "Hungry Boy" [Garoto Faminto], o departamento de polícia conduziu um experimento. Puseram um menino que parecia gravemente desnutrido vasculhando latas de lixo em busca de comida no centro de uma cidade. Câmeras secretas gravaram as reações daqueles que se deparavam com o garoto. Algumas pessoas seguiram em frente. Outras pararam, perguntaram se ele estava com fome e tentaram ajudar. As pessoas que mostram compaixão ganham destaque na mensagem de recrutamento. "Eles se importam com os outros", é dito em *off*. "E você?" O filme termina com o logo: "Você se importa o suficiente para ser um policial?" A implicação era que as pessoas que paravam e ajudavam uma criança deviam estar num uniforme. Os outros, que seguiam em frente, não precisavam se inscrever. Se você tinha compaixão pelos vulneráveis, a polícia da Nova Zelândia o queria nas suas fileiras.

Em vez do Justiceiro, a polícia da Nova Zelândia queria o Socorrista. Equipamentos de combate camuflados e "Die Motherf*er Die" não se viam em parte alguma. Não é provável que algum *kiwi*[**] que pense que os policiais devem agir como soldados de um exército de ocupação dis-

---

[**] Gíria para nativo da Nova Zelândia. (N. do T.)

pare uma ficha para se inscrever na polícia depois de ver os vídeos com o auxílio a uma criança desnutrida ou a perseguição a um cachorro travesso. Mas isso tem mesmo importância? A estratégia de recrutamento da polícia da Nova Zelândia realmente muda quem se tornou policial?

Nos últimos anos, a força policial da Nova Zelândia recrutou 1.800 novos agentes. Os vídeos de recrutamento destacam deliberadamente mulheres, assim como minorias étnicas, em particular policiais maoris, asiáticos e vindos de ilhas do Pacífico. "Não se trata de não querermos os homens brancos", me disse Ryan. "E de qualquer maneira eles vêm."

Quem quer que se inscreva – de brancos mais velhos a moças adolescentes maoris – tem de passar de 20 a 40 horas na rua com um policial para ser avaliado antes de o processo de verificação real começar. "Se adotarem um estilo muito militar ou se dirigirem à comunidade como se abordassem adversários, o trabalho não vai dar certo para eles", Ryan explica. "Nossos próprios policiais dizem: 'Espere, eles estão vindo pelos motivos errados'". Em vez de equipar os policiais da comunidade como soldados e enfatizar o recrutamento de elementos das forças armadas, a polícia da Nova Zelândia garante que se comportar como um soldado nas ruas de Wellington significa, antes de qualquer coisa, que você não conseguirá vestir um uniforme da polícia. Eles recrutam e selecionam de uma maneira que tenta atrair aqueles que *não estão* naturalmente motivados pelo policiamento.

Deu certo. O total de inscrições é superior a 24%. Isso é ótimo porque, como veremos em breve, o aumento da concorrência é fundamental para conseguirmos colocar gente melhor em posições de poder. O número de mulheres candidatas aumentou para 29%, enquanto os candidatos maoris superaram os 32%. Hoje, cerca de um em cada quatro policiais da Nova Zelândia são mulheres, em comparação com pouco mais de um em dez nos Estados Unidos. A força também está perto de ser representativa da composição étnica da Nova Zelândia. Compare isso com os Estados Unidos, onde centenas dos principais departamentos de polícia são, em média, 30% mais brancos que as comunidades que eles patrulham (em 2014, quando os motins eclodiram em Ferguson, no Missouri, depois que um negro desarmado foi morto pela polícia, dois em cada três residentes da comunidade local eram negros; enquanto isso, mais de oito em cada dez policiais de Ferguson eram brancos). Além dos problemas óbvios que isso cria, a percepção de preconceito racial no policiamento gera um ciclo vicioso. Se as pessoas acreditam que a polícia trata mal as minorias raciais, então é provável que as pessoas que querem maltratar as minorias raciais sejam mais propensas a se inscrever para o trabalho. Essa é uma das dificuldades da reforma da polícia. Para pôr em ordem o policiamento, precisamos de recrutas melhores – e para conseguir recrutas melhores, precisamos pôr em ordem o policiamento.

A Nova Zelândia atacou esse problema de frente. Eles se concentraram no equivalente dos aviões invisíveis na Alemanha – os invisíveis desejáveis que não estavam se inscrevendo para o trabalho. Como resultado, a Nova Zelândia tem uma das forças policiais mais eficientes e menos abusivas do planeta. Não mais que 21 neozelandeses foram mortos pela polícia entre 1990 e 2015, uma média de 0,8 mortes por ano. Se ampliarmos essa taxa para ajustá-la à população muito maior dos EUA, a expectativa seria que os policiais norte-americanos matassem cerca de 50 pessoas por ano. Em vez disso, só em 2015, agentes da polícia nos Estados Unidos mataram 1.146 civis. Talvez a América pudesse aprender uma ou duas coisas da Nova Zelândia.

O que a polícia faz tem importância. Mas quem a polícia é pode importar ainda mais. E se não projetarmos de forma adequada o recrutamento de policiais, acabaremos atraindo todas as mariposas erradas para a chama do poder.

Às vezes o problema pode ser ainda pior. De Doraville a Wellington, há em geral muita gente que quer ser policial. Mas o que acontece quando uma posição de autoridade não é particularmente atraente? Sem competição, a autosseleção é a única coisa que importa. Se apenas uma pessoa se inscreve para um trabalho que concede autoridade, então qualquer cretino faminto por poder pode avançar direto para essa autoridade. É como estender o tapete vermelho para o pior tipo de gente maníaca por ter o comando. E com demasiada frequência são precisamente eles que controlam nossos bairros.

Autocrata do Arizona

Roger Torres (nome fictício) é um lutador. Não apenas um lutador no sentido metafórico. Era alguém que realmente costumava competir nas artes marciais mistas. Seu recorde era impressionante: 12 vitórias – incluindo 4 nocautes, ele me diz, e me passa o *link* de um *site* oficial para provar isso. "Meu apelido era Canhão porque eu batia forte", Torres se gaba. Mas quando Roger e sua esposa compraram uma propriedade em uma comunidade ensolarada do Arizona, ele não imaginou que estivesse entrando num confronto em uma arena de onde não seria capaz de escapar durante anos.

Em 1970, apenas cerca de 1 milhão de norte-americanos viviam em comunidades governadas por entidades chamadas associações de moradores (HOAs – homeowners' associations). Hoje, por volta de 40 milhões vivem nelas. Se adicionarmos condomínios, teremos outros 30 milhões. Juntos, esses quase governos estritamente locais arrecadam cerca de 90 bilhões de dólares por ano em taxas a pagar por serviços públicos, manutenção, reparos e custos de manutenção coletivos. É cerca de duas vezes o total de receitas fiscais do estado da Flórida.

Associações de moradores também costumam estabelecer regras detalhadas. Parte da receita que cobre quantias extras destinadas a reparos ou melhorias vem das multas impostas aos que desobedecem às regras. Quanto mais fazemos cumprir as regras, mais crescem nossas reservas. Mas ao contrário dos coletores de impostos do governo, os fiscais das associações de moradores não são burocratas distantes de Washington. São nossos vizinhos.

O problema está aqui: quem quer ser a pessoa que patrulha a vizinhança e impõe multas pesadas quando a Susan do final da rua coloca seus sacos de lixo a 60 centímetros do meio-fio em vez dos exigidos 30 ou menos centímetros? Isso não fica exatamente gotejando com a glória do *thymos*.[***]

Na pequena comunidade de Roger Torres, no Arizona, não havia muita concorrência para dirigir a associação. "A apatia era absurda", diz ele. "Ninguém dava a menor atenção. Muitas vezes não conseguiam completar a diretoria porque ninguém queria fazer o trabalho." Os que colaboraram tiveram de ser muito bem persuadidos de que *alguém* tinha de agir. Foi assim até Martin McFife (também nome fictício) aparecer. Para ele, a associação de moradores não era um fardo. Era um chamado.

Como a associação estava basicamente implorando que as pessoas assumissem responsabilidades, a diretoria pôs as mãos em McFife quando ele se ofereceu. McFife concorreu sem oposição na eleição. Mas houve um problema depois que ele ganhou. "McFife era um idiota tão desprezível", diz Torres, "que ninguém queria trabalhar com ele". Torres suspeita que aquilo não fora um acaso. Parece que McFife, de forma deliberada, andou deixando alucinada a turma da diretoria para eles acabarem percebendo que aquilo não valia mais a pena. E foi exatamente o que aconteceu: de repente, quando já estavam confirmados para a reeleição,

---

[***] O *thymos* grego, o espírito. (N. do T.)

os titulares, que desde o início não queriam participar da diretoria, resolveram se retirar. McFife, então, escolheu a dedo seus substitutos. Os planos que sobreviveram foram os *seus*. Consolidara seu poder com a eficiência de um autocrata.

Foi também como um deles que McFife governou a pequena comunidade. Certo domingo, Torres estava saindo de casa e sabia que o caminhão do lixo passaria no dia seguinte, mas a associação tinha regras rígidas: nenhum saco de lixo podia estar na rua antes do meio-dia de domingo. Torres estava com pressa. Deu uma olhada no relógio. Eram 11h55. Tirou os sacos de lixo de casa. Cinco minutos depois, precisamente ao meio-dia, passou um fiscal. Torres foi multado.

Cada vez que ele contestava uma multa, mais multas viriam, uma punição por ousar desafiar a trama de McFife. As palmeiras de Roger foram de repente consideradas uma violação das regras. Multa. Uma folhagem parecia que *poderia* estar morrendo. Multa. "Ele queria que as árvores fossem todo ano agressivamente aparadas para que tivessem a perpétua aparência de uma cenoura, porque era assim que ele preferia", Torres explica.

Por fim, Torres não pôde aguentar mais tempo sem reagir. Fez uma reclamação formal de que as regras estavam sendo aplicadas de forma arbitrária. Pouco depois dessa reclamação, chegou uma encomenda pelo correio. Era um livro de regras inteiramente novo, cheio de novos regulamentos. Algumas diretrizes eram de uma incrível especificidade. "O cascalho agora tinha de ser nativo do Arizona", Torres lembra. "Tínhamos até mesmo regras feitas especialmente para nós, e me senti honrado com isso." Os Torres haviam instalado uma câmera de segurança em sua propriedade porque adolescentes estavam usando drogas perto de seu quintal. O novo livro de regras proibia câmeras de segurança. "Tínhamos algumas pedras decorativas de que McFife não gostava", diz Roger. "Agora, então, o livro de regras especificava que pedras decorativas maiores que uma bola de *softball* tinham de ser enterradas até um terço de sua altura." Quando essa mudança de regra não fez com que os Torres removessem as pedras ofensivas, elas começaram a desaparecer.

Em protesto, os Torres fizeram algo que sabiam que levaria à loucura o tirano da associação de moradores local: puseram um flamingo cor-de-rosa no quintal como símbolo de resistência. Logo os outros vizinhos fizeram o mesmo. Por toda parte, pipocaram flamingos cor-de-rosa. McFife ficou furioso. E embora não pudesse ter certeza, ruminava se algum cascalho vindo de fora do Estado não teria sobrevivido ao expurgo que encomendara.

Estava na hora de uma ação decisiva. Em uma atualização especial, "Comunicado Importante da Associação", todos os moradores da área receberam um documento denunciando os Torres. "Ainda se recusando a cortar as folhas mortas da palmeira, eles agora adicionaram um bando de flamingos cor-de-rosa. [...] Será que os Torres são *realmente* seus 'bons amigos' e vizinhos atenciosos, prestativos?" Essas postagens mencionando os Torres pelo nome – e foram várias – estão entrelaçadas com letras maiúsculas gritantes e frases como "Isso parece uma 'armação'. Já vimos essa peça antes e ela termina com o Declínio do Bairro!" Um dos envios conclui dizendo: "As apostas são altas... É preciso agir enquanto é tempo". Para ser justo com McFife, ele contara sete lâmpadas que precisavam ser trocadas. O destino da comunidade pendia na balança. Estava na hora de retirar o M113 da porta da loja de materiais de construção, trazendo para mais perto esse veículo anfíbio de assalto! (Falando com toda a seriedade, as reuniões da associação tornaram-se tão exaltadas que a diretoria pagou para que um policial as acompanhasse.)

Então, os Torres fizeram uma coisa que McFife não previra: usaram seu livro de regras contra ele próprio. Invocaram um estatuto pouco conhecido para forçar a convocação de uma eleição. A diretoria foi eliminada. "McFife perdeu a cabeça quando foi chutado", explica Torres. "Ele começou a patrulhar o bairro em uma base diária, tirando fotos de todas as coisas de que não gostava." Vi as outras postagens que continuou a fazer. Estão cheias de fotos de cactos que estariam fora do lugar e de uma planta, chamada oleandro, que nos últimos tempos não vinha sendo regada com a frequência que atenderia a seu gosto. Era tudo meio maluco. Na eleição seguinte, McFife teve uma chance de ressurgir, como fênix, das cinzas da derrota. Recebeu três votos.

Roger vendeu sua casa e jurou nunca mais morar em uma propriedade sujeita a uma associação de moradores. "Pelo que vim a saber das conversas com nossos antigos vizinhos", diz Torres, "as pessoas que compraram nossa casa também não estão aparando as palmeiras conforme a preferência pessoal de McFife. Tenho certeza de que para seu grande descontentamento".

Existem centenas de histórias como essa, bem como até organizações inteiras e subculturas da internet dedicadas a documentar os abusos das associações de moradores (muitos também envolvem apropriação indevida). Essas experiências trazem uma lição valiosa. Há *sempre* viés de autosseleção com relação ao poder. Sejam policiais rápidos no gatilho ou tiranos sedentos de poder em associações de moradores, o poder tende a atrair pessoas que querem controlar outras pessoas pelo simples prazer que isso lhes proporciona.

Felizmente, depois de reconhecer essa tendência para o poder, podemos contra-atacá-la. Como a polícia da Nova Zelândia percebeu, você pode tentar atrair diferentes mariposas para a chama. As empresas podem realizar análises para garantir que seus mecanismos de recrutamento, retenção e promoção atraiam pessoas que podem não buscar o poder, mas que o exerceriam com eficiência. Partidos políticos podem abordar pessoas da comunidade que poderiam se tornar bons líderes em vez de esperar que as pessoas se apresentem. E se associações de moradores querem evitar serem governadas pelo déspota da vizinhança, deviam pensar em criar incentivos (incluindo pagamento decente) para recrutar pessoas que queiram fazer o trabalho por razões melhores que atormentar as pessoas da quadra. Não se trata, enfim, apenas de atrair diferentes tipos de mariposas, mas também de atrair um maior número delas. Quanto mais gente tivermos flutuando em volta do poder, mais podemos atacar os corruptíveis e ainda nos sobrará incorruptíveis. Mas quando não há concorrência – quando quem primeiro alcança a chama consegue controlar os outros – bem, aí é mais provável ficarmos presos a um tirano faminto pelo poder, obcecado com folhas de palmeira e assombrado por flamingos.

IV

A ILUSÃO DO PODER

Por que nossos cérebros da Idade da Pedra nos fazem dar poder a todas as pessoas erradas

Cara Branco de Gravata

Mitch Moxley não é um dançarino de apoio, mas já dançou em videoclipes. Não é modelo, mas apareceu como um dos "100 Solteiros Mais Gatos da China" em uma edição chinesa da revista *Cosmopolitan* do Dia dos Namorados. Com a população de 1,3 bilhões da China, havia várias centenas de milhões de solteiros para escolher. Os editores pegaram Moxley. Pouco importa que não tivessem visto sequer uma foto dele antes de o selecionarem.

Os editores tiveram sorte. Moxley se encaixou muito bem na revista. Seu cabelo parece ter sido cuidadosamente preparado por alguém, ele ou ela, que sabe o que está fazendo com um par de tesouras e algum produto caro. Moxley não pareceria deslocado em um bar de hotel chique, com um robusto copo de uísque na mão, enquanto nos regalava com as histórias bizarras de suas jornadas de reportagem na Mongólia e na Coreia do Norte. Mas nada disso era o que diferenciava Moxley. Na realidade, ele se destacava por uma razão: era um cara branco morando na China.

Certo dia, enquanto Moxley tentava sobreviver como jornalista *freelance* em Pequim, um amigo ligou com uma oferta de emprego em Dongying, uma pequena cidade costeira, sem nada de especial, no nordeste da China. Dongying só reivindicava ser famosa por supostamente ter sido o local de nascimento de Sun-Tzu, que sabiamente aconselhou: "Operações secretas são essenciais na guerra; com elas o exército confia em cada movimento que faz". Moxley estava prestes a participar de uma operação secreta. Mas que não se passava em um campo de batalha. Passava-se em uma fábrica.

"Eu realmente não sabia muita coisa além de que eles queriam reunir um grupo de estrangeiros para algum tipo de cerimônia", Moxley me disse. A combinação era receber mil dólares por semana de trabalho. "Meu amigo me perguntou se eu queria ir e respondi 'claro, sem a menor dúvida'. Houve uma vaga conversa sobre controle de qualidade. Moxley compreendeu que devia comparecer com boa cara e jogar de forma honesta. "Mas só para você saber", disse ele ao amigo, "não tenho experiência em controle de qualidade ou nos negócios, nenhuma experiência". O amigo de Moxley respondeu: "Não faz mal. Leve um terno".

Na quinta-feira seguinte, às 7h45, Moxley e dois outros norte-americanos, dois canadenses e um australiano embarcaram em um voo para Dongying. Estavam completamente no escuro sobre o trabalho que tinham sido contratados para fazer. Só o que parecia claro era a importância de que *parecessem* ser empresários chegando a uma nova fábrica. Com um novo corte de cabelo, um brilhante par de sapatos novos e um terno barato e mal ajustado, Moxley havia se preparado razoavelmente bem para seu papel.

CORRUPTÍVEIS

Quando os seis chegaram a Dongying, apresentaram-se à fábrica para o primeiro dia de trabalho. Foram recebidos com entusiasmo e conheceram suas salas. Cada homem tinha uma mesa. "Em cada mesa havia um capacete com um decalque da empresa e um colete de segurança laranja com um enorme zíper e a inscrição "D&G — DOLOE & GOB8ANA", Moxley lembrou mais tarde em seu livro *Apologies to My Censor* [Desculpas ao meu Censor]. Mas os coletes não eram as únicas falsificações. Moxley e seus colegas, os recrutas brancos que o acompanhavam, também eram falsificações enviadas para simular que o grupo vinha de uma empresa controladora californiana, uma empresa inexistente que estaria envolvida no tão esperado lançamento da fábrica. Se parecessem chineses, ninguém teria dado atenção. Mas figurões da Califórnia vindo para Dongying? Isso era notável.

"Ficávamos sentados no escritório lendo revistas e conversando", diz Moxley. "Depois, uma vez por dia tínhamos de dar um giro pela fábrica. Íamos fingir que estávamos tomando notas e vendo o que havia lá." Quando o giro terminava, voltavam às revistas. O trabalho era esse. Um dos amigos de Moxley se referiu a isso como alugar um "cara branco de gravata".

Depois de passarem alguns dias posando de investidores interessados e empresários, era chegada a hora da grandiosa inauguração. O prefeito estava lá. Mulheres em vestidos de noite sorriam sobre o tapete vermelho. Um dos falsos colegas de Moxley, um sujeito chamado Ernie, se levantou e leu o discurso que haviam lhe passado. "Fora escolhido porque parecia o mais velho", Moxley explica. Ele assistia ao evento surreal exibindo seu colete de segurança da moda – DOLOE & GOB8ANA. Quando o discurso terminou, houve fogos de artifício. Música popular chinesa foi bombeada pelos alto-falantes em comemoração. "A fábrica só estava pronta pela metade", lembra Moxley. "Por isso eu ainda não sei o que aquela cerimônia de corte da fita significava."

A experiência de Moxley não foi a única. Na realidade é parte de uma indústria bizarra na China, onde os estrangeiros são usados como suportes para dar credibilidade a uma operação. Às vezes, mulheres brancas eram contratadas para adicionar *sex appeal* a um novo bar. Em um caso, um diretor de cinema chamado David Borenstein foi contratado para subir ao palco na zona rural de Chengdu. Ele e uma falsa banda foram apresentados ao público como "a melhor banda de música *country* da América, chamada *Traveller* [Viajante]". Eles não se encaixavam muito bem no papel. Borenstein tocava clarinete; ninguém parecia saber que um clarinete não é um elemento comum na música *country*, mas isso não importava. A vocalista principal era "uma espanhola que não falava inglês e não sabia realmente cantar".

Essas histórias parecem exóticas e bizarras. Mas são apenas reflexos de uma verdade fundamental sobre a natureza humana: estamos com frequência mais obcecados com o modo como alguma coisa ou alguém *aparece* do que com quem eles são ou o que podem fazer. O poder não é diferente. Se você parece um líder, é mais fácil tornar-se um líder. Seja em Dongying ou Denver, damos autoridade para todo tipo de pessoas exatamente pelas razões erradas. Na fábrica chinesa, a credibilidade de Mitch Moxley fluía *porque* ele era um cara branco. Mas é assim *tão* diferente nas sociedades ocidentais? Por que parecemos dar tanto controle a uma fatia tão pequena de pessoas?

Das 500 maiores corporações dos Estados Unidos, 468 são administradas por um homem. Isso deixa apenas 6% com uma mulher no comando. Dessas mesmas 500 corporações, 461 são lideradas por uma pessoa branca, deixando apenas 8% para CEOs não brancos, embora 40% dos norte-americanos não sejam brancos.

Nos Estados Unidos, homens brancos compreendem aproximadamente 30% da população total. Contudo, 431 dos 500 CEOs da revista *Fortune* são homens brancos, representando 86% do total geral. Na verdade, dentre os 500 CEOs da *Fortune*, o número de homens brancos chamados John ou Jon (27) é igual ao número de CEOs asiáticos (16) e CEOs latinos (11) combinados. Só quatro CEOs negros estão na lista. Nenhum dos CEOs latinos ou negros é mulher. Na tabela a seguir, você verá a diferença entre a realidade da representação dos CEOs na *Fortune 500* e a dimensão dos grupos demográficos na população dos Estados Unidos.

Grupos Demográficos	Porcentagem Aproximada da População dos EUA	Porcentagem dos 500 CEOs da *Fortune*
Homens	50	94
Homens brancos + Mulheres brancas	60	92
Homens brancos	30	86
Mulheres brancas	30	6
Homens negros	6,5	0,8
Mulheres negras	6,5	0
Homens latinos	9	2
Mulheres latinas	9	0
Homens asiáticos	3	3
Mulheres asiáticas	3	0,4

Esses números não são muito melhores em outros lugares. No Reino Unido, por exemplo, quando do verão de 2020, somente cinco das cem melhores empresas (o FTSE 100) eram comandadas por mulheres. Nessa lista havia mais CEOs chamados Steve que mulheres CEOs.

Essa distorção aparece no reconhecimento público, ou também na falta dele. Tente lembrar de um líder homem da área de tecnologia. Se você for como a maioria das pessoas, os nomes Steve Jobs, Mark Zuckerberg, Elon Musk e Bill Gates vêm de imediato à memória. Tente agora, lembrar de uma mulher líder de tecnologia. Uma pesquisa recente com mil norte-americanos fez exatamente essa pergunta. Noventa e dois por cento dos entrevistados admitiram que não conseguiriam citar uma única mulher líder de tecnologia. Oito por cento disseram que iam conseguir. Mas quando essas pessoas foram pressionadas para realmente indicar um nome, a maioria não conseguiu. Entre os que apresentaram um nome, adivinhe quais foram as duas respostas mais comuns. Alexa e Siri.*

Além de refletir o racismo social e o sexismo, essas disparidades têm importância porque podem dissuadir mulheres extraordinariamente talentosas e minorias étnicas de ingressar em grandes corporações que são dominadas por homens brancos. Trevor Phillips, um ex-político que trabalhou extensivamente com os desequilíbrios de poder em negócios britânicos, refere-se aos dados demográficos assimétricos na alta administração como os problemas do alto escalão branco e seus lacaios. Quando as minorias étnicas ou as mulheres olham para o topo da hierarquia empresarial e só veem alto escalão branco e seus lacaios (igualmente brancos) e sem sal, acrescenta ele, vão buscar uma empresa que tenha uma equipe de liderança sênior mais diversificada. Isso pode agravar o problema nas grandes empresas, argumenta Phillips, porque mulheres talentosas e minorias étnicas às vezes se mudam para *startups* menores, empresas emergentes onde é maior a chance de avançar com rapidez pela hierarquia. "Acham que não vão chegar a parte alguma ou que servem apenas como ornamentação de *showroom*", disse ele à BBC News.

E isso ultrapassa as empresas. Em 2020, só 16 dos 193 países membros das Nações Unidas eram liderados por uma mulher – pouco mais de 8% do total. E só 58 países (30% do total) tiveram *algum dia* uma líder mulher. Os Estados Unidos, é claro, estão do lado errado dessa lacuna.

Tem havido progresso, mas muito vagaroso. Em 2000, cerca de um em cada sete representantes eleitos em congressos e parlamentos nacionais eram mulheres. Hoje, chegamos a um em cada quatro. Melhor, mas ainda

---

* Alexa e Siri são as assistentes virtuais da Amazon (Alexa) e dos produtos Apple, como iPad e iPhone (Siri). (N. do T.)

abismal. E se você fechar o *zoom* nos ricos, democracias desenvolvidas que se supõe serem líderes mundiais em questões como igualdade de gênero, bem, elas não vivem de acordo com sua retórica ou ideais declarados. Em 1990, as mulheres representavam menos de 2% do parlamento do Japão. Hoje, ainda não superaram meros 10%. Nos Estados Unidos, a proporção triplicou, passando de 7% em 1990 a 23% hoje. Mas pense: quando se trata da proporção de mulheres com poder político, os Estados Unidos continuam abaixo da média mundial de cerca de 25%.

Mesmo as histórias supostamente de sucesso são muitas vezes piores do que parecem. A líder mundial em representação feminina no governo nacional é a diminuta Ruanda, na África central, com as mulheres ocupando 61% do parlamento. Mas isso aconteceu porque o ditador, Paul Kagame, de forma cínica e habilidosa, encheu o parlamento de mulheres que aprovaram sua agenda em uma carimbada. Assim ele pode conseguir mais ajuda externa de doadores ocidentais *porque* tem, em vez de homens, mulheres praticamente sem nenhum poder pondo um carimbo de aprovação em seu governo despótico. Ele costuma usar mulheres como escoras simbólicas, não como líderes. Isso não é deprimente?

Nós também – vamos encarar – acabamos ficando com uma porção de pessoas cruéis, incompetentes, em posições de autoridade. À primeira vista, isso é um pouco desconcertante, porque o poder é relacional. Em outras palavras, os indivíduos não conseguem ser poderosos sozinhos. Para se tornar poderoso, você precisa de gente para controlar. O poder, portanto, é dado, não tomado. Ou como diz Frans de Waal, um especialista em primatas: "Você não pode ser um líder se não tiver seguidores". Isso, então, levanta a questão evidente: por que deixamos pessoas horríveis, incompetentes, até mesmo assassinas nos controlarem? E por que há tantos caras brancos de gravata?

A resposta, em parte, é: por causa da evolução falha de nossos cérebros, que data de tempos pré-históricos. Para vermos como isso aconteceu, precisamos dar uma olhada melhor em símbolos de sinalização e *status*.

Antílope Honesto, Siri Desonesto

Se você fosse um pequeno antílope, como uma cabra-de-leque,** sua principal preocupação na vida seria não se transformar no almoço de outra criatura. Você se preocuparia, em particular, por não ser uma iguaria das mais deliciosas no cardápio de degustação de um leão, um guepardo ou uma matilha de cães selvagens. Sendo assim, como você se comportaria se identificasse um leão por perto, um guepardo ou uma matilha de cães selvagens salivando mais ou menos na sua direção?

Com certeza seu instinto não seria dar um salto no ar, tornando impossível não ser visto por seu predador. É exatamente isso, no entanto, que fazem as cabras-de-leque. De um modo singularmente primaveril, elas se lançam o mais alto que podem, deixando as pernas o mais duras e imóveis possível, como se estivessem esperando receber pontos de estilo de um implacável árbitro russo nas Olimpíadas. Quando tornam a bater no chão, podem se sentir confiantes de que o predador as viu. Missão cumprida. Mas por que agir assim? Quem quer que já tenha ido à padaria do mercado quando estava com fome sabe que não é uma boa ideia mostrar um pedaço sequer de alguma coisa deliciosa a uma criatura faminta.

Esse ritual é conhecido como *stotting* [mostra] ou *pronking* [exibição] – faça sua escolha entre essas duas palavras tolas – e os biólogos evolucionistas têm lançado a hipótese de que seu objetivo é mostrar ao predador como a gazela se sente maravilhosamente ágil naquele momento. Se o guepardo estiver procurando um almoço servido com rapidez, é

** As cabras-de-leque, com cerca de 75 cm de altura, são gazelas que vivem nas savanas da Namíbia, do sul de Angola, de Botsuana e da África do Sul. (N. do T.)

melhor procurar em outro lugar, pois os saltos da gazela deixaram claro que ela ou ele não seriam uma presa fácil.

Comportamentos desse tipo existem em todo o reino animal. Eles são exemplos da "teoria da sinalização", que argumenta que as espécies evoluíram para transmitir com rapidez informações que podem poupar muito problema aos outros. Sem *stotting* e *pronking*, a única maneira de um guepardo descobrir que gazelas são como o Usain Bolt[***] seria persegui-las e verificar. Isso é ruim para o guepardo *e* para a gazela, porque ambos acabam desperdiçando valiosa energia em uma perseguição inútil. As cabras-de-leque evoluem para o cervo sul-africano, e os guepardos aprendem a evitar esses novos indivíduos que pontuariam um dez perfeito, mesmo com o mais intratável juiz olímpico. Como a habilidade do *pronking* transmite com precisão a agilidade e velocidade de uma cabra-de-leque, ele é conhecido como um sinal honesto. Sinais honestos estão por toda parte. Imagine uma rã de cores vivas que o envenenará com uma letal substância tóxica se você ignorar o sinal e comê-la. Só você seria digno de censura. Ela tentou avisar.

Mas nem todos os animais são tão nobres. Certas cobras têm um colorido que sugerem que são venenosas quando, na verdade, são perfeitamente inofensivas. Temos também o caranguejo-violinista, aquele que tem uma garra comicamente grande para advertir os machos rivais que pudessem tentar competir por uma parceira. Parece o equivalente no reino animal dos dedos grandes de espuma – "Somos o número um!" – vendidos nos estádios de beisebol, só que se supõe que a garra seja de fato ameaçadora. Quando um caranguejo-violinista perde uma luta, com frequência sua garra intimidadora é arrancada. Ela torna a crescer, mas a substituição é mais fraca que a original e praticamente garante que o caranguejo perderá qualquer confronto futuro. Felizmente, os outros

---

[***] Velocista jamaicano, multicampeão olímpico e mundial na sua modalidade. (N. do T.)

caranguejos-violinistas não conseguem notar a diferença entre garras regeneradas ou originais, e vão continuar evitando começar novas brigas. A nova garra, majestosa, mas inútil, faz o truque. É o equivalente animal de um criminoso brandindo uma arma de brinquedo, que parece de verdade, para roubar um banco. Isso é conhecido como um sinal desonesto.

A teoria da sinalização tem outra dimensão fundamental, que é saber se uma exibição é cara ou não. Há uma desvantagem na sinalização? Nesse caso sai cara. Pavões fornecem um ótimo exemplo de um sinal honesto caro, onde as plumas sinalizam com precisão o desejo de se acasalar, mas também os deixam mais lentos, tornando-os mais vulneráveis aos predadores (o *pronking* é meio caro porque a gazela tem de usar uma energia preciosa para dar o salto no ar). Por outro lado, alguns sinais não custam nada. Sapos com listras vermelhas não têm de gastar nada para enviar seu sinal. Está sempre lá.

Essas dimensões (honesto *versus* desonesto, caro *versus* gratuito) também são úteis para analisar o comportamento humano quando se trata de poder. Estamos continuamente exibindo sinais honestos e desonestos sobre se somos dominantes e poderosos ou fracos e submissos. Às vezes nem mesmo percebemos que estamos fazendo isso. Outras vezes é proposital – como quando alguém passa em um carro fabuloso que tem o preço de uma casa. Mas a teoria da sinalização levanta uma hipótese intrigante: as pessoas poderosas são apenas melhores em *parecer* poderosas?

Para descobrir, encontrei-me com a professora Dana Carney, em uma tarde ensolarada de janeiro, em Berkeley, na Califórnia. Ela é psicóloga e também leciona na escola de administração de empresas de Berkeley, onde estuda tudo relacionado com o poder. Em 2010, o trabalho de Carney tornou-se mundialmente famoso. Em conjunto com Amy Cuddy e Andy Yap, ela escreveu um relatório de pesquisa mostrando algo espantoso. Descobriram que, quando as pessoas adotam o que chamaram de pose de poder – uma postura que ocupa mais espaço e projeta uma aura de força e confiança – elas se sentiam instantaneamente muito mais poderosas do que de fato eram e se comportavam de acordo. Também descobriram que ficar assim causava um pico nos hormônios que as ajudava a se sentirem mais no comando de uma situação. Argumentaram que, com essa técnica simples, qualquer um podia "tornar-se instantaneamente mais poderoso", uma descoberta que alegavam ter "implicações práticas no mundo real". Amy Cuddy, coautora com Carney, deu uma palestra TED sobre o trabalho deles. Até hoje é a segunda palestra TED mais baixada, assistida por 60 milhões de pessoas.

Houve apenas um problema: outros pesquisadores não conseguiram replicar essas descobertas. Quando outros realizaram o mesmo experimento com a tal pose de poder, não pareceu haver qualquer efeito. Carney reagiu com integridade. Mais tarde, ela se distanciou publicamente da pesquisa dizendo que "não acreditava que os efeitos da 'pose de poder' fossem reais" (Cuddy continua a insistir que a pesquisa é válida, apesar de indícios cada vez maiores demonstrando o contrário; essa controvérsia ajudou a lançar algo chamado crise de replicação na psicologia, o que provocou mudanças substanciais em como uma pesquisa é produzida, examinada e publicada).

Mas apesar de as poses de poder provavelmente não mudarem muito o modo como nos sentimos, é sem a menor dúvida verdadeiro que a maneira como nos apresentamos afeta como os outros nos percebem (quem já apareceu malvestido em um evento formal sabe do que estou falando). A outra pesquisa de Carney está ligada a exemplos de como avaliamos rapidamente os outros na tentativa de determinar como agir em relação a eles. É instantâneo. Nossos cérebros têm uma notável eficiência para criar uma avaliação conjunta de alguém a partir de pistas minúsculas, aparentemente insignificantes, que se somam em uma imagem completa e em um veredito: alto *status*, baixo *status* ou algo entre os dois.

A ilusão do poder

Às vezes estamos conscientes de como sinalizamos o *status*. Grandes residências, relógios Rolex e roupas exclusivas são exemplos de sinalização deliberada (e dispendiosa) para mostrar excesso de riqueza. Contudo, nem todas as pessoas ricas querem se exibir. Essa divisão é muitas vezes captada pela classificação entre "famílias tradicionais" e "novos ricos". É de longe mais provável vermos um bilionário iniciante de 25 anos em uma Ferrari amarela incrustada de diamantes que os Kennedy ou a rainha da Inglaterra. Sinais de excesso de riqueza são particularmente prováveis entre os que vieram de ambientes desfavorecidos. É um mecanismo para mostrar ao mundo que eles conseguiram e que agora ocupam um novo *status*. A sinalização é mais eficaz quando é frívola, porque mostra que você é tão rico que está efetivamente disposto a colocar fogo em dinheiro sem nenhum benefício prático (esta é uma possível razão pela qual calotas caras, ornamentadas, sem nenhuma função prática costumam enfeitar os carros de traficantes de drogas que saíram da pobreza.) Em sociedades indígenas do noroeste do Canadá e dos Estados Unidos, as cerimônias "potlatch" chegam a envolver indivíduos de alto *status* ou famílias *destruindo* riqueza, de forma deliberada, para mostrar que podem fazê-lo. Em certos casos, os rivais competem para mostrar o quanto podem destruir. Acabar desistindo porque o custo é muito alto significa sofrer uma humilhação e, com frequência, uma correspondente perda de poder e *status* na comunidade.

Tais exibições ostentatórias de riqueza como mecanismo para alcançar *status* foram consideradas "consumo conspícuo" no final do século XIX pelo economista Thorstein Veblen.[1] O sociólogo francês Pierre Bourdieu argumentou mais tarde que, ao contrário de crença anterior, tais exibições são completamente racionais porque nada mais represen-

---

1 Veblen se formou na pequena escola de artes liberais Carleton College, em Northfield, Minnesota – uma cidade com o lema "Vacas, Faculdades e Contentamento". Como é também minha *alma mater*, fico obrigado a relatar este fato completamente supérfluo.

tam que a conversão de dinheiro em capital social. Por exemplo, filantropos muitas vezes acabam sendo percebidos como líderes na sociedade simplesmente acenando com cheques polpudos para boas causas. Bill Gates parece ter compreendido isso melhor que Jeff Bezos.

Alguns pesquisadores chegaram à conclusão de que os seres humanos usam de forma instintiva exibições de riqueza para tentar sinalizar *status*. Nós nem pensamos nisso, da mesma forma como é provável que gazelas cabras-de-leque não decidam de forma consciente dar um salto no ar para mostrar a um guepardo como estão em forma. Em um experimento, homens foram convidados a fazer uma doação para uma instituição de caridade. Quem concordou em doar e quanto concordou em dar variou de maneira substancial... com base em quanto a pessoa era rica, em sua generosidade e nos mais diversos fatores que pudéssemos encontrar. Depois, no entanto, os pesquisadores realizaram o experimento com uma reviravolta, introduzindo um membro atraente do sexo oposto. Quando as doações beneficentes eram solicitadas na presença de uma mulher moderadamente atraente, os homens doavam mais. Quando eram solicitados a doar na presença de uma mulher extremamente atraente, era ainda mais provável que os homens esvaziassem seus bolsos. Os homens sem dúvida acreditavam – de forma consciente ou subconsciente – que exibir algum dinheiro era um modo infalível de sinalizar *status* diante de mulheres atraentes (as mulheres, curiosamente, não alteravam seus padrões de doação mesmo quando havia a presença de um homem atraente).

A sinalização é um atalho importante para exibições de *status* porque não andamos por aí com os saldos de nossas contas correntes ou os títulos de nossos cargos no trabalho estampados na testa. Com frequência podemos perceber quando alguém está passando dificuldades, mas é muito difícil diferenciar os ricos e poderosos apenas olhando para eles. Até os bilionários usam *jeans*. E, como acontece com os animais, muitos humanos tentam usar sinais *desonestos* em seu benefício. Os camelôs ficam vendendo imitações baratas de Rolex ou óculos escuros Ray-Ban para ajudá-lo a canalizar seu caranguejo-violinista interior. É por isso que os sinais mais eficazes de *status* são efetivamente caros. Se não fossem caros, já não seriam mais tão eficazes.

Na França do século XVII, por exemplo, a renda era um símbolo de *status* porque era muito caro produzi-la. Naquela época, mulheres de elite empregariam enormes recursos para garantir que suas rendas se destacassem como as mais intrincadas. Depois tornou-se possível costurar rendas à máquina. As massas ganharam acesso a ela. Quase da noite para o dia, a renda perde o sentido.

Os símbolos de *status* podem até mesmo se inverter. No passado, pele bronzeada foi uma indicação clara de baixo *status*. Indicava que a pessoa andava trabalhando nos campos sob o sol quente e não podia se permitir uma vida de lazer em ambientes fechados. Nos anos 1930, porém, esse sinal tinha mudado por completo. Pele bronzeada significava agora que a pessoa era afluente o bastante para se dar ao luxo de férias ensolaradas longe dos escuros recessos de um escritório ou chão de fábrica. Tons mais escuros tornaram-se uma vitrine para os ricos e poderosos. Mais tarde, câmaras de bronzeamento tornaram possível parecermos ter estado no México quando tínhamos apenas ido ao salão de beleza ao lado de um restaurante mexicano. Assim que se tornou possível usar o bronzeamento como um sinal menos caro e desonesto, sua força diminuiu (hoje, câmaras de bronzeamento sinalizam outra coisa: uma disposição de ter câncer de pele).

Como espécie, somos obcecados por esses sinais arbitrários. Agimos assim porque compreendemos que as aparências nos ajudam a subir – ou cair – na escada da vida. Elas são importantes. Mas essas formas de sinalização pouco fazem para nos ajudar a entender o problema do "cara branco de gravata" que Mitch Moxley vivenciou. Afinal, mulheres e aspirantes a líderes de minorias étnicas podem comprar relógios Rolex, óculos Ray-Ban e dirigir carros fabulosos. Comunidades sub-representadas no panteão da liderança moderna podem executar, de modo interminável, o equivalente humano do salto da gazela. Contudo, a brecha do poder se mantém. E por que sempre tomamos decisões tão distorcidas sobre as pessoas que colocamos em cargos de responsabilidade? Mais uma vez precisamos voltar no tempo e entender as origens de nossa espécie.

Incompatível Idade da Pedra

Da próxima vez que você tentar manter uma dieta, mas fracassar, não se culpe. Culpe seus ancestrais da Idade da Pedra. Nos últimos milhões de anos, nosso cérebro não parou de crescer, triplicando de tamanho em relação ao de nossos primos chimpanzés. Mas aproximadamente nos últimos duzentos mil anos, nosso cérebro permaneceu do mesmo tamanho. Isso levou psicólogos evolutivos – pessoas que se concentram em estudar como a psique humana se alterou ao longo de vastas escalas de tempo – a concluir que "nosso crânio moderno aloja uma mente da Idade da Pedra". Por exemplo, para sobreviver no passado, nossa mente estava programada para ter reações fortes, positivas, ao açúcar. Duzentos mil anos atrás, o açúcar vinha de alimentos benéficos em termos nutricionais, como inhames ou frutas. Mas nessa época as frutas não eram excessivamente doces porque não havia reprodução seletiva. A maior parte das frutas da Idade da Pedra consumidas por nossos ancestrais caçadores-coletores eram mais ou menos tão doces quanto uma cenoura, segundo o biólogo evolutivo Daniel Lieberman. Nosso cérebro está configurado para frutas levemente doces, não *Froot Loops*.**** Da mesma forma, evoluímos para devorar de imediato qualquer pedaço de gordura que couber em nossas mãos porque a gordura costumava ser muito escassa em nossas dietas.

**** *Froot Loops* é marca registrada de um alimento industrializado nos EUA, vendido em caixas e composto de milho, trigo, aveia, aroma de frutas, corantes e vitaminas. (N. do T.)

Hoje, bombeamos açúcar processado e gordura diretamente para nossa corrente sanguínea a uma taxa que antes teria sido impossível. Os picos correspondentes de diabetes e obesidade na era moderna são exemplos de "incompatibilidade evolutiva" – nosso corpo e cérebro evoluíram para um estilo de vida que não existe mais (de modo similar, psicólogos evolutivos mostraram uma incompatibilidade em como permanecemos instintivamente apavorados diante de cobras e aranhas, embora elas praticamente não tragam qualquer ameaça para a esmagadora maioria dos seres humanos que vivem hoje no planeta; mas elas costumavam ser uma das principais causas de morte de caçadores-coletores).

Essas incompatibilidades ocorrem em virtude de como a sociedade humana mudou de forma abrupta. No passado, aqueles que seguiam os desejos do cérebro por açúcar e gordura tinham mais chance de sobreviver. Hoje, aqueles que seguem nossos instintos da Idade da Pedra têm maior probabilidade de se tornarem obesos, desenvolverem diabetes ou até mesmo de morrer. Da mesma forma, agora devíamos ter medo de automóveis, não de aranhas. Mas simplesmente não houve tempo para o nosso cérebro se atualizar e se adaptar a todas as mudanças repentinas, fundamentais, de como vivemos nossa vida.

Então, se nossa mente da Idade da Pedra criou uma incompatibilidade com nossa dieta e nossos medos, parece lógico perguntar se temos também uma correspondente incompatibilidade na seleção de líderes. Estamos programados para favorecer nos líderes os traços que nossos ancestrais da Idade da Pedra considerariam mais desejáveis? Parece razoável se perguntar, por exemplo, se os traços que teriam tornado alguém eficiente para afugentar tigres dente-de-sabre ou caçar gazelas são os mesmos traços que tornam alguém eficiente em gerenciamento de nível médio de, digamos, uma empresa fornecedora de papel.

Há muitos indícios de que usamos a aparência física como atalho quando escolhemos líderes. Isso não é algo novo. Platão falou do assunto em *A República*, quando descreveu um navio cheio de tolos comandado por um capitão que era incompetente, mas que era mais alto e mais forte que os outros. Platão tinha razão.

A ciência parece mostrar que, quando escolhemos pessoas para liderar, nosso cérebro da Idade da Pedra e a história evolutiva de nossa espécie nos têm feito priorizar homens em vez de mulheres, homens altos em vez de homens baixos e pessoas que mais se parecem conosco em vez daqueles que não se parecem.

Nas últimas décadas, Mark van Vugt, professor de psicologia evolutiva na Vrije Universiteit de Amsterdã, tem estudado essas preferências distorcidas e as incompatibilidades que as criaram. Em seu livro *Selected: Why Some People Lead, Why Others Follow and Why It Matters* (Selecionado: Por que Algumas Pessoas Lideram, Por que Outras Seguem e Por que Isso é Importante), ele mostra que, embora essas preferências exerçam, em certas situações, uma atração mais forte que outras, elas estão sempre presentes. Mas – e isto é um ponto crucial – do simples fato de esses preconceitos cognitivos existirem não se deduz que eles sejam inevitáveis, aceitáveis ou "naturais". É possível (e essencial) ignorar esses impulsos idiotas. Mas não podemos consertar esse modo de pensar capenga da Idade da Pedra se não reconhecermos que ele existe dentro de muitos de nós.

Como vimos no Capítulo 2, as sociedades de caçadores-coletores eram mais horizontais que as modernas. Mas essas sociedades conservavam líderes informais que organizariam, digamos, uma expedição de caça ou que poderiam promover um pouco mais de seriedade na tomada de decisão em grupo. Essa liderança informal se adequava a um certo tipo de pessoa. Como explica Van Vugt: "A liderança em ancestrais humanos era com frequência uma atividade física, como caça ou guerra. Os líderes comandavam pelo exemplo e muitas vezes da frente de batalha. Teria, portanto, havido uma seleção em termos de saúde, resistência e físico imponente".

Não se tratava apenas de uma preferência por indivíduos maiores e mais fortes. Eles foram ativamente selecionados durante os processos evolutivos. Van Vugt argumenta que bandos de humanos que escolheram líderes fisicamente fracos durante caçadas ou batalhas com bandos rivais eram mais propensos a morrer, eliminando do reservatório genético humano os que cometiam esse erro. Bandos que escolhiam líderes fisicamente fortes em situações de vida ou morte eram mais propensos a viver, reforçando sua escolha.

Pense assim: houve aproximadamente 8 mil gerações de seres humanos nos últimos duzentos mil anos. Desse total, algo como 7.980 gerações viveram em sociedades nas quais o tamanho e a força eram as principais vantagens para a sobrevivência. Isso representa cerca de 99,8% da história de nossa espécie. Essa percepção deu origem a algo conhecido como teoria da liderança evolutiva. Nosso mundo social mudou, mas nosso cérebro não. Os humanos aprenderam a escolher líderes por motivos que não mais refletem realidades modernas. É hora de desaprender esses instintos desatualizados.

Gênero e Gigantes

Há cerca de uma década, foi pedido a um grupo de cientistas de renomadas universidades que avaliassem alunos candidatos a um emprego de gerente de laboratório. Eles receberam uma série de currículos. Em suas avaliações, tinham de classificar o candidato e sugerir um salário inicial com base nas qualificações e experiência da pessoa. "A história divulgada era que estávamos interessados em criar um novo programa mentor para ajudar os alunos de graduação a seguir carreiras científicas", me disse a professora Corinne Moss-Racusin, do Skidmore College. "Acabamos de pedir que a faculdade desse um honesto *feedback* sobre a ficha de cada candidato a gerente de laboratório."

O que os membros do corpo docente não sabiam era que os currículos eram falsos. A qualidade dos candidatos variava – alguns eram mais qualificados, outros menos – mas a manipulação crucial estava no alto da página. Cada currículo simulado recebeu aleatoriamente um nome tirado de uma lista de nomes femininos ou de nomes masculinos. Exatamente o mesmo currículo ia parecer ter vindo de uma Sara ou um Alexander, um David ou uma Ann, um James ou uma Kelsey. Era essa a única diferença entre eles. Os próprios méritos dos candidatos eram repartidos de forma igual. Em um mundo justo, os nomes não fariam diferença nas avaliações. Mas não vivemos em um mundo justo.

As avaliações do corpo docente atribuíram de forma contínua uma pontuação mais alta aos candidatos do sexo masculino e lhes reservaram um potencial salário inicial mais alto. Não importava que o membro da faculdade que fazia a avaliação fosse homem ou mulher. Todos mostraram um preconceito contra mulheres. A sociedade está acordando lentamente de uma discriminação de gênero de longa data. Mas uma questão crucial ainda não foi respondida: esse preconceito é apenas culturalmente aprendido ou nossa misoginia também está enraizada em nosso passado pré-histórico?

Desde que começamos a registrar a história, as mulheres têm sido postas fora dela. A professora Mary Beard, da Universidade de Cambridge, em seu livro *Women & Power* (Mulheres e Poder: um Manifesto), mostra inúmeros exemplos de sexismo da antiguidade à modernidade. Não era só o fato de as mulheres não conseguirem chegar ao poder no mundo antigo; a própria ideia de conceder poder a mulheres era vista com frequência como um conceito absurdo. Como Beard explica, no século IV a.C., "Aristófanes dedicou toda uma comédia à fantasia 'hilariante' de que as mulheres pudessem assumir a administração do Estado. Parte da graça era que as mulheres não conseguiam falar em público de forma adequada". Como Beard destaca, quando mulheres eram levadas a posições de poder, tendia a acontecer com elas uma dentre três coisas. Primeiro, elas seriam retratadas como masculinizadas, sugerindo que só mulheres que se esforçavam para imitar os homens poderiam ter aspirações ao poder. Em segundo lugar, elas foram descritas como animais "latindo" ou "ganindo" quando falavam – fisicamente incapazes do dom másculo da fala humana. E terceiro, foram descritas como coniventes e manipuladoras, usurpadoras que abusavam do poder quando conseguiam, de alguma forma, se contorcer até ele.

Avancemos mais ou menos dois mil anos e essas metáforas sexistas persistem. Tanto que, em 1915, a autora feminista Charlotte Perkins Gilman sentiu-se compelida a escrever um romance chamado *Herland* (Herland – A Terra das Mulheres). É ambientado em um mundo de fantasia em que as mulheres dão à luz exclusivamente meninas. Homens não existem. Mulheres governam. A utopia imaginada por Gilman está livre da guerra e do domínio de outros.

Sem dúvida, *Herland* parece *um pouco* radical, mas montanhas de indícios sugerem que alçar mais mulheres a posições de liderança não seria apenas justo, seria também sábio. É importante evitar ser um essencialista de gênero (sugerindo que homens e mulheres são, de modo fundamental e irreconciliável, bons em certas coisas e maus em outras – uma visão que foi usada durante séculos para manter a opressão das mulheres). Mas pesquisas substanciais têm demonstrado que, em média, as mulheres são menos propensas ao despotismo que os homens e mais ávidas por governar por meios democráticos. É também verdade que as mulheres têm desempenhos iguais ou melhores do que os homens em quase todas as avaliações de liderança que possamos imaginar. (Um potencial efeito de confusão vem aqui, ironicamente, de como é difícil para as mulheres ocupar cargos de alto nível na sociedade moderna, dominada pelos homens. Como enfrentam mais barreiras para chegar ao topo, as mulheres que conseguem chegar podem ser mais excepcionais que alguns homens medíocres que conseguem ascender apesar das falhas. Essa diferença na dificuldade de alcançar o topo poderia distorcer os dados, porque um pequeno número de mulheres excepcionais estão sendo comparadas a pelo menos alguns homens não excepcionais.)

O resultado é que sem dúvida não há vantagem do gênero masculino em termos de exercício do poder. A sociedade, no entanto, age como se isso de fato existisse. Reserve um momento para refletir sobre como são bizarras as políticas de gênero quando vêm de líderes políticos. Com a regularidade de um relógio, Vladimir Putin divulga fotos de si mesmo sem camisa em um cavalo, praticando judô ou fazendo algum outro *show* guerreiro de força. Estes sinais podem ser eficientes porque nossos cérebros da Idade da Pedra ainda vinculam algumas percepções de liderança ao tamanho físico. Mas é um absurdo. Imagine se você fosse fazer uma cirurgia e seu cirurgião tomasse a iniciativa de fazer vinte flexões para lhe mostrar suas proezas físicas. Você procuraria outro cirurgião e provavelmente faria uma denúncia em um conselho de medicina. Mas quando se trata de líderes políticos, as sociedades modernas com frequência recompensam *shows* masculinos de força. Devido à incompatibilidade evolutiva, estes sinais são agora totalmente irrelevantes. Afinal, Angela Merkel e Jacinda Ardern foram duas das mais eficientes figuras políticas de nossa memória recente. Alguém tem de se importar com quantos quilos elas podem levantar no supino?

Se você não acredita que o sexismo na liderança esteja ligado ao nosso cérebro da Idade da Pedra – o que é compreensível, pois as teorias da psicologia evolutiva são contestadas – é mais difícil ignorar outro conjunto de resultados de pesquisa que ultrapassam a misoginia cultural.[2] A

---

2   Uma das principais críticas feitas à psicologia evolutiva diz que é impossível testar e verificar suas principais afirmações. Não podemos voltar no tempo e realizar experiências com pessoas que vive-

moderna tecnologia de imagem por computador permite que os pesquisadores manipulem imagens de rostos com extrema precisão. Com um clique, podemos fazer com que um rosto pareça mais ou menos estereotipicamente masculino. Alguns cientistas se perguntaram: se você tira uma foto de uma pessoa, mas dá um ligeiro realce à sua masculinidade percebida, como isso muda nossos sentimentos com relação a esse rosto? A relação não é tão direta quanto se poderia pensar. Como era de se esperar, rostos masculinos são escolhidos em experimentos de liderança com mais frequência que rostos femininos. Mas algo interessante acontece quando os que participam de experimentos de seleção de liderança são instruídos para escolher um líder contra uma ameaça à segurança (o risco de conflito ou de uma guerra duradoura). Nesses experimentos, o efeito da masculinidade é ampliado. O experimento sugere que, em termos de subconsciente, estamos mais propensos a favorecer, em tempos de crise, líderes que parecem mais másculos. É absurdo, mas os dados mostram que o efeito é real.

Van Vugt chama esta noção – que tendemos a escolher líderes modernos que compartilhem características físicas com homens que teriam sido bons guerreiros ou bons caçadores na Idade da Pedra – de hipótese da savana. Ele explica: "A evolução gravou em nosso cérebro um conjunto de modelos para selecionar aqueles que nos lideram, e esses modelos são ativados sempre que encontramos um problema específico que requer coordenação (como em tempos de guerra)". É uma das razões pelas quais *homens fortes* (a expressão não é acidental) de estilo autoritário despertam medo ou provocam conflitos para consolidar o poder. Eles estão ativando nossos instintos de caçadores-coletores de recorrer a alguém que parece forte quando percebemos uma ameaça. Podemos fingir que esses padrões de liderança preconceituosa, sexista, não existem dentro de nós (ou pelo menos em muitos de nós) ou podemos aceitar

---

ram duzentos mil anos atrás. Há, portanto, uma boa razão para tomarmos cuidado com quaisquer conclusões apressadas.

que estão ativos e trabalhar para superá-los. Mesmo assim, isso é apenas parte da batalha. Temos ainda de superar a misoginia internalizada que é aprendida ou exacerbada por nossa cultura sexista.

A hipótese da savana não se refere apenas a um viés a favor de líderes homens. Se a hipótese estiver correta, seríamos atraídos não apenas para homens, mas para homens grandes, fisicamente imponentes. E é exatamente esse o caso. Para garantir o poder, é bom ser alto – e assim foi durante algum tempo.

Há mais de dois mil anos, Alexandre, o Grande, concedeu uma audiência a Sisygambis, uma rainha persa capturada. Alexandre estava acompanhado de seu melhor amigo, Heféstion, que era mais alto que ele. Sisygambis se ajoelhou de imediato diante de Heféstion para implorar por sua vida, presumindo erradamente que o assistente mais alto fosse o rei. Foi um insulto grave, mesmo que compreensível (Alexandre poupou a vida da rainha). Contudo, a implicação era clara. A estatura era considerada um indicador muito bom de *status*.

Alguns milênios depois, em 1675, o exército prussiano criou uma unidade de infantaria conhecida como os Gigantes de Potsdam. O único traço distintivo do regimento era os soldados serem altos. Para ser considerado apto para o regimento de elite, era preciso ter pelo menos 1,88 m, uma altura excepcional para a época. O rei prussiano Friedrich Wilhelm I, que parecia ser mais estranho que os monarcas de costume, faria os soldados altos marcharem diante dele, para animá-lo, quando estava em seu leito de doente. Quando apresentou os Gigantes de Potsdam ao embaixador francês que o visitava, ele disse: "A mais bela moça ou mulher do mundo não me causaria mais que indiferença, mas soldados altos... são minha fraqueza". Suas obsessões cresceram tanto que ele teria começado a sequestrar pessoas altas por toda a Europa para transformá-las em soldados – chegou, em certo momento, a pagar 1.000 libras (uma soma enorme naquele tempo) por uma operação para se apoderar de um gigante irlandês nas ruas de Londres. Quando esses planos de sequestro ficaram caros demais, tentou criar pessoas altas, forçando homens altos a se casarem com mulheres altas e pondo lenços vermelhos em bebês compridos para identificá-los como futuros recrutas. Quando Friedrich Wilhelm andava em sua carruagem, dizia-se que ele requeria que soldados altos caminhassem à sua direita e à sua esquerda, e que mantivessem uma das mãos sobre a carruagem, mostrando o grande comprimento dos braços.

Deixando de lado as bizarras inclinações do rei, toda essa fixação em relação à altura era inútil. Na época em que Friedrich Wilhelm governava, a altura tinha sido eficientemente neutralizada como característica distintiva no combate moderno. Ter uma arma e um dedo coçando no gatilho era tudo que se precisava. Para provar isso com uma poesia que só a história pode produzir, os Gigantes de Potsdam foram dissolvidos quando os nobres prussianos foram derrotados na Batalha de Jena-Auerstedt pelo não-tão-gigantesco Napoleão Bonaparte.

Se esses prussianos altos eram belos, como acreditava o rei, é um ponto controverso. Mas, sem dúvida, são uma bela ilustração da incompatibilidade evolutiva. Friedrich Wilhelm os selecionava com base em uma característica que já não conferia grande vantagem. Os atiradores de elite de Potsdam teriam sido uma escolha melhor, mas ele tinha fixação por altura. Parece bizarro e irracional. No entanto, quanto mais de perto examinamos nossas escolhas na era moderna, mais parece que temos muita coisa em comum com esse rei da Prússia do século XVIII, obcecado por altura.

Os presidentes norte-americanos são sempre mais altos que os homens de seu tempo. Mesmo depois de levar em consideração uma variedade de outros fatores, os pesquisadores que destrincharam os números descobriram que os candidatos que eram mais altos em geral ganhavam mais fotos que seus oponentes mais baixos. Presidentes mais altos também possuem maior chance de serem reeleitos. Para que você não pense que isso é mera casualidade histórica, os pesquisadores realizaram experimentos nos quais mostravam aos participantes fotos de pessoas onde a imagem do fundo era idêntica, mas manipulada digitalmente para fazê-las parecer mais altas ou mais baixas que a média. Os participantes foram então aleatoriamente distribuídos para verem um homem alto e uma mulher alta ou um homem baixo e uma mulher baixa. Homens mais altos eram percebidos como mais aptos para a liderença. Isso teve um grande impacto. Mas com relação às mulheres, o papel da altura moldando percepções de liderança foi muito menor. Isso está belamente de acordo com a hipótese do cérebro da Idade da Pedra, visto que a altura teria maior importância para um caçador ou guerreiro do sexo masculino (essa nuance foi, no entanto, aparentemente perdida no caso de uma mulher australiana chamada Hajnal Ban, que aspirava ser política e teve as pernas quebradas e alongadas em 2002 para que pudesse crescer sete centímetros e meio antes de sua campanha eleitoral; ela ganhou).

Mas não são apenas os políticos. Estudos da Alemanha do século XVIII até os Estados Unidos e a Grã-Bretanha dos dias atuais mostram que pessoas altas ganham mais dinheiro ao longo de suas carreiras. Um estudo descobriu que vários centímetros extras de altura se correlacionam, em média, com cerca de US$ 200 mil em ganhos adicionais durante a vida. Não há motivo racional para isso, mas a coisa persiste como uma moderna incompatibilidade.

Assim, damos mais poder aos homens que às mulheres e mais a homens altos que a homens baixos. Parte da motivação para agirmos dessa maneira está enraizada em nossa mente obsoleta. Mas isso é apenas uma parte do quebra-cabeças. E quanto à raça?

Rostos de bebês e Preconceito

Em sua vida diária, você provavelmente encontrará dezenas, senão centenas ou milhares de estranhos. Mesmo nos lugares que frequenta, como o supermercado ou o prédio onde trabalha, cruzará com pessoas que são completamente desconhecidas. Se você é um cliente frequente das companhias aéreas ou se mora em uma grande metrópole, encontrar pessoas que falam um idioma diferente, usam roupas diferentes ou vêm de diferentes culturas é rotina.

Mas para nossos ancestrais caçadores-coletores, tais encontros eram extremamente raros. Por causa da territorialidade, aventurar-se em áreas desconhecidas era parecido com jogar roleta-russa. O biólogo e autor Jared Diamond, em seu livro *The World Until Yesterday* (O Mundo até Ontem: O que Podemos Aprender com as Sociedades Tradicionais?), argumenta que os caçadores-coletores classificam todas as pessoas em três grupos: amigos, inimigos ou estranhos. Amigos são aquelas dezenas de famílias que constituem nosso bando ou que são de bandos com quem nos damos bem. Inimigos são pessoas que você reconhece, mas que são de um bando rival que vive na mesma área. O terceiro campo – estranhos – são raros. Mas para estarmos seguros, temos automaticamente de presumir que são potenciais inimigos. No passado pré-histórico, os caçadores-coletores nunca encontrariam alguém que tivesse vindo do outro lado do mundo, o que indica que encontros com pessoas de diferentes raças estavam efetivamente próximos de zero. Como resultado, o racismo não poderia ter sido reforçado por evolução psicológica ao longo de centenas de milhares de anos, como acontecia com os preconceitos de altura e gênero. Além disso, dadas as origens de nossa espécie, a maior parte dos caçadores-coletores da Idade da Pedra não se pareciam nem mesmo remotamente com os europeus ou norte-americanos modernos. Será, então, que todo racismo é culturalmente aprendido?

Infelizmente, nosso cérebro da Idade da Pedra produz sérios preconceitos sobre pessoas que parecem diferentes. Para sobreviver, nossa espécie social evoluiu para usar rapidamente pistas para identificar se alguém é como nós, se é um amigo, ou é diferente de nós, sendo um inimigo em potencial. Esse impulso dá origem ao que os cientistas sociais chamam diferenciar entre os indivíduos "do grupo" [*in-group*] e os indivíduos "fora do grupo" [*out-group*]. Indivíduos do grupo devem ser abraçados, enquanto os indivíduos fora do grupo devem ser evitados, expulsos ou até mesmo mortos. De modo crucial, é muito mais provável que os fora do grupo sejam pessoas que vemos como potenciais ameaças – um ponto a que voltaremos em breve.

Hoje, muita gente ainda cultiva esses mecanismos de classificação arcanos e preconceituosos como um atalho cognitivo, embora eles sejam completamente irracionais. Em um experimento, pesquisadores britânicos recrutaram fãs de futebol para uma experiência de psicologia. Todos que não fossem torcedores do Manchester United foram eliminados do *pool* de participantes, mas esses participantes não sabiam que tinham sido selecionados justamente por essa razão. Então os participantes tiveram de completar duas tarefas não relacionadas. Foram informados de que a segunda tarefa ocorreria em um prédio próximo. O verdadeiro experimento, no entanto, acontecia quando os participantes se moviam do primeiro prédio para o segundo. Cada pessoa encontraria alguém (um membro disfarçado da equipe de pesquisa) que estava visivelmente ferido e precisava de socorro. Em todos os casos, o encontro era o mesmo, com apenas uma diferença randomizada. Um terço do tempo, a pessoa supostamente ferida estava usando uma camiseta do Manchester United. Um terço do tempo, a pessoa estava usando a camiseta do Liverpool, um time rival. E um terço do tempo, a pessoa ferida estava usando uma camiseta neutra. Em impressionantes 92% das vezes, os participantes pararam para ajudar os que estavam usando camisetas do Manchester United, em comparação com 35% das vezes para quem estava usando uma camiseta neutra e apenas 30% das vezes para os que usavam a camiseta do time rival. As taxas de atendimento triplicavam, com base apenas em um logotipo.

Em outro experimento, estudantes universitários participaram de um treinamento em equipe em que cooperação e confiança eram cruciais para o sucesso. Dada a oportunidade de escolher um líder, eles tinham duas opções. Podiam escolher alguém com uma ficha de perdedor, que por acaso era da universidade onde estudavam, ou alguém com um recorde de vitórias que era de outra universidade. Os estudantes escolhiam inevitavelmente o líder pior, que era da mesma universidade que eles. Por que fazemos isso? Nossos padrões pré-históricos para determinar *in-groups* e *out-groups* alteram nosso comportamento, mesmo quando isso é irracional e prejudicial aos nossos mais legítimos interesses. Confiamos naqueles com quem nos identificamos. Mas suspeitamos dos que não parecem ser "um de nós".

No mundo moderno, esses padrões de cérebros ancestrais se cruzam com séculos de explícito e implícito racismo culturalmente aprendido para criar um número ainda maior de avaliações preconceituosas dos que são de um grupo étnico diferente, particularmente se minoritário. Isso foi demonstrado por uma deprimente pesquisa que mostra como ocidentais brancos às vezes se comportam como se pessoas negras fossem "estranhos", constituindo ameaças potenciais – um fenômeno que agrava ainda mais o racismo institucional sistêmico que assola as sociedades modernas.

Todos os rostos humanos podem ser pontuados por até quanto lembram rostos de bebê (o termo técnico é *babyfaceness*). Inúmeros experimentos demonstram que prestamos atenção instintiva a esse traço ao avaliar outras pessoas – e as julgamos com base nele. No sistema de justiça criminal, há evidência de que juízes e júris tratam réus com cara de bebê como menos responsáveis ou culpados por suas ações que réus com menos cara de bebê, mesmo que eles sejam da mesma idade. Parecemos crer, de forma automática, que *babyfaceness* seja uma procuração para a inocência. Como resultado, os que têm traços mais nítidos de bebê são com frequência percebidos como menos ameaçadores que aqueles com traços faciais mais marcados, de adulto.

Mas há um toque desconcertante.

Estudos descobriram que a *babyfaceness* nos ajuda ou nos prejudica na conquista de poder em função da raça. Aqui está o que a pesquisa parece mostrar: é mais provável que os negros sejam vistos pelos brancos como ameaçadores. Isso se deve, em parte, ao modelo de "estranhos" em nosso cérebro da Idade da Pedra e em parte a uma longa e grotesca história de racismo aprendido e internalizado. Nenhuma surpresa nisso. Mas assim como são mais propensos a encarar pessoas negras como ameaças, os brancos são menos propensos, de acordo com experimentos, a encarar desse jeito pessoas negras *com cara de bebê*. Pesquisas posteriores mostraram que, em uma sociedade dominada pelos brancos, negros com cara de bebê são, portanto, mais capazes de alcançar o poder do que negros com menos cara de bebê. Pessoas brancas veem pessoas negras com faces mais adultas como uma ameaça, o que leva a uma reduzida progressão na carreira delas. Segundo essa pesquisa, esta relação se inverte no caso de pessoas brancas. Em estudos similares, CEOs brancos com cara de bebê eram percebidos mais como fracos que ameaçadores. Em uma sociedade dominada pelos brancos, parece que ter uma cara de bebê nos ajuda se somos negros e nos prejudica se somos brancos. É uma terrível maluquice. Mas parece, no geral, fazer uma diferença que agrava preconceitos raciais pré-existentes na sociedade.

O ponto é este: avaliações irracionais de rostos com base em arcaicos instintos de ameaça ainda parecem estar enraizando a desigualdade em nosso mundo moderno. Isso poderia em parte explicar (mas nunca desculpar) por que pessoas altamente qualificadas de minorias étnicas costumam ser preteridas para posições de liderança em favor de menos qualificadas pessoas brancas. Mas o problema vai além dos rostos. Quando os pesquisadores enviaram currículos falsos para vagas de emprego usando nomes como Emily ou Greg, essas inscrições tiveram muito mais chamadas de retorno que currículos idênticos que pareciam vir de pessoas chamadas Lakisha ou Jamal. Os nomes com uma ressonância negra foram discriminados apesar das qualificações objetivas.

Existem, no entanto, algumas boas notícias. Condições *in-group* e *out-group* não precisam ser definidas por raça. Como mostra o estudo com o Manchester United, podemos nos identificar com outros seres humanos pelas mais diferentes razões. Embora o racismo não vá ser superado por soluções rápidas ou camisetas de times de futebol, forjar modos mais amplos de identidade compartilhada é um primeiro passo crucial (dentre muitos outros) para garantir que a liderança seja ocupada pelos melhores e mais brilhantes, não apenas pelos do Ocidente e mais brancos.

O que pode, então, ser feito? Primeiro, qualquer grupo que tenha uma hierarquia devia estar produzindo dados sobre a composição demográfica de sua liderança. Uma das razões pelas quais a lista de CEOs da Fortune 500 ganha tanto destaque é o fato de os dados estarem prontamente disponíveis. A podridão racista e sexista é fácil de ver. Mas para a maioria das empresas, distorções graves em função de raça ou gênero não são facilmente quantificadas pelos que nelas trabalham. Para resolver o problema, temos primeiro de ver que ele existe.

Em segundo lugar, embora não resolvam tudo, recrutamento e promoção às cegas devem ser usados sempre que possível. Em muitos casos, isso não será possível. Afinal, em uma empresa pequena, você será capaz de identificar o currículo de Barbara ou DeAndre quer o nome esteja ou não no topo da lista – e dificilmente poderá praticar uma análise isenta dos candidatos da diretoria. Mas em organizações maiores ou com recrutas de primeira viagem, propostas anônimas, sem nomes de candidatos, levará a decisões mais justas.

Em terceiro lugar, os painéis de contratação e recrutamento devem ter a maior diversidade possível. Como os humanos são aparentemente programados para ter um viés com relação a quem mais se parece com eles, melhores decisões serão tomadas quando essa miopia for eliminada.

Em quarto lugar, e por fim, intervenções desse tipo precisam ser feitas mais cedo, muito mais cedo na vida. Pode parecer bobagem, mas revestir, sempre que possível, de anonimato as tarefas e os exames escolares ajudaria a reduzir graves desigualdades que emergem durante a infância devido ao viés do professor (na Grã-Bretanha, onde leciono no University College London, todos os ensaios a que atribuo nota são tornados anônimos; isso produz um sistema mais justo). Nenhuma dessas medidas vai destruir as desigualdades sistêmicas que têm raízes profundas em nossa psique, em nossa cultura, em nosso racismo e história sexistas. Mas cada uma delas deixará uma lasca significativa. Essas lascas podem acabar perfurando nossos preconceitos aprendidos e arcaicos com relação a pessoas que parecem diferentes de nós.

Já descobrimos por que existem hierarquias entre seres humanos e por que pessoas corruptíveis têm maior probabilidade de tentar chegar ao topo delas. Agora, também sabemos por que nosso cérebro da Idade da Pedra nos leva a *dar* poder a certos tipos de pessoas em detrimento de outras. Mas há outra questão a ser abordada: por que pessoas corruptas ou corruptíveis são tão eficientes ao manipular seu caminho para o poder? Para falar sem rodeios, por que tantos líderes da sociedade parecem ser psicopatas narcisistas?

V
PEQUENOS TIRANOS E PSICOPATAS

"O sentimento é uma aberração química encontrada no lado perdedor."
— *Sherlock Holmes*

O Homem da Manutenção de Schenectady

Rich Agnello não tinha preferências particularmente incomuns quando se tratava de aquecer sua sala de aula. Tinha muitas outras coisas com que se preocupar quando lecionava educação especial em Schenectady, no estado de Nova York. Pelo menos até um dia de inverno no final de 2005. A sala de aula estava gelada. Quando se tocava no radiador de ferro, ele estava completamente frio. Não era seguro dar aula. "Acabei procurando um amigo que ensinava ciência e peguei emprestado um pequeno termômetro de pendurar na parede. Assim eu poderia falar com meu sindicato sobre as condições de trabalho", me disse Agnello. Ele fez várias reclamações, mas a temperatura não melhorava. Por fim, ele próprio tomou a iniciativa de trazer de casa dois aquecedores.

No dia seguinte, quando abria a porta de sua sala de aula, Agnello percebeu que alguém estava espreitando atrás dele. "Então me viro e lá está Steve Raucci, apenas me olhando como se eu tivesse cometido algum crime contra a humanidade", lembra Agnello. "Ele começou a gritar comigo apontando para os aquecedores e dizendo: 'Isso é ilegal, não pode ter esses aquecedores aqui'. Há uma década, falando para a jornalista Sarah Koenig do *This American Life*, Agnello descreveu a raiva de Raucci naquele momento como "olhos esbugalhados e veias latejando na cabeça". Agnello julgou que deveria apenas manter a calma e explicar a situação. Apontou para o termômetro em defesa de seus indesejados aquecedores. Raucci não se convenceu. Saiu furioso.

Raucci era funcionário de manutenção escolar no distrito onde ficava a escola de Schenectady e tinha recebido uma missão clara de seus superiores: reduzir a conta de luz do distrito. Raucci entendeu perfeitamente a mensagem. Economizar o dinheiro gasto em eletricidade e aquecimento era um modo infalível de deixar os patrões felizes. Se conseguisse isso, talvez uma promoção estivesse à espera dele.

"Conheço professores", me disse Agnello, "que se deixassem seus computadores ligados de um dia para o outro ou se tivessem, Deus nos livre, cafeteiras altamente ilegais ou coisas parecidas em suas salas, ele mandaria o pessoal da manutenção avançar com alicates e cortar os cabos elétricos de qualquer máquina fora da lei". Os aquecedores de Agnello não foram cortados. Mas desapareceram.

"No dia seguinte, quando eu estava chegando ao trabalho e subindo para minha sala, um homem que reconheci como o eletricista do nosso distrito vinha descendo com um dos meus dois pequenos aquecedores debaixo dos braços", diz Agnello. Quando Agnello protestou, o eletricista se limitou timidamente a dizer: "Fale com a central de manutenção". E logo entrou em sua van e saiu em velocidade. "Eu simplesmente dei uma risada, tipo 'que diabo está acontecendo aqui?'" Agnello ainda ri quando se lembra de seu atrito com Steve Raucci. Outros não tiveram tanta sorte.

Raucci estava longe da hierarquia social do distrito. Ganhava 42 mil dólares por ano, o que não era mau, mas não era nada de especial para um funcionário de manutenção escolar. Então, ele descobriu uma maneira de subir com rapidez. Um de seus colegas, Lou Semione, acabara de se transformar no tsar da economia de energia do distrito. O posto veio com um grande aumento salarial e um caminho para mais promoções. Raucci queria o cargo. E então, como costumava fazer, Raucci montou um esquema. Ninguém iria lhe dar poder. Ele próprio teria de tomá-lo.

Raucci montou um plano para destruir o rival. Para ajudar Semione a poupar dinheiro para o distrito, seus chefes tinham investido uma boa soma de dinheiro em um novo sistema de *software* que poderia ajudar a rastrear o uso de energia. O sistema localizava o desperdício e permitia que um controle centralizado ligasse e desligasse as luzes. Mas quando o novo *software* pareceu assustador para Semione, Raucci se ofereceu para lidar com ele. Mostrou a Semione as atualizações que tinham surgido com regularidade e garantiu que tudo estava funcionando muito bem. No entanto, quando Semione não estava por perto, Raucci começou a manipular secretamente o *software*. Se Raucci conseguisse aumentar o uso de energia, talvez Semione fosse chutado e o distrito tivesse de procurar um novo tsar. Então, um dia, Raucci garantiu que as luzes do estádio de futebol – um dos mais famintos sugadores de energia – ficassem ligadas durante todo o Columbus Day, quando não havia ninguém no local. Outras vezes, garantiu que prédios inteiros ficassem iluminados em finais de semana. Deu certo. Semione foi removido do trabalho. E Raucci convenceu os chefes a lhe dar uma chance. Pode ter sido um pequeno reino, mas Raucci se tornara rei.

"Ei, Lou", disse Raucci em seu último encontro com Semione. "Quero que saiba que estávamos fodendo você." Como acontece com tantos arrivistas que correm atrás do poder, Raucci não se contentou em derrotar um rival. Teve também de humilhá-lo. Mas não há dúvida de que Raucci conseguiu o que queria. Depois de ser colocado como responsável pela economia de energia do distrito, seu contracheque subiu para seis dígitos. E quando foi sua vez de poupar dinheiro no uso de energia, transformou-se no avarento da eletricidade do distrito. Os aquecedores de Rich Agnello não podiam ser tolerados – nem mesmo com a proximidade das férias.

Mas ao contrário de Scrooge,[*] Raucci não teve nenhum despertar moral. Na realidade, seu comportamento se tornou cada vez pior. Assediava sexualmente subordinadas. Qualquer um que o desafiasse enfrentava ameaças. Quando sua secretária, durante gracejos em volta do bebedouro, comentou em um tom distraído que Raucci não era "seu tipo", ele a transferiu para um departamento pior. Depois, em seu discurso anual de Natal – um evento que normalmente envolveria um brinde do chefe e boas notícias a todos os funcionários –, Raucci avisou que as pessoas não deveriam atravessar seu caminho, para que ele não tivesse de "eliminá-las". "Todos os consertos serão feitos por mim", Raucci sibilou. Se tivesse havido um Tiny Tim dos dias atuais, Raucci teria provavelmente cortado o cabo da cadeira de rodas elétrica de Tim[**] quando ela estivesse carregando.

À medida que se tornava mais poderoso em seu trabalho, Raucci buscava um novo reino para conquistar: o sindicato do distrito escolar. Mas quando lançou sua campanha na política sindical, alguém decidiu denunciá-lo. A pessoa escreveu uma carta anônima, detalhando os abusos de Raucci como presidente da unidade de manutenção. Ele não era adequado para a liderança sindical, afirmava a carta.

Raucci ficou furioso. Alguém o apunhalara pelas costas. Raucci achou que sabia quem fora: Hal e Deborah Gray. Hal trabalhava para

---

[*] Personagem avarento de Charles Dickens em *Uma Canção de Natal* (*A Christmas Carol*). (N. do T.)
[**] Filho mais novo, doente, de um empregado do Scrooge, o avarento de *Uma Canção de Natal*. (N. do T.)

Raucci no escritório de manutenção. Deborah trabalhava para o sindicato. Em 1º de maio de 2005, os Gray se levantaram cedo para pegar um voo de férias para Vegas. Hal saiu e viu tinta vermelha de *spray* por toda parte; por toda a casa estava escrito em letras grandes: CAGUETE. A palavra fora pintada em toda superfície possível para tornar o reparo o mais caro possível. Os Gray ficaram arrasados. Era improvável que mesmo um grande prêmio de Vegas conseguisse cobrir a despesa do conserto.

Quando a notícia do vandalismo se espalhou, Raucci organizou uma peregrinação para seus subordinados admirarem por si mesmos a obra do perpetrador "desconhecido". Eles subiram nos veículos do distrito escolar (no horário de serviço) e dirigiram 20 minutos na ida e 20 minutos na volta para vê-la. Cada membro da equipe teve de mostrar a Raucci que ele ou ela estava contente vendo que os Gray tinham ganho o que mereciam.

Um funcionário distrital, Gary DiNola, reclamou do comportamento de Raucci ao superintendente distrital em 2006. Raucci descobriu. Um dia, quando DiNola saiu para pegar o carro, seus pneus haviam sido cortados. E um dispositivo explosivo apagado estava preso em um de seus limpadores de para-brisas. Era difícil não entender o recado.

Vandalismo e explosivos logo se tornaram a linguagem de Raucci para intimidar aqueles que ousavam atravessar o seu caminho. Ron Kriss, que já havia sido perseguido por Raucci, encontrou seu caminhão severamente danificado quando tentou falar contra seu chefe. Raucci vangloriou-se para outros sobre o incidente. "Ron Kriss é um cara de quem me livrei aqui", Raucci se gabou. "Ele costumava estacionar seu caminhão, um bom caminhãozinho novo, na porta da Home Depot. Estacionava bem no centro – para garantir que nada acontecesse com o veículo." Se Raucci soa como um chefe da máfia, isso não é por acaso. Ele pendurou em sua sala uma foto de Don Corleone tirada de *O Poderoso Chefão* (*The Godfather*). "Durante mais cinco anos, vivemos com medo", me disse Kriss.

Enquanto os subordinados de Raucci estavam aterrorizados, seus chefes vibravam. O corte agressivo dos custos de energia economizara milhões de dólares para o distrito. Isso fora obra de Raucci. Para solidificar seu controle do poder, Raucci tentou construir um império de aliados para isolá-lo dos denunciantes que o perseguiam vindo de baixo. Quando um membro do conselho escolar se viu em um desesperado aperto financeiro, Raucci lhe fez um empréstimo. O homem da manutenção que virou um poderoso chefão estava lá para ajudar com envelopes de dinheiro vivo.

Mas todo mundo – até mesmo um planejador meticuloso como Raucci – comete erros. Em um incidente em que tentava usar explosivos para intimidar um potencial rival, Raucci deixou para trás o cigarro que planejara usar como pavio. Havia traços de DNA no cigarro. A equipe de investigação há muito suspeitava do envolvimento de Raucci, mas agora havia uma chance de prová-lo. Um dia, Raucci tomou o café da manhã em um de seus locais preferidos, o *Peter Pause* [Pausa de Peter], uma típica lanchonete norte-americana em Schenectady, que serve pilhas de panquecas e enormes omeletes. A polícia esperou até que ele acabasse de comer. Então, quando ele saiu, pegaram seu garfo e o mandaram para o laboratório. Foi 100% compatível. O DNA de Raucci estava no cigarro apagado que ia servir de pavio.

Isso ainda não era prova suficiente para vincular Raucci a seus outros crimes. Então, a polícia recrutou um dos amigos de Raucci – um ex-policial que tinha se viciado em drogas – para usar uma aparelhagem de escuta e gravar alguma conversa de Raucci. Quando ouvimos o áudio, percebemos uma mente iludida e perturbada em ação. Ou, como Ron Kriss expôs para mim, ele mostra que Raucci era um "narcisista mentiroso" com um "ego doentio".

Em uma fita, Raucci exibe delírios de grandeza atípicos para um funcionário de manutenção escolar. "Depois que eu tiver morrido, sempre vão falar sobre o que Steve fez e o que mais poderia fazer", gabou-se Raucci, oscilando entre a primeira e a terceira pessoa na mesma frase. Raucci lamenta ser alguém de uma "raça moribunda" e diz: "Sou o herói de todos [...] todo mundo tem sorte porque tem um Steve". Para enfatizar sua modéstia, Raucci conclui lamentando que sua mãe não tivesse dado à luz gêmeos porque assim "eu poderia ter tido um Steve a quem recorrer".

Em outro encontro gravado, Raucci mostrou ao informante disfarçado um dispositivo explosivo caseiro. Depois de exibi-lo, Raucci o escondeu cuidadosamente atrás de uma planta. Isso aconteceu na sala de Raucci, dentro de uma escola de ensino médio. Assim que viram a fita, os investigadores agiram com rapidez. As crianças corriam risco. Puseram algemas em Raucci. Além de encontrar o explosivo, a polícia também encontrou óculos de visão noturna – um acessório que não é necessário para polir os pisos das quadras de esporte de um colégio, mas que seria útil, na calada da noite, para atos de vandalismo em alguma casa. Em 2010, Raucci foi condenado a 23 anos de prisão.

Raucci é um exemplo extremo, mas supervisores abusivos são tão comuns em locais de trabalho quanto bebedouros. Eles existem em um espectro, desde os fanfarrões superconfiantes e arrogantes, que é relativamente inofensivo e superconfiante, até algo muito mais sinistro. Neste capítulo, vamos ver por que indivíduos corruptos e corruptíveis são tão eficientes para ascender na hierarquia. Como eles fazem isso? Também vamos enfrentar uma questão perturbadora: os psicopatas são melhores líderes?

Vamos começar observando os desajustados como Raucci – os maquinadores psicopatas e narcisistas. Eles são raros. São pequenas as chances de que seu chefe, seu treinador ou o policial que o enquadra seja um genuíno psicopata. Mas como podem ser muito destrutivas quando estão em posições de autoridade, essas pessoas justificam uma consideração especial. Assim que tivermos uma pista sobre o que faz pessoas como

Raucci entrarem em ação, passaremos para os maus chefes habituais e tentaremos investigar por que excesso de confiança e arrogância são traços comuns em pessoas poderosas.

Steve Raucci exibe sinais clássicos de algo chamado a tríade sombria. Como o nome sugere, a tríade sombria tem três componentes: maquiavelismo, narcisismo e psicopatia. O maquiavelismo vem da caricatura redutora de uma única ideia do filósofo político italiano Niccolò Machiavelli [Nicolau Maquiavel] – a de que o fim justifica os meios. O maquiavelismo, portanto, se refere a um traço de personalidade caracterizado por intrigas, manipulação interpessoal e indiferença moral com relação aos outros. Narcisismo, em homenagem a Narciso, da mitologia grega (que é destruído porque fica completamente apaixonado por si mesmo), refere-se a traços de personalidade que se manifestam com frequência, como arrogância, egocentrismo, mania de grandeza e uma necessidade de reconhecimento por parte dos outros. E a psicopatia – o traço mais sombrio da tríade sombria – aparece com frequência em alguém desprovido da capacidade de sentir empatia e que é impulsivo, irresponsável, manipulador e agressivo. Cada uma das três características existe em um *continuum*. Podemos inclusive ter pequenas quantidades de cada traço filtrando-se desapercebido através de nossas veias (e um pequeno número de pessoas que estão lendo isto serão psicopatas maquiavélicos narcisistas não diagnosticados). Para a maioria de nós, contudo, esses traços vêm em doses minúsculas, inofensivas. Quando os três ocorrem em níveis extremos na mesma pessoa, bem, então você tem um problema – assim como as pessoas que estão à sua volta.

Medir a tríade sombria, como todo traçado de perfil psicológico e psiquiátrico, é um tanto subjetivo. O padrão ouro dos diagnósticos costumava ser um extenso questionário. Então, em 2010, dois pesquisadores perceberam que poderiam obter, de forma eficaz, os mesmos resultados com apenas 12 perguntas. Essas perguntas tornaram-se conhecidas como as *Dirty Dozen* [Dúzia Suja] – uma medida rápida e aproximada para saber se a mente da pessoa hospeda a tríade sombria. As perguntas incluem itens como: "Tenho tendência a manipular outras pessoas para conseguir o que quero?" Ou: "Tenho tendência a não sentir remorsos?" Ou então: "Tenho tendência a buscar prestígio e *status*?" Muita gente responderá *sim* a algumas dessas perguntas, mas quem obtém uma alta pontuação em todas as 12 perguntas está mais propenso a ter níveis elevados de traços da tríade sombria.

Um psicopata maquiavélico, é claro, nem sempre vai confessar seu comportamento, longe de perfeito, em um questionário de autoavaliação. Para detectar tapeações, são necessárias medidas mais robustas. Para diagnósticos clínicos de psicopatia, por exemplo, o paciente é submetido a longos questionamentos que mais parecem um interrogatório. Ao diagnosticar criminosos violentos, o que a pessoa diz durante o interrogatório é confirmado por meio de declarações de testemunhas e arquivos de casos garantindo que o indivíduo não está mentindo. Contudo, muitos psicopatas com traços da tríade sombria transformaram em uma arte a capacidade de induzir os outros a pensar que eles são pessoas gentis, compassivas, que devem ter autocontrole. E não havendo prisão, não há arquivos de casos ou depoimentos de testemunhas. Estamos por nossa conta ao tentar identificar os Rauccis que se emboscam entre nós. Como, então, podemos identificá-los – e garantir que eles não se tornem nossos líderes?

Formigas, Aranhas e Cobras de Terno

Na África Centro-Oriental, ao redor das costas do Lago Vitória, vive um aracnídeo conhecido como *Myrmarachne melanotarsa*, a aranha-formiga-de-pés-escuros. Enquanto outras espécies de aranhas têm corpos redondos, essas aranhas têm corpos alongados, projetados especificamente para dar a impressão de possuir três partes – cabeça, tórax e abdômen –, como acontece com uma formiga. Em vez de andar com todas as oito pernas como outros aracnídeos, a aranha-formiga-de-pés-escuros usa apenas seus três pares traseiros, permitindo que o par de pernas dianteiras seja levantado no ar, imitando as antenas das formigas. Elas também se movem como formigas. Estudos recentes chegaram mesmo a descobrir que as aranhas-formigas-de-pés-escuros vivem de modo comunitário em "apartamentos de seda", como se tivessem construído sua própria aldeia Potemkin*** imitando uma colônia de formigas. É, como assinalou um pesquisador, uma *"performance* digna de um Oscar".

Essa charada complexa existe por uma razão – ou, mais precisamente, por duas razões. Primeiro, as aranhas-formigas-de-pés-escuros não são comidas por predadores porque a formiga que elas imitam é uma presa apavorante. Em segundo lugar, as aranhas disfarçadas como formigas podem se banquetear mais facilmente com ovos de aranha. Aranhas normalmente não se preocupam com formigas porque elas ficam presas nas suas teias quando tentam comer os ovos. As aranhas baixam a guarda. Isso permite que a aranha que parece formiga possa se esgueirar sem ser detectada, equilibrando-se sem sobressaltos sobre a seda e devorando um banquete de ovos de aranha. Como explica Ed Yong, da *National Geographic*, "trata-se, em essência, de uma aranha que fica parecida com uma formiga para evitar ser comida por outras aranhas e para que ela própria possa comer aranhas". É uma aula magistral de enganação fatal.

Os psicopatas têm muito em comum com as aranhas-formigas-de-pés-escuros. Embora não comam ovos de aranha ou ergam os braços como antenas ao morar em apartamentos sedosos, tentam com frequên-

---

*** Uma aldeia Potemkin são belas construções de fachada, em sentido literal ou figurado, que servem para esconder, como um biombo, o que há de precário (ou de ameaçador) por trás delas. (N. do T.)

cia imitar algo que eles não são: pessoas com cérebro que funciona normalmente. E, uma vez disfarçados, atacam muitas vezes essas pessoas.

Há pouco mais de duzentos anos, um médico francês chamado Philippe Pinel assistia horrorizado a um homem chutar um cachorro até a morte. O homem fez a coisa com método, sem remorso. Tratou-a como se estivesse realizando uma tarefa mundana, como martelar um prego ou tirar o lixo de casa. Pinel desenvolveu uma nova tipologia para esse tipo de comportamento, algo que chamou de *manie sans delire*, às vezes traduzido como "insanidade moral", embora a tradução mais direta seja "loucura sem delírio".

Mostre a uma pessoa comum uma série de imagens violentas – animais indefesos ou crianças exibindo sofrimento extremo, por exemplo – e regiões do cérebro que estão associadas à emoção se acendem como fogos de artifício. Embora os neurocientistas ainda estejam tentando entender a biologia da empatia, ela parece operar por meio de dois sistemas, um "de baixo para cima" e outro "de cima para baixo". O sistema de cima para baixo vem de algo chamado teoria da mente ou mentalização. É onde tentamos entender o que outras pessoas estão sentindo e quais poderiam ser suas intenções. Acredita-se que o sistema ascendente, de baixo para cima, esteja associado ao "sistema de neurônios-espelho", no qual nossa atividade cerebral reflete a atividade cerebral de alguém que estamos observando. Por exemplo, neuroimagens têm mostrado que, se vemos alguém com uma expressão de nojo – como se tivesse acabado de cheirar algo horrível – as mesmas partes de nosso cérebro são ativadas, como se *nós* tivéssemos acabado de cheirar algo horrível. Neurocientistas propuseram que se trata de um possível mecanismo do fenômeno de "contágio emocional", em que nos sentimos mais felizes quando vemos outras pessoas felizes e mais tristes quando vemos outras pessoas tristes. Para a maioria das pessoas, observar alguém com dor intensa ou em tormento emocional é profundamente desagradável.

CORRUPTÍVEIS

Mas nem todos nós somos iguais. Alguns reagem mais do que outros ao sofrimento. Usando máquinas de fMRI [ressonância magnética funcional], os cientistas podem quantificar a mudança de atividade cerebral a partir de nosso padrão de reação ao ver outra pessoa com dor. A empatia é incrivelmente complexa, mas este método dá aos cientistas uma variável aproximada para medi-la.

Valeria Gazzola e Christian Keysers pegaram essa ideia e mediram a empatia em psicopatas. Nesse estudo, 21 indivíduos clinicamente diagnosticados como psicopatas violentos foram transportados para um laboratório e lá examinados. Uma vez no tomógrafo, os psicopatas viram alguém sendo ferido por outra pessoa. Como os pesquisadores esperavam, os fogos de artifício dos neurônios nunca explodiam do modo como fazem nas outras pessoas. As seções do cérebro que são normalmente associadas à emoção eram opacas e distantes para os psicopatas. A dor dos outros não os incomodava.

Mas ainda havia uma coisa intrigante. Abra qualquer livro sobre psicopatia e a expressão *charme superficial* provavelmente vai estar na primeira página. Os psicopatas têm fala macia. Costumam ser incrivelmente simpáticos, embora de um modo superficial. Parece emocionante estar perto deles. Uma chave para seu sucesso é a manipulação dos outros, mas para fazer isso é preciso conseguir que os outros baixem a guarda. Como pessoas que não têm sentimentos pelos outros podem nos fazer gostar delas de um modo tão eficaz? Para descobrir, Gazzola e Keysers decidiram examinar de novo os psicopatas violentos. Mas dessa vez, a professora Gazzola teve uma ideia. Pediu-lhes, de uma forma explícita, que *tentassem* sentir algo pelas outras pessoas – ter empatia com elas quando as estivessem vendo sofrer. Nessa experiência, os resultados foram completamente diferentes. Os psicopatas mostraram sinais neurológicos de empatia que imitavam os das pessoas comuns. Isto levou os cientistas a concluir algo surpreendente: psicopatas *podem* sentir empatia pelas outras pessoas. Mas isso não acontece de forma natural. A regulagem de seu processamento de cima para baixo e de baixo para cima é diferente da regulagem das outras pessoas.

Se psicopatas podem ser treinados para imitar pessoas comuns, pode nosso cérebro normal ser levado a pensar como o cérebro dos psicopatas? Até certo ponto sim. "Se as pessoas sabem que devem demitir alguém, reduzem sua empatia para que possam fazer o que tem de ser feito", explica Gazzola. "Se queremos ser uma companhia fascinante, atualizamos e regulamos nossa empatia e damos plena atenção aos sinais mais minuciosos da emoção do nosso encontro." Cérebros "normais" tendem a ter, como padrão, uma empatia ativada com maior frequência, enquanto o cérebro dos psicopatas parece, como padrão, tê-la desativada.

Também podemos usar tecnologia, incluindo estimulação magnética de nosso cérebro, para desligar parcialmente a empatia. Usando "estimulação cerebral não invasiva", os pesquisadores conseguiram fazer com que pessoas comuns sentissem temporariamente menos empatia. Use a estimulação nas áreas certas e você não ficará tão afetado por imagens horríveis quanto normalmente ficaria. Por breves momentos, podemos entrar na mentalidade de um psicopata insensível. Psicopatas, ao que parece, não precisam de qualquer tecnologia para desativar seu estado natural e "ligar" a empatia. Podem ativar esse interruptor mental quando necessário. Talvez mobilizem a emoção como arma direcionada, mas só quando lhes convém.

No entanto, o fato de os psicopatas não experimentarem naturalmente sentimentos pelos outros não significa que sejam alheios às emoções. Na realidade, uma emoção ocorre com extrema naturalidade aos psicopatas: a raiva. Se seu cérebro tende a ser um deserto de compaixão, eles são uma floresta tropical em termos de agressão. A questão, portanto, é saber se esse cérebro anormal pode conferir aos indivíduos psicopáticos vantagens que possam torná-los melhores para assumir o comando.

CORRUPTÍVEIS

Quando pensamos em psicopatas, nomes notórios nos vêm à mente: *serial killers* como Ted Bundy. Bundy empregava um clássico traço psicopático – o charme superficial – para atrair suas vítimas. Mas quando falamos com peritos que estudam psicopatas, todos defendem o mesmo ponto: os psicopatas que acabaram na cadeia são os *fracassados*. Steve Raucci, por exemplo, tinha dificuldade para esconder os traços psicopáticos. Não conseguia resistir à tentação de se gabar quando aterrorizava alguém ou de usar o *spray* nos muros da casa da pessoa. Não conseguia controlar sua raiva. E seus vingativos discursos de Natal não passavam exatamente despercebidos. Raucci não conseguia se camuflar como as aranhas-formigas-de-pés-escuros. Quando precisou levantar suas pernas proverbiais e fingir ter antenas, plantou um explosivo no lugar onde estava. Raucci não tinha a disciplina necessária para se fazer passar por algo que ele não era.

Mas muitos psicopatas *podem* se camuflar. Os psicopatas bem-sucedidos estão nas salas de reuniões. Estão assinando decretos. Gerenciam fundos de *hedge*. Para usar a frase de Robert Hare, especialista em psicopatia, eles são "cobras de ternos". Quando essas cobras tentam serpentear para posições de poder, a tríade sombria pode, às vezes, ajudá-las a chegar lá.

Pense em como contratamos e promovemos pessoas. O sucesso depende do charme, do carisma e da simpatia. Entrevistas de emprego são *performances*. Podemos ter chegado lá com nosso currículo, uma boa carta de apresentação e uma forte recomendação. Mas assim que entramos na sala, tudo se resume a fazer as pessoas que estão lá gostarem de nós – ao mesmo tempo que criamos a percepção de que estamos qualificados para o trabalho. Se você parece nervoso, tímido ou reticente, é menos provável que seja contratado. Mas se parece confiante e educado, e tem sempre uma resposta para qualquer pergunta que lhe seja atirada, é mais provável que seja selecionado. Para psicopatas narcisistas, maquiavélicos, a entrevista de emprego padrão é o formato perfeito. Eles adoram falar de si mesmos. Traçam estratégias sobre como conquistar o que querem. O fim justifica os meios – mesmo se isso significa fabricar mentiras sobre si mesmos ou inventar falsas credenciais. E eles são naturalmente dotados para exibir charme e carisma superficiais. O modo como contratamos recompensa, de modo desproporcional, a tríade sombria.

Cientistas têm rastreado isso avaliando desempenhos em entrevistas de emprego e "gerenciamentos de impressões pessoais". Cada vez que você tenta se apresentar da melhor forma possível para outra pessoa, você está gerenciando impressões. Não há nada de errado nisso. É o que todos nós fazemos. É normal. Mas como os caranguejos-violinistas com garras enormes e inúteis, emitimos às vezes sinais desonestos ao gerenciar impressões. Alguns chegam a mentir para se tornarem melhores aos olhos dos outros. Contudo, quando são avaliados em entrevistas de emprego, psicopatas e maquiavélicos diferem das outras pessoas de um modo curioso. Como era de se esperar, pessoas com alta pontuação maquiavélica fabricam, aumentam e mentem *de acordo* com a entrevista que estão fazendo. Enquanto algumas pessoas desonestas podem rechear um pouco o currículo para ajudar no primeiro passo, os psicopatas se movem como um camaleão em entrevistas de emprego, alterando-se por completo para corresponder ao que acreditam que o entrevistador está procurando em um novo recruta. Em vez de adicionar ao currículo um décimo de ponto na média ponderada da faculdade em todas as fichas de inscrição, os psicopatas podem inventar um falso diploma de economia na entrevista para um banco e depois simular um estágio jurídico ao ser avaliado por um escritório de advocacia. Alguns inventarão sem o menor problema *personas* inteiramente falsas. Se são psicopatas inteligentes (como muitos são), eles escapam impunes.

Em outro estudo, os pesquisadores avaliaram pouco menos de mil empregados de empresas quanto aos traços da tríade sombria. Descobriram que os narcisistas ganhavam mais dinheiro e os maquiavélicos se saíam melhor em escalar a escada corporativa. A psicopatia, por outro lado, prejudicou as perspectivas de carreira de funcionários que pontuaram alto, provavelmente distorcidas por psicopatas "malsucedidos" ou indisciplinados que foram incapazes de se camuflar. Sem dúvida, há evidências de que psicopatas que são incapazes de gerenciar seu comportamento impulsivo, agressivo e até mesmo violento sofrerão consequências no trabalho. Gritar com seu chefe ou dar socos num bebedouro não é exatamente um caminho infalível para uma promoção. E, claro, alguns psicopatas simplesmente não são muito inteligentes. Mas os traços da tríade sombria com frequência não existem de forma isolada. E quando trabalham em harmonia, alguns dos elementos mais destrutivos de psicopatia podem ser não apenas neutralizados, mas transformados em vantagens. Os psicopatas que estão nas salas de reuniões são os inteligentes, os que descobriram um meio de se controlarem enquanto procuram controlar os outros.

Paul Babiak, Craig Neumann e Robert Hare (três dos maiores especialistas em psicopatia no local de trabalho) se indagaram até que ponto a tríade sombria estaria representada nos níveis superiores das hierarquias das empresas. Estudaram mais de 200 profissionais de sete empresas. O que unia seus sujeitos de estudo era que todos tinham sido selecionados pelas companhias para desenvolvimento de gestão – programas de treinamento para lançá-los aos mais altos escalões da hierarquia das empresas.

Parte do que os pesquisadores descobriram não foi surpreendente: a esmagadora maioria dos participantes pontuou zero, um ou então dois na checagem da psicopatia, em um índice que vai até 40 (Ted Bundy é um 39). Nessas checagens, os pesquisadores têm dois limites que costumam ser usados na pesquisa de psicopatia. Pontue 22 ou acima e o pesquisador vai considerá-lo um "possível" ou "potencial" psicopata. Pontue acima de 30 e não há dúvida de que é um deles.

Dos 200 gerentes sendo preparados para o topo, 12, ou cerca de 6%, atingiram o primeiro limite. Mas um surpreendente total de oito participantes do estudo (4%) pontuou acima de 30. Uma pessoa atingiu 33, outra 34. Sabe qual é a pontuação média de criminosos do sexo masculino nas prisões? 22.

Sem dúvida, este apanhado de 200 pessoas não é necessariamente representativo do mundo empresarial (e todos os avaliados eram norte-americanos, o que introduz distorções culturais). Mas como primeiro vislumbre da liderança no setor privado, é preocupante. Quando a psicopatia é testada na sociedade como um todo, cerca de uma em cada 500 pessoas pontuam acima do limiar psicopata dos 30. No estudo de aspirantes a gerentes empresariais, era uma em cada 25. Esses resultados podem ser um *outlier*,**** mas o estudo sugere que há cerca de 20 vezes mais psicopatas na liderança empresarial que na população em geral (outros estudos sugeriram que uma em cada 100 pessoas é psicopata, o que sugere uma super-representação quádrupla na liderança empresarial). Mais intrigante ainda é que, dos nove avaliados que pontuaram acima de 25, "dois eram vice-presidentes, dois eram diretores, dois eram gerentes ou supervisores e um ocupava algum outro cargo de gestão". Os psicopatas da amostra não estavam apenas tentando chegar ao topo. Já tinham chegado.

É provável que não se trate apenas de coincidência. Traços da tríade sombria podem ter um efeito duplo: fazem pessoas corruptíveis ansiarem pelo poder, mas também podem torná-las mais capazes de alcançá-lo. E isso pode se resumir a uma capacidade de estar concentrado como um raio *laser* em um egoísmo implacável.

**** *Outlier* é um termo usado em estatística para indicar "pontos fora da curva normal", isto é, dados tão diferentes dos demais que podem sugerir erros na definição ou na execução de uma pesquisa. (N. do T.)

CORRUPTÍVEIS

Em um estudo, pesquisadores japoneses criaram uma tarefa simples que denominaram "jogo do ultimato". As regras são simples. Cem ienes estão em jogo. Um jogador é aleatoriamente designado para ser o proponente. O outro jogador é designado como replicador. O proponente sugere uma divisão para aqueles cem ienes. Se os participantes forem justos, a proposta será de cinquenta ienes para cada jogador. Se forem egoístas, eles poderão propor uma divisão de 80/20 ou uma divisão 90/10. Mas há um detalhe. Se o replicador recusa a oferta, nada será dado a nenhum dos dois jogadores. O jogo é projetado para opor nosso desejo humano inato pela justiça a nosso interesse econômico. Por exemplo, se um parceiro egoísta lhe propõe uma divisão 95/5, você pode querer bater no proponente, mas seu interesse econômico aponta objetivamente para uma aceitação da oferta. Você ganha cinco ienes que de outra forma não teria. Mas nosso desejo instintivo de punir o comportamento egoísta desconsidera com frequência esse interesse pessoal. Quando o experimento é realizado, as pessoas tendem a encontrar seu ponto de ruptura em 70/30. Qualquer coisa mais desigual que isso e proponente e replicador costumam sair do jogo sem nada.

O que aconteceria, perguntaram os pesquisadores, se as pessoas participando do jogo fossem avaliadas por traços psicopáticos? Os psicopatas seriam mais racionais e menos afetados pela injustiça – desde que a coisa fosse de seu interesse? Eles têm cérebros de lagarto, frios e calculistas, que podem isolá-los das questões de certo e errado, justo e injusto, correto e incorreto? Foi exatamente isso que descobriram. Quanto mais psicopática era a pessoa, mais inclinada se mostrava a aceitar ofertas injustas que, não obstante, a beneficiassem. Para ver isso sob uma ótica mais refinada, os pesquisadores também mediram "a reação condutora da pele". De modo bizarro, nossa pele se torna uma melhor condutora de eletricidade quando estamos em "excitação emocional". Os cientistas podem, portanto, medir a capacidade condutora da pele como um primeiro indicador de respostas emocionais. No estudo japonês, os que não tinham traços psicopáticos e recebiam uma oferta justa não tiveram muitas mudanças. Mas se recebiam uma oferta injusta de um safado tentando se aproveitar deles, suas emoções explodiam. Ficavam agitados. Para pessoas com maior número de traços psicopáticos, ofertas justas e injustas não faziam qualquer diferença perceptível na qualidade condutora da pele. Quase não pareciam afetá-las.

Outro estudo conduziu o mesmo jogo do ultimato, mas o fez enquanto escaneava o cérebro das pessoas envolvidas com uma máquina de ressonância magnética. Nesse estudo, não havia muita diferença entre jogadores mais psicopáticos ou menos psicopáticos – ambos rejeitaram um número similar de injustas propostas de divisão. Mas partes diferentes de seus cérebros se iluminaram enquanto tomavam essa decisão. Nas pessoas comuns, as regiões do cérebro que estão associadas a padrões normativos de tomada de decisão – o que é certo e o que é errado – foram mais ativas quando estavam decidindo aceitar ou rejeitar uma oferta injusta. Era uma decisão moral, ligada a pistas emocionais sobre como o mundo *deveria* ser. Mas para os que pontuaram mais alto em psicopatia, essas regiões do cérebro se mantiveram relativamente escuras. Por outro lado, áreas do cérebro que se destacam nos psicopatas – as áreas associadas à raiva – eram ativadas diante de uma divisão de 80/20. Não é que ficassem transtornados, mas não era assim que o mundo *deveria* ser. Viam como uma afronta pessoal o fato de não conseguirem obter o resultado que acreditavam merecer. Isso pode parecer uma diferença sutil, mas é importante. Psicopatas malsucedidos, como Raucci, não conseguem controlar a raiva e podem se voltar para a violência. Se alguém lhe oferecesse uma divisão 80/20, ele provavelmente rejeitaria a oferta e tocaria fogo na casa da pessoa. Psicopatas bem-sucedidos, no entanto, podem gerenciar a raiva sem se deixarem dominar pela paixão, embora muitos usem essa combinação à medida que sobem em uma hierarquia. Sem pensar duas vezes, eles vão jogar um colega debaixo do ônibus para seguir em frente. Aquele insensível cérebro de réptil os ajuda a se tornarem cobras de terno.

Por causa desses traços, há um efeito de seleção nas carreiras da tríade sombria. Psicopatas maquiavélicos, narcisistas e sedentos de poder não costumam ser atraídos para, digamos, obras de caridade (a menos que seja para passarem despercebidos entre os vulneráveis, como a aranha-formiga-de-pés-escuros). Segundo Kevin Dutton, um psicólogo pesquisador em Oxford e autor de *The Wisdom of Psychopaths* (A Sabedoria dos Psicopatas: O Que Santos, Espiões e *Serial Killers* Podem nos Ensinar sobre o Sucesso), as dez profissões com mais psicopatas são CEOs, advogados, personalidades da TV/rádio, vendedores, cirurgiões, jornalistas, policiais, membros do clero, *chefs* e funcionários públicos. Outro estudo descobriu que aqueles com traços da tríade sombria são fortemente atraídos para posições que lhes dão uma oportunidade de liderar e dominar – liderança envolvendo o controle de outros –, em especial em finanças, vendas e advocacia. Embora Dutton não mencione políticos em sua lista (provavelmente porque o tamanho da amostra é um tanto reduzido), um estudo descobriu que Washington, DC, tem de longe um maior número de psicopatas *per capita* que qualquer outra região dos Estados Unidos.[1] A tríade sombria está extremamente bem representada em um bom número das áreas mais influentes da sociedade. Um pequeno número de pessoas destrutivas pode fazer uma grande diferença.

Aqui está o quadro que emerge: psicopatas são raros, mas são mais atraídos para o poder e são melhores em obtê-lo. Estão, portanto, super-representados em posições de autoridade. E o que eles fazem, então, com essa autoridade? Se não se preocuparam com os outros enquanto faziam sua ascensão, não estarão mais propensos a ferir as pessoas depois que conquistam mais poder?

---

[1] O Maine, por algum motivo, ficou em segundo lugar, e a Carolina do Norte e o Tennessee tiveram as taxas mais baixas, mas é provável que parte disso seja ruído estatístico.

Qualquer um que tenha estudado Introdução à Filosofia na faculdade já pensou no seguinte cenário: Todos em sua aldeia estão se escondendo dos extremistas da guerrilha. As guerrilhas vieram para assassinar todo homem, mulher e criança que possam encontrar. Assim que emerge um vislumbre de esperança de que você não será encontrado e que todos vão sobreviver, um bebê solitário começa a chorar. Apesar das várias tentativas de acalmar o bebê, nada funciona. Se o choro não parar, todos na aldeia serão massacrados. Você sufoca o bebê para salvar todos os outros?

Essa escolha dilacerante torna a empurrar nossa racionalidade contra nossos mais profundos instintos morais. Se você não sufocar o bebê, ele ainda morrerá – só que nas mãos das guerrilhas. Se você mata o bebê, todos os outros sobrevivem, mas *você* fez a opção que deu fim à vida do bebê. Esse torturante cenário nos divide de maneira feroz. Alguns sufocariam o bebê; outros nem poderiam imaginar tal perversidade. Mas os psicopatas ficam menos dilacerados. Estudos mostram que eles tendem a ser mais distantes e utilitários, optando pela ação perversa, mas executada no interesse deles. Quando se trata de fazer algo monstruoso para se salvarem, os psicopatas têm menos hesitação.

Essa descoberta sugere uma conclusão perturbadora. Talvez seja um benefício na sociedade moderna estar imune à reflexão moral. Algumas pessoas ficam horrorizadas com a perspectiva de um CEO, um presidente ou um primeiro-ministro amoral. Outras acham tranquilizador que alguém que está sempre se defrontando com insuportáveis escolhas morais seja capaz de ignorar a compaixão e se concentrar na intransigência dos custos e benefícios (a questão é saber se líderes psicopáticos só levam em conta os custos e benefícios para si mesmos ou se também consideram as outras pessoas). Felizmente, podemos testar essas dúvidas. Será que cérebros frios, calculistas, têm melhor desempenho que os outros? Será uma dádiva ser libertado das algemas da empatia?

Como Leanne ten Brinke, professora da Universidade da Colúmbia Britânica, me disse, a evidência sugere o contrário: "Como parecem ser charmosos e carismáticos, os psicopatas sobem a escada. Mas tendem a ser menos eficientes do que aqueles com menos traços psicopáticos".

Ten Brinke conduziu um estudo com funcionários eleitos. O que encontrou foi impressionante. Aqueles mais à frente ao longo do espectro da tríade sombria conseguiam se reeleger com mais facilidade que seus pares com cérebro mais normal, mas piores para aprovar certas normas. Convenciam as pessoas a lhes darem poder, mas não o exerciam de maneira eficaz. Para a sociedade, então, a tríade sombria parece ser o pior dos dois mundos: ajuda as pessoas agressivas a chegar ao topo, mas as transforma em funcionários de baixo desempenho quando elas chegam lá.

Ten Brinke também liderou um estudo com 101 gestores de fundos de *hedge*, uma profissão em que a eficiência é facilmente medida pelo retorno financeiro. Para ter certeza de que o estudo não estava apenas captando pessoas que tiveram sorte durante um único período de crescimento econômico, eles estudaram o desempenho durante uma década, de 2005 a 2015. Descobriram que, à medida que a psicopatia crescia, o desempenho piorava. Uma explicação para isso está ligada a níveis elevados de impulsividade e risco imprudente – envolvendo aqueles com traços da tríade sombria. Os psicopatas acham que são mais espertos que o restante da população. Veem o risco da mesma forma que nós, mas acreditam que podem superar as consequências. As consequências, pensam eles, são para idiotas. Assim os gerentes psicopáticos de fundos de *hedge* jogaram a cautela ao vento. Lançavam os dados – e às vezes perdiam muito.

Quando disse que os psicopatas desconsideram sistematicamente os riscos, Ten Brinke me fez pensar: isso explica muita coisa sobre ditadores. Ao longo da última década, estudei – e entrevistei – vários antigos déspotas. Todos são um pouco diferentes. Alguns têm charme. Outros são estranhos e distantes. Todos têm grandes egos. Mas também compartilham um risco comum. Ser ditador é perigoso. Saddam Hussein, Muammar Kadafi e Nicolae Ceausescu descobriram isso da maneira mais difícil. Nos Estados Unidos, Japão ou França, líderes que perdem o poder acabam em resenhas de livros. Viram estadistas mais velhos. Morrem de velhice, ricos e respeitados. Isso não se aplica aos ditadores. A maioria deixa o cargo de uma dentre três maneiras: com uma passagem de avião só de ida para fora do país na calada da noite, algemado ou em um caixão. Quando analisei os números, descobri que quase metade dos déspotas africanos que perdem o poder acabam no exílio, apodrecem em uma cela de prisão ou são executados. Depende quase de um cara ou coroa. No Haiti, as chances são ainda piores, com dois em cada três presidentes encontrando esses destinos sombrios (em um período sanguinário, os presidentes haitianos acabaram seus reinados sucessivamente como "exilado, exilado, bombardeado e explodido, preso, exilado, executado, exilado e, particularmente horrível, 'arrastado da missão diplomática francesa por uma multidão enfurecida, empalado na cerca de ferro em torno da legação e esquartejados)'".

Sendo assim, a pergunta é a seguinte: quem olha para esse cargo e pensa "eu quero tentar!"? A resposta, infelizmente, é: aqueles com traços da tríade sombria. Como estão convencidos de que são pessoas especiais, os riscos de seus predecessores não se aplicam a eles. "*Os outros* foram esquartejados porque eram tolos, mas isso nunca aconteceria *comigo*." Para completar, ser um ditador é o trabalho dos sonhos para os que estão no auge da tríade sombria. Eles conseguem tramar como maquiavélicos até conquistarem o controle total. O psicopata que eles têm por dentro pode abusar de quem muito bem quiser – até mesmo torturar. Como bônus para o lado narcisista, todos o elogiam ao vê-lo fazendo isso. "Hoje, chefe, você estava em uma boa forma toda especial naquela arrancada de unha do pé", seus subordinados poderiam dizer ao bajulá-lo.

Felizmente, poucos de nós sofreram os abusos de um ditador. Mas os traços da tríade sombria que impelem os ditadores ao poder também podem auxiliar algumas das pessoas com quem cruzamos em nossa vida diária. Talvez algumas profissões exijam um certo nível de maquiavelismo, psicopatia ou narcisismo. Esse é o argumento em *Wisdom of Psychopaths*, de Dutton. Ele argumenta que, embora altas doses da tríade sombria transformem as pessoas em monstros disfuncionais, muitos "psicopatas funcionais" descobriram como colocar as anormalidades de seus cérebros a favor deles. Essa ideia não é nova. Na década de 1980, o sociólogo John Ray sugeriu que níveis baixos e altos de psicopatia são ruins para nós, mas que uma soma modesta, controlada, nos ajuda a ter um bom desempenho em momentos de estresse e a evitar tomar decisões ruins com base em emoções irracionais.

Dutton e Ray podem ter razão. Em certos empregos, ser frio e refratário a estresse ou emoção parece extremamente útil. Dutton destaca alguns, como ser cirurgião ou soldado das Forças Especiais. Ambos se saem muito bem quando embotam ao máximo suas emoções. Psicopatas funcionais também podem ser excelentes técnicos em desarme de explosivos, gente que nunca desiste, mesmo sob pressão. Em uma pesquisa anterior, tropas de elite e técnicos em descarte de bombas não experimentavam picos massivos em seus batimentos cardíacos durante intenso estresse. Alguns chegavam a ficar *mais* relaxados em situações extremamente estressantes. Essa anormalidade fisiológica permite que realizem tarefas intensas sem se sentirem sobrecarregados. Talvez haja uma maneira de canalizar a tríade sombria para criar uma sociedade um pouco mais promissora.

Mas aqui está o problema: como você pode saber se um psicopata é funcional? O charme superficial e manipulador é natural para eles. São, com frequência, mestres da fraude. E se você errar? Você quer um psicopata disfuncional disfarçado como funcional em uma unidade das

Forças Especiais? Testes de triagem e avaliações psicológicas são úteis, mas não são infalíveis. Mesmo se conseguirmos discernir corretamente que alguém é um psicopata "funcional", entraríamos em uma cirurgia sabendo que um deles ia abrir nossa barriga?

Felizmente, a maioria dos chefes não está se excedendo com a tríade sombria. A não ser que você dê azar, são muito boas as chances de que seu supervisor não seja um psicopata plenamente desenvolvido. Isso é reconfortante por um lado e por outro é perturbador. Se a esmagadora maioria das pessoas em posições de autoridade *não são* psicopáticas, o que explica que nosso mundo tenha tantos tiranos neurologicamente normais? Em outras palavras, todos os psicopatas são superconfiantes, mas muitas pessoas superconfiantes não são psicopatas – e todas elas estão à nossa volta. Se temos a sorte de nunca entrar em contato com manipuladores da tríade sombria, por que tantas vezes damos o azar de ver idiotas superconfiantes controlando tantos aspectos de nossa vida?

O Suricato Decidido

Os suricatos podem fornecer um palpite inesperado sobre o mistério de saber por que você tem um chefe superconfiante. Suricatos são animais forrageiros que se movem em bandos pouco compactos. Vagam pelo Deserto do Kalahari em busca de sua próxima refeição. Mas como decidem para onde ir? Os cientistas descobriram que eles podem vocalizar uma "chamada de movimento". Quando estabelecem esse tipo de contato, a mensagem é clara: é hora de partir. Às vezes, as chamadas de movimento são ignoradas. Outras vezes são seguidas. O que faz a diferença? Em uma série de experimentos, os cientistas descobriram algo estranho: não importava *quem* fazia a chamada. A posição social era irrelevante. O que importava era saber até que ponto o indivíduo que fazia a "chamada de movimento" parecia ter *certeza* que era hora de ir. A confiança não é importante apenas nas entrevistas de emprego. Ela também é importante para os suricatos.

Os cães selvagens africanos não têm uma chamada de movimento. Em vez disso, quando um membro da matilha quer sair para caçar, ele espirra. Ao contrário dos suricatos, o *status* do espirrador tem importância. Se um cão selvagem dominante espirra, a matilha sairá para uma caçada se apenas um ou dois outros cachorros espirrarem de acordo. Mas para um cão subordinado conseguir o que quer, um coro de uns dez cães deve espirrar junto.

Os humanos são efetivamente uma mistura dos dois tipos. A hierarquia importa, mas também a confiança. Seguimos aqueles que estão acima de nós na hierarquia, mas estamos mais propensos a seguir pessoas que estão confiantes – até mesmo superconfiantes – do caminho que devíamos seguir. Mostre-nos certeza diante da incerteza e lá vamos nós.

Um artigo recente na revista científica *Nature* argumenta que o excesso de confiança existe porque costumava ajudar os humanos a sobreviver. No passado distante, quando a sobrevivência era uma luta diária, a sorte favorecia os ousados. A matemática por trás dessa descoberta é complexa, mas em um nível individual, o excesso de confiança tornava mais provável que obtivéssemos um recurso escasso, como a comida. Por exemplo, se estivéssemos em um confronto com um rival, mostrar um pouco de arrogância, até mesmo um agressivo excesso de confiança, poderia às vezes nos levar a conseguir uma refeição simplesmente porque nosso blefe funcionou. Um rival – mesmo um rival mais forte – poderia ficar assustado com uma adequada exibição de superconfiança e fanfarronice. Claro, sempre corremos o risco de que nosso rival veja o que está por trás disso e acabemos sendo espancados ou até mesmo mortos. Mas em uma situação em que a alternativa fosse morrer de fome, fazer esse jogo era racional.

Da mesma forma, em um nível social, complacência e cautela também podem significar inanição. Como resultado, era com frequência melhor tentar *alguma coisa* – até mesmo um tiro no escuro – na batalha pela sobrevivência. Os grupos, portanto, aprenderam a seguir líderes que exibiam um pouco de confiança em excesso. "É teoricamente possível que haja um poço de água em todo esse trecho de savana, mas não tenho certeza" – isso não chegaria a ser uma versão humana convincente da chamada de movimento do suricato. Outra coisa seria dizer: "Sem a menor dúvida há um poço d'água por ali. Vamos nessa!" Se já estamos morrendo de sede, a inação costuma ser pelo menos tão má quanto seguir alguém com uma falsa sensação de certeza.

Hoje em dia, como a maioria dos seres humanos não corre o risco de morrer por não ter conseguido pegar um prato de comida ou achar um oásis, é um risco sem grande recompensa seguir pessoas que com frequência estão erradas, mas nunca em dúvida. Marque isso como mais um exemplo de incompatibilidade evolutiva, onde um comportamento adaptativo no passado – excesso de confiança – é agora "inadequado" porque nosso mundo mudou. O excesso de confiança, no entanto, continua a prosperar. Em uma série de estudos, os professores Cameron Anderson e Sebastien Brion descobriram que indivíduos incompetentes, mas superconfiantes, alcançaram com rapidez *status* social em grupos experimentais. Mesmo quando a competência era facilmente medida e todos poderiam comprová-la, o excesso de confiança fazia outras pessoas nos verem como mais competentes do que de fato éramos. Nesse sentido, pelo menos até certo ponto, somos bem parecidos com os suricatos.

Da mesma forma, uma revisão de 2019 dos pedidos de bolsas de pesquisa para a Fundação Bill & Melinda Gates descobriu que as inscrições que usavam uma linguagem mais ampla, mais abrangente, sobre o impacto potencial dos estudos propostos obtiveram mais financiamento que as inscrições que usavam um linguajar mais restrito, mais técnico. Depois que as propostas de pesquisa foram realizadas, os que ostentaram alegações mais amplas e os que fizeram alegações mais técnicas apresentaram estudos da mesma qualidade. Houve aqui, no entanto, um deprimente desvio: manifestou-se um enorme viés de gênero. As mulheres geralmente avisavam em uma linguagem franca, cautelosa, que poderiam voltar atrás em certas conclusões. Os homens com frequência escreviam como se pudessem prometer a Lua. Devido à nossa predisposição para o excesso de confiança, os homens conseguiram maior financiamento. Estar muitas vezes errado, mas nunca vacilante, continua sendo uma estratégia vencedora em grande parte de nosso mundo.

De zelosos psicopáticos que sobem a escada a doidos superconfiantes que a tiram de baixo dos colegas mais competentes, temos muita gente em posições de autoridade que não devia estar lá. Mas até agora nos concentramos em *indivíduos* corruptíveis que buscam e conquistam o poder. Certas pessoas, como Raucci, McFife na associação de moradores do Arizona ou o imperador Bokassa da República Centro-Africana, são mais atraídas para o poder que outras. Algumas dessas pessoas famintas de poder são psicopatas superconfiantes, narcisistas ou maquiavélicos que conseguem subir na hierarquia por meio de manipulação e intimidação.

Mas não é apenas com indivíduos corruptíveis que precisamos nos preocupar.

Como cientista social, estudo a interação entre pessoas e sistemas. E ainda não podemos deixar os *sistemas* dentro dos quais operamos fora de suspeitas. Steve Raucci foi destrutivo em Schenectady. Poderiam seus piores impulsos ter sido restringidos em um distrito escolar com melhor supervisão? A cultura importa? Ele teria sido mais ou menos destrutivo se fosse um homem de manutenção em Nanquim em vez de Nova York? Para responder a perguntas desse tipo, precisamos pensar um pouco sobre o arroz, investigar como o aumento das bicicletas facilitou algumas das piores atrocidades cometidas por nossa espécie, ter uma aula de esqui com um homem que herdou uma ditadura e investigar a estrutura de uma colmeia.

VI

SISTEMAS RUINS OU PESSOAS RUINS?

"Dê-me uma dúzia de bebês saudáveis, bem formados e um mundo como o meu para criá-los e garanto que vou pegar qualquer um ao acaso e treiná-lo para que se torne algum tipo de especialista que eu venha a selecionar – médico, advogado, artista, comandante da marinha mercante e, sim, até mesmo mendigo e ladrão, independentemente de seus talentos, inclinações, tendências, habilidades, vocações e da raça de seus ancestrais."

— John Watson, *fundador do behaviorismo, escrevendo em 1925*

Colheitas para Cappuccinos

O que você pode aprender sobre a humanidade observando como as pessoas se comportam enquanto tomam café na Starbucks? Parece que muita coisa.

Em seis cidades chinesas, os pesquisadores observaram cerca de 9 mil pessoas sentadas em vários endereços da Starbucks. Enquanto elas se apresentavam como pessoas comuns, apenas tomando o café da manhã, os pesquisadores registravam dados para dois estudos. No primeiro estudo, mediam quantas pessoas estavam sentadas sozinhas e quantas estavam com outros. Depois, no segundo estudo, conduziram um experimento que chamaram "o teste da cadeira". Os pesquisadores moviam uma cadeira que normalmente estaria bem enfiada sob uma mesa e a colocavam no corredor. Parecia fora do lugar e, ainda pior, estava no caminho de qualquer um que se deslocasse pela Starbucks. Os pesquisadores então se sentavam e observavam. Quantas pessoas moveram a cadeira de volta para o lugar de onde ela deveria ter saído e quantas pessoas simplesmente aceitavam que a cadeira estivesse ali e tivessem de se mover em torno dela.

Aqui está o que os pesquisadores descobriram: em duas das seis cidades chinesas, um número muito maior de pessoas estava sozinho que nas outras quatro cidades, onde a maioria esmagadora dos clientes estavam acompanhados de pelo menos mais uma pessoa. Então, por que alguns endereços da Starbucks abrigavam mais fregueses sozinhos que outros? Quando os pesquisadores analisaram mais tarde os dados, havia outro quebra-cabeças. Nas mesmas duas cidades que tinham mais clientes sozinhos, uma parcela muito maior de pessoas tirou a cadeira do caminho. As diferenças de comportamento eram tão grandes que não podiam ser atribuídas ao acaso.

Os pesquisadores tiveram uma ideia. Assim, eles replicaram o teste da cadeira em endereços da Starbucks no Japão e nos Estados Unidos. O dobro de norte-americanos tirou a cadeira do caminho. Mais uma vez, era improvável que fosse devido à aleatoriedade nos dados. O que estava acontecendo?

Se marcarmos as seis cidades chinesas em um mapa, veremos um padrão: os deslocadores de cadeiras que tomavam café sozinhos estavam no Norte. Os que aceitavam a cadeira e tomavam café com amigos estavam no Sul. Poderia alguma coisa relacionada a geografia explicar como as pessoas se comportaram na Starbucks local?

Esses estudos foram elaborados para testar algo chamado teoria do arroz. Há milhares de anos, grande parte do sul da China tem cultivado arroz, uma cultura que requer cooperação. Nenhuma família pode montar sozinha a infraestrutura de irrigação necessária para uma colheita bem-sucedida. Além disso, os vizinhos têm de confiar uns nos outros. Se uma família inundar seu arrozal cedo demais, isso pode arruinar a produção das outras famílias. Se as pessoas não estabelecem uma coordenação, é mais provável que todas passem fome.

Por outro lado, na parte norte do rio Yangtzé, muitas comunidades chinesas dependem há muito tempo do trigo. Ao contrário do arroz, o trigo requer pouca coordenação ou colaboração. Plante-o em seu campo e está pronto. As famílias podem agir de modo independente, sem que uma afete a colheita da outra. Os cientistas começaram a se perguntar: ao longo de centenas de gerações, a escolha do que se planta não tem um impacto na cultura? A teoria do arroz nasceu. Thomas Talhelm, da Universidade de Chicago, defendeu a teoria. Sua premissa central é simples: áreas que dependem do arroz há milhares de anos tornam-se mais comunais, enquanto regiões cheias de trigo são mais individualistas.

Extensa pesquisa já provou que nosso comportamento é subconscientemente afetado pela cultura onde crescemos ou vivemos. Em culturas individualistas, as pessoas estão mais dispostas a seguir sozinhas. Farão mais por conta própria, mas também será mais provável que tomem a iniciativa de mudar de ambiente quando ele já não lhes convier. Ao contrário, os que vivem em culturas comunais são menos propensos a sair sem outras pessoas e são menos propensos a tomar pessoalmente a iniciativa de mudar de ambiente. Tendem a aceitar os ambientes externos como eles são e a se adaptar às suas cercanias.

Essa é precisamente a divisão que os pesquisadores da Starbucks descobriram: os movimentadores da cadeira que tomavam café sozinhos nas áreas mais focadas no trigo se comportavam mais como norte-americanos individualistas. Os que não mexiam com a cadeira e tomavam seu café em grupo vinham de áreas dominadas pelo arroz e se comportavam mais como japoneses comedores de arroz de áreas comunais. Poucos, se é que algum, dos clientes observados nesses cafés tinham qualquer ligação pessoal com a lavoura. Ainda assim, o modo como seus ancestrais se alimentavam parece ter tido um efeito, mesmo sobre algo tão mundano quanto a maneira como as pessoas agem na Starbucks (eu, por exemplo, tomo com frequência café sozinho na Starbucks – o que é uma vergonha porque nunca tenho ninguém para compartilhar como me divirto quando digo ao barista que meu nome é "Brian com *i*" e me passam uma xícara que tem escrito *Briani*).

Não é apenas nosso comportamento que é afetado por nossa cultura. Também pensamos de modo diferente. Considere esta lista de três palavras: *trem, ônibus, trilhos*. Agora, faça uma pausa e escolha duas que pertençam à mesma categoria.

Se você escolheu *trem* e *ônibus*, é mais provável que seja um pensador "analítico". Os dois se juntam porque ambos são meios de transporte. Se você escolheu *trem* e *trilhos*, é mais provável que seja um pensador "holístico". Os dois andam juntos porque um se relaciona com o outro. Trens precisam de trilho. Os japoneses tendem, em média, a ser pensadores holísticos. Os norte-americanos tendem, em média, a ser pensadores analíticos. E na China – uma sociedade geralmente mais comunal – a divisão arroz-*versus*-trigo aparece mais uma vez. Os chineses das regiões de trigo colocam *trem* e *ônibus* juntos com muito mais frequência que chineses das regiões de arroz.

Da próxima vez que se sentar sozinho em uma Starbucks, mover uma cadeira ou classificar qualquer coisa em sua cabeça, você terá de se perguntar: eu teria me comportado da mesma maneira se tivesse crescido comendo mais arroz? Essas teorias grandiosas, tão puras e abrangentes, são sempre muito simplificadas e exageradas. Não importa o que sugira alguma análise estatística extravagante, nosso destino não está escrito nos campos que nossos ancestrais lavraram há milhares de anos. Mas a teoria do arroz sem dúvida oferece ao menos uma explicação parcial. Se nosso comportamento e nossos pensamentos podem, mesmo que de modo marginal, ser afetados por algo tão invisível e aparentemente distante quanto as safras que nossos ancestrais cultivavam, imagine como aqueles no poder estão condicionados a se comportar em função das diferenças na cultura do trabalho, na pressão de seus chefes ou na aprendizagem do mau comportamento dos maus garotos em volta deles.

A lição é clara: os sistemas são importantes.

A questão é quanto. Todos nós já encontramos pessoas abusivas ou horríveis em posições de autoridade. Aquele chefe que trata os subordinados como se seu valor fosse um número em seus contracheques. O treinador do ensino fundamental que adora humilhar atletas adolescentes que perdem um passe. O preguiçoso estafado atrás do balcão do Departamento Estadual de Trânsito que o trata como um idiota porque você não reconhece de imediato a diferença entre formulários PS2067A e PS2067B. Já vimos muitos exemplos de como pessoas horríveis ficam mais altas na hierarquia. Mas quando encontramos esses ogros evidentes, nem sempre eles são ogros em tudo. Como podemos saber se alguém que está abusando do poder é uma pessoa ruim ou apenas subproduto de um sistema ruim?

Essa é uma questão crucial se quisermos melhorar o mundo. Quando aqueles em posição de autoridade agem como monstros abusivos, tendemos a interpretar seus comportamentos *apenas* como produto de opção individual ou falhas de personalidade. Às vezes, como já vimos, isso é perfeito. Psicopatas e pequenos tiranos raramente merecem o benefício da dúvida. Mas às vezes, quando o poder é mal utilizado ou fonte de abuso, isso não acontece porque a pessoa responsável seja "má" pessoa.

Nós, seres humanos, somos terrivelmente ineptos para decifrar a diferença entre pessoas horríveis e sistemas horríveis. Frequentemente confundimos situações infelizes com intenção malévola. Isso se deve a um "erro fundamental de atribuição de responsabilidades". Pense na última vez que alguém estacionou na última vaga do supermercado, esbarrou em você na rua ou lhe deu uma fechada quando você estava dirigindo. Qual foi sua reação inicial: presumir que o sujeito era um irremediável idiota *ou* refletir que aquilo era um acidente e que ele podia estar se comportando assim porque a mãe havia acabado de morrer? De maneira sistemática, descartamos explicações solidárias quando os outros fazem a coisa errada ou nos fazem sentir como vítimas. O oposto é verdadeiro quando *nós* nos comportamos mal. Da próxima vez que esbarrar acidentalmente em um elevador, derramar seu café em alguém ou trocar de pista no último segundo antes de uma via de saída, considere se você encara isso como prova de que é uma pessoa horrível. A não ser que tenha aversão a si mesmo, é muito mais provável que você explique seu comportamento por fatores externos: um elevador apinhado de gente, um acidente desastrado ou o fato totalmente compreensível de que você se distraiu no volante porque estava pensando, digamos, no choque que deve ter sofrido o primeiro ser humano que ouviu um papagaio falar.

Condenamos os outros pelo mesmo comportamento que desculpamos em nós. Esse tipo de erro fundamental de atribuição de responsabilidades foi sistematicamente testado na Áustria. As descobertas foram cristalinas: motoristas só interpretavam direção descuidada como perigosa quando era praticada por outra pessoa, mas racionalizavam sua própria direção descuidada como inevitável ou justificada. Quando os outros se comportavam mal, presumíamos com rapidez ser o reflexo de mau caráter. Quando somos nós que nos comportamos mal, *sabemos* que não se trata absolutamente disso.

Mas aqui está o problema: se formos colocados em uma situação pior ou em um sistema pior, as chances de nos sentirmos tentados a um mau comportamento são altas – tentados até mesmo a contornar as regras ou prejudicar outras pessoas. Seria possível até mesmo que nos tornássemos o monstro corruptível que adoramos odiar. Não acredita em mim? Vou provar.

Tíquetes de Estacionamento, Banqueiros e Abelhas

Quando dizemos: "Ninguém está acima da lei", isso não é verdade. Algumas pessoas estão. Na cidade de Nova York, por exemplo, enviados oficiais às Nações Unidas e suas famílias têm imunidade diplomática. Não podem ser processados pela maioria dos crimes. Felizmente, essa proteção não costuma se aplicar a embaixadores que andassem rondando como *serial killers*. Mas a história é um pouco diferente quando se trata de violações de estacionamento rotativo.

Para os nova-iorquinos que estão atrasados, o estacionamento ilegal tem um custo. Supere excessivamente seu tempo alocado em um parquímetro e terá de abrir mão de 60 dólares. Estacione perto de um hidrante de incêndio e solte 115 dólares. Mas para diplomatas, sua análise de custo/benefício ao bloquear um hidrante dos bombeiros costumava vir sem nenhum custo. As multas continuariam sendo emitidas, mas ninguém teria de pagá-las. Placas diplomáticas eram o melhor cartão fique-fora-do-xadrez para estacionamento ilegal. Também proporcionavam uma grande tentação. Nos cinco anos, de 1997 a 2002, os diplomatas das Nações Unidas foram citados por 150 mil tíquetes de estacionamento que deixaram de ser pagos – mais de 80 por dia. No acumulado, penduraram uma conta superior a US$ 18 milhões (felizmente, tenho certeza de que ninguém se importou, pois os nova-iorquinos são internacionalmente reverenciados por suas reações calmas, empáticas, a pessoas que estacionam como jumentos).

Em 2002, o prefeito da cidade de Nova York, Mike Bloomberg, decidiu dar um basta nisso. A administração de Bloomberg começou a implementar a regra "três faltas e você cai fora", em que qualquer veículo diplomático com mais de três tíquetes de estacionamento não pagos perderia suas placas diplomáticas. Em outubro de 2002, o Manhattan Oeste Selvagem do estacionamento diplomático ilegal terminou. Para deixar claro que havia um novo xerife em Nova York, a cidade despojou 30 países de suas placas especiais em apenas um mês.

É o que os cientistas sociais chamam de experimento natural. É natural porque aconteceu sem a intervenção de equipes de pesquisa. Mas embora não aconteçam em um laboratório, os experimentos naturais seguem a mesma lógica. Assim como os experimentos médicos envolvem um grupo de tratamento e um grupo de controle, este experimento natural contou com um grupo de controle (diplomatas no período de pré-aplicação) e um grupo de tratamento (diplomatas no período da pós-aplicação). Todo o resto era basicamente o mesmo. A principal diferença que podia explicar quaisquer mudanças de comportamento era se os diplomatas pensaram que podiam escapar impunes de violações de estacionamento.

Dois economistas, Ray Fisman, da Universidade de Boston, e Edward Miguel, da Universidade da Califórnia, em Berkeley, analisaram os dados para ver que padrões poderiam encontrar. Se está tentando adivinhar o que eles encontraram, é provável que você se enquadre em um dentre dois campos. O primeiro campo acredita que aqueles que estacionam de forma ilegal são provavelmente apenas infratores imprudentes das regras. Somos ou não somos motoristas que estacionam fora da lei, do mesmo modo como somos narcisistas ou não. O segundo campo não culpa o indivíduo, mas vê o comportamento individual como produto de cultura ou contexto. Talvez os que praticam estacionamento ilegal venham de uma sociedade onde ensinem aos funcionários que as regras não se aplicam a eles. Ou talvez as pessoas simplesmente decidam se vão transgredir a lei com base nas probabilidades de ter de enfrentar consequências.

Então, o que Fisman e Miguel encontraram?

Suas evidências respaldaram, de forma decidida, a explicação da cultura-e-contexto. Havia diferenças gritantes em quem estacionava ilegalmente no período anterior à aplicação da lei. Diplomatas de lugares como Suécia, Noruega e Japão tiveram zero tíquetes de estacionamento não pagos durante um período de cinco anos. Mesmo quando poderiam ter se safado, eles seguiram as regras. Na outra ponta da escala, diplomatas do Kuwait registraram *em média* 249 violações de estacionamento *por diplomata*. Os outros nove países integrados aos dez piores eram todos bastiões da corrupção: Egito, Chade, Sudão, Bulgária, Moçambique, Albânia, Angola, Senegal e Paquistão. Sem dúvida alguma, culturas de corrupção tinham um efeito drástico no comportamento individual.

Mas a fiscalização – o sistema – também importava. No caso dos diplomatas de países corruptos que estavam estacionando de forma ilegal como se aquilo fosse um esporte olímpico, a fiscalização deu uma limpada em seus atos da noite para o dia. O Kuwait, medalhista de ouro, passou de uma média de quase 250 violações não pagas de estacionamento por diplomata para uma média de 0,15. O Egito, medalhista de prata, foi de 141 para 0,33. E o medalhista de bronze Chade passou de 126 para 0. Poucos dias depois, os diplomatas do Chade estava se comportando da mesma maneira que os diplomatas da Noruega, pelo menos no modo como estacionavam seus carros.

Quem inicialmente deu palpite de que personalidades e caráter têm máxima importância – o primeiro campo – provavelmente está agora fazendo objeções. Os indivíduos que representam regimes corruptos têm maior probabilidade de serem pessoas corruptas! O caminho para representar, digamos, a Venezuela nas Nações Unidas é muito diferente do caminho para representar a Noruega! Sem dúvida isso é verdade. Os diplomatas venezuelanos podem ser promovidos por comportamentos que levariam à demissão diplomatas noruegueses. Mas a análise de Fisman e Miguel tem uma resposta a essa objeção. No período de pré-aplicação da lei, diplomatas de países sem mácula tendiam a estacionar ilegalmente com mais frequência quanto maior fosse o tempo que estavam em Nova York. À medida que se acostumaram com a ausência de fiscalização, ficaram cada vez mais tentados a imitar o comportamento dos diplomatas de países corruptos. A cultura é importante, mas as consequências também.

Não é apenas estacionamento. Um efeito semelhante foi encontrado na Itália, onde há um gritante fracionamento da corrupção regional. O sul da Itália – e berço da Máfia – tem muito mais corrupção que o Norte. Os pesquisadores Andrea Ichino e Giovanni Maggi se perguntaram até que ponto essa marca cultural afeta o comportamento, mesmo quando as pessoas se mudam da área onde foram criadas. Para descobrir isso, usaram outro experimento natural inteligente. Estudaram um banco nacional com filiais em toda a Itália. Eles identificaram empregados que se transferiram de uma região para outra, os banqueiros nascidos no Sul que se transferiram para o Norte ou vice-versa. Suas descobertas foram similares às do estudo do estacionamento: a cultura importava, mas os sistemas locais em que eles trabalhavam também tinham uma importância enorme. A maioria dos empregados que se transferiram para o Norte começavam a se comportar melhor, enquanto a maioria dos empregados que se mudavam para o Sul começavam a se comportar pior.

Sistemas ruins ou pessoas ruins?

Sem dúvida nos comportamos de maneira diferente em função de como *acreditamos* que um sistema opera, não de como ele realmente opera. O Chile, uma robusta democracia na América do Sul, tem um baixo nível de corrupção, assim como Taiwan, Espanha, França e Estados Unidos. Contudo, como observa Andres Liberman, da NYU [Universidade de Nova York], os chilenos costumam se divertir lendo histórias sobre estrangeiros – geralmente norte-americanos – que presumem que tudo ao sul da fronteira é irremediavelmente corrupto. Quando parados pela polícia, alguns turistas norte-americanos tentam subornar os policiais chilenos, o que é crime. De volta a casa na Califórnia ou Connecticut, eles jamais sonhariam em subornar um policial. Mas no Chile, todos se mostram muito dispostos a tentar. O tiro sai pela culatra. Alguns acabam na prisão sob a acusação de tentativa de suborno, tudo por causa de uma falsa crença em como um sistema opera. O mau comportamento certamente não surge, com exclusividade, de um mau caráter.

Essas percepções têm enorme importância para entendermos se o poder torna as pessoas piores. Se o sistema é o culpado, deveríamos direcionar nossas reformas para dar uma limpeza no contexto. Mas se devemos censurar um indivíduo que faz más escolhas, devemos direcionar nossas reformas para colocar pessoas melhores no comando – ou pelo menos para tentar fazer com que pessoas ruins se comportem melhor.

Um modo de testar se os sistemas são mais importantes que os indivíduos é remover a variável de escolha – pelo menos como nós a entendemos. Isso é praticamente impossível de fazer com seres humanos porque a todo momento estamos realizando escolhas intencionais. Na realidade, precisamos nos voltar para o reino animal. O que leva a um comportamento "corrupto", aparentemente egoísta, em espécies onde os indivíduos não pensam tanto sobre si mesmos?

Poucas pessoas diriam que abelhas e vespas fazem escolhas individuais. Até nossa linguagem deixa isso bastante claro quando falamos de "drones" [zangões] em uma colônia ou "mentes de colmeia". No entanto, sistemas e consequências também remodelam, de forma radical, o comportamento no reino animal. Acredite ou não, entre algumas espécies de vespas e abelhas há maior ou menor corrupção, e algumas chegam a ter operárias especializadas que se acredita que atuem como insetos policiais. Mas se esses enxames se comportam mal depende muito menos do indivíduo e muito mais das regras e estruturas em volta deles.

Abelhas e vespas, como britânicos e dinamarqueses, são governadas por rainhas. Assim como entre os humanos, só pode haver um monarca de cada vez. Ser a rainha é uma grande festa. Você tem uma colmeia inteira dedicada a você e começa a reproduzir seu material genético com uma alegre displicência. No bolão evolutivo, a abelha rainha ganhou na loteria. Seus genes são transmitidos para cada abelha ou vespa na colmeia. Mas abelhas e vespas operárias têm um instinto oculto: elas também querem passar seus genes adiante. Não vamos entrar em complicadas equações matemáticas aqui, mas dramáticas competições evolutivas estão acontecendo dentro de uma colmeia. Essas competições colocam o que é melhor para cada indivíduo contra o que é melhor para a colmeia.

Todas as larvas fêmeas podem se tornar rainhas com a dieta certa. Dê a elas a comida certa para bebês e vá direto para a versão favo de mel do Palácio de Buckingham. Para cada larva, então, tornar-se *a* abelha rainha é o resultado evolutivo ideal. Mas da perspectiva da colmeia, qualquer excesso de rainhas é um desperdício. Rainhas não podem realizar tarefas que são normalmente atribuídas às operárias. É como se clonássemos de modo interminável a rainha Elizabeth II, o que provavelmente não seria particularmente útil para, digamos, a produtividade da indústria siderúrgica britânica. Mas para as abelhas é ainda pior. Rainhas em excesso *diminuem* a produtividade porque cada vez que é feita uma rainha sobressalente, perde-se a operária que ela poderia ter sido.

Como são criaturas sociais sofisticadas, abelhas e vespas desenvolveram um mecanismo de policiamento para resolver este problema. As operárias se tornam as policiais da colmeia. Realizam operações de busca-e-apreensão para encontrar quaisquer alpinistas sociais trapaceiras com aspirações de se juntarem à família real. Em seguida, aplicam uma perturbadora fração de justiça estilo Maria Antonieta. "Essas infelizes criaturas são decapitadas ou diaceradas pelas operárias logo após saírem de suas células no favo de cria", explicam os professores Francis Ratnieks e Tom Wenseleers, dois peritos no comportamento de insetos sociais. Mas como acontece com os humanos, as vespas que fazem o policiamento às vezes abusam de sua autoridade para proveito pessoal. Como Ratnieks me disse, algumas vespas agem como policiais corruptos: "Algumas das operárias que matam os ovos também põem *seus próprios ovos*. Isto realmente não é feito para o bem da colônia, mas em benefício próprio".

Aqui, então, está a pergunta interessante: o que faz uma espécie de abelha ou vespa ter um comportamento oportunista, mais ou menos corrupto, em comparação com outras espécies? Nas abelhas meliponas, por exemplo, até 20% das larvas de fêmeas começam a se desenvolver como rainhas, entrando em um jogo lotérico que quase sempre acaba com suas cabeças sendo arrancadas. Nas abelhas comuns, apenas 0,01% das larvas de fêmeas começam a se desenvolver como rainhas em excesso. Isso levanta uma intrigante pergunta: as abelhas meliponas são apenas 2 mil vezes mais "gananciosas" que as abelhas comuns? São elas as safadas egoístas do mundo dos insetos sociais?

A resposta se encontra no sistema, não no indivíduo. Varia o modo como são construídas as colmeias dos insetos sociais. Algumas selam os ovos, tornando-os difíceis de inspecionar. Outras os deixam abertos, permitindo que entrem as abelhas policiais (presumivelmente sem um mandado) e se certifiquem de que não há algum engraçado negócio evolutivo em processo. Algumas espécies evoluíram para ter células de rainha especiais, maiores, demarcando fendas para larvas que podem se desenvolver como futuras rainhas. Outras espécies têm células que se camuflam perfeitamente, e uma futura rainha se parece muito com as futuras operárias. Quando as células são fáceis de inspecionar e as células da rainha são facilmente diferenciadas das células das operárias, o policiamento é bem mais eficiente. Cortem suas cabeças! Quando as células estão fechadas e as larvas da pretensa rainha se misturam às larvas das operárias, o policiamento é ineficaz.

Assim como acontece com os seres humanos, o policiamento ineficaz cria novas tentações. Você provavelmente vai se dar bem, então por que não tentar? Em abelhas e vespas, um policiamento precário torna mais provável que alguns indivíduos priorizem comportamentos "egoístas" em vez de comportamentos que beneficiam a colmeia. "Quando o policiamento é mais eficaz", diz Ratnieks, "há menos operárias que tentam botar ovos". As abelhas meliponas não são 2 mil vezes "piores" que as abelhas comuns. Elas apenas têm um sistema que as deixa escapar impunes de um comportamento egoísta, sendo por isso mais egoístas em termos evolutivos. Os humanos, nesse aspecto, são muito parecidos com as abelhas.

Da Starbucks a colmeias e bancos, é claro que os sistemas guiam o comportamento. Mas tudo continua um pouco obscuro. Uma pessoa realmente má não se comportaria mal, não importa o contexto? E uma pessoa realmente boa não resistiria às tentações de um sistema ruim para se comportar de maneira honrada? Para descobrir, precisamos de outro experimento natural – em termos ideais, um experimento em que a *mesma* pessoa governe, exatamente ao mesmo tempo, dois sistemas, um mau e um bom. Se alguém for tirano em um sistema e visionário em outro, podemos então concluir que não devíamos nos concentrar exclusivamente em indivíduos. Isso forneceria uma nova hipótese. Talvez o poder corrompa mais em sistemas ruins. Vamos ver se isso é verdade.

Rei Construtor / Rei Carniceiro

Em 1865, quando a escravidão estava terminando nos Estados Unidos, o rei Leopoldo II ascendeu ao trono da Bélgica. Eram grandes as esperanças de que o monarca de 30 anos governasse como um reformador. No início, ele não decepcionou. Leopoldo adotou iniciativas populares progressistas, incluindo escolas elementares gratuitas e obrigatórias, sufrágio universal masculino e leis mais rígidas contra o trabalho infantil. O primeiro vislumbre dos fins de semana também surgiu, pois os domingos se tornaram dias de folga obrigatória. Leopoldo também ganhou um novo apelido: Rei Construtor. No decorrer de seu reinado, construiu exuberantes edifícios públicos e parques. Depois de ter acumulado, em caráter privado, enormes lotes de terra e uma variedade de propriedades no campo, ele promulgou o Royal Trust, para que todos os futuros belgas pudessem desfrutar o que ele havia desfrutado.*

Na Bélgica, então, Leopoldo II, de um modo geral, ampliou os direitos trabalhistas, expandiu a educação e construiu um conjunto impressionante de obras públicas, criando uma reputação de reformador benevolente dentro de seu reino. Mas para ele, a Bélgica nunca foi o prêmio. *"Petit pays, petits gens"*, comentou certa vez com desdém. País pequeno, gente pequena. Sonhava com algo maior.

Um dia, Leopoldo se viu imerso em um livro chamado *Java, or How to Manage a Colony* (Java, ou Como Administrar uma Colônia). Era uma espécie de guia prático para a colonização, um livro escrito sobre a ilha para a qual aquele navio condenado, o *Batavia*, havia zarpado dois

---

* O Royal Trust foi uma doação de terras, castelos e prédios feita por Leopoldo II ao Estado belga. (N. do T.)

séculos atrás. Leopoldo foi fisgado. O único problema era que a maioria dos belgas não compartilhava o fascínio recém-descoberto de seu rei. A colonização parecia cara demais para um pequeno país com a Bélgica. Leopoldo concluiu que precisava alterar essa percepção pública e tornar seu reino menos paroquial. "A Bélgica não explora o mundo", lamentou Leopoldo. "É nosso gosto ensiná-la a fazer isso". Seu apetite aumentou quando outras potências europeias começaram a repartir a África entre elas. "Não quero perder uma boa chance de conseguirmos uma fatia desse magnífico bolo africano."

Ele assumiu o controle do que chamou Estado Livre do Congo. O novo território era 76 vezes maior que a Bélgica – uma enorme fatia da África. Mas não era uma fatia para a Bélgica. Na realidade pertencia a Leopoldo. Ele era efetivamente seu dono. O Congo se tornou seu feudo pessoal. Leopoldo, no entanto, não tinha ideia de como administrar uma colônia. Ele não demorou a se encontrar em uma situação muito difícil. A dívida estava aumentando. Seu *how-to guide*** não o havia preparado para a ruína financeira que se aproximava. Mas antes que essa ruína chegasse, Leopoldo foi salvo, talvez um tanto inesperadamente, por um acidente científico e muitas bicicletas.

Várias décadas antes, uma febre da borracha tinha varrido os Estados Unidos. Uma seiva pegajosa de árvores brasileiras prometia tornar possível todo tipo de produtos novos e empolgantes. Os investidores despejaram milhões na produção da borracha. Mas a empolgação desapareceu quando as pessoas perceberam que a borracha derretia. Ela se transformava em uma cola fedorenta quando esquentava e se partia quando esfriava. Uma capa de borracha ia literalmente pingar da pessoa que a estivesse usando durante os meses do verão. Então, em 1839, Charles Goodyear derramou acidentalmente enxofre na borracha derretida.

** Guias práticos editados nos EUA sobre como cumprir diferentes tarefas. (N. do T.)

Ao contrário da borracha normal, sua mistura não intencional, que ele chamou de "borracha vulcanizada", tinha propriedades milagrosas. Era à prova d'água. Mesmo, no entanto, com essa descoberta, simplesmente não havia muita demanda por borracha (Goodyear morreu com uma dívida de pelo menos 200 mil dólares).

A demanda veio mais tarde. No final dos anos 1880, décadas após a morte de Goodyear, um veterinário escocês chamado John Dunlop inventou um novo pneu de borracha para ajudar o filho, que andava de triciclo, a deslizar sobre os calombos da estrada. A inovação deu origem ao "*boom* das bicicletas". Em 1890, 40 mil bicicletas foram produzidas nos Estados Unidos. Seis anos mais tarde, o número era de 1,2 milhões. De repente, todos queriam borracha. Europeus sonhavam com riqueza brotando do solo enquanto plantavam seringueiras de uma ponta à outra de suas colônias. Mas essas árvores levariam tempo para amadurecer. Leopoldo percebeu que estava, por um golpe de sorte, sentado em uma mina de ouro verde. Vinhas de borracha que cresciam naturalmente em toda a sua colônia do Congo poderiam ser aproveitadas de imediato para atender à demanda global. Tudo que ele precisava era de trabalhadores para coletar aquele ouro pegajoso e enviá-lo à Europa.

Quando a borracha foi levada para a Bélgica e além, E. D. Morel, um despachante de carga de 18 anos de idade da Inglaterra, reparou em algo estranho nos carregamentos. Nenhum dinheiro estava sendo enviado de volta para pagar a borracha. Em vez disso, os porões dos navios que navegavam para a África voltavam cheios de armas e algemas, cadeias da escravidão que havia em grande parte desaparecido do mundo moderno. Morel tinha descoberto o segredo de Leopoldo. As atrocidades cometidas na colônia pessoal de Leopoldo estão documentadas, de forma assustadora, em um livro premiado, *King Leopold's Ghost* (O Fantasma do Rei Leopoldo), de Adam Hochschild.

No Estado Livre do Congo, a barbárie do rei Leopoldo foi amplamente praticada por um grupo armado chamado Force Publique, uma misturada de soldados belgas e mercenários gananciosos. Eles forçavam os aldeões a extrair borracha, um processo extremamente doloroso em que o látex líquido da seringueira era espalhado por uma grande área da pele, onde gradualmente endurecia, sendo depois retirado como uma casca.

Qualquer um que resistisse seria severamente punido. As tropas armadas de Leopoldo agarrariam todas as mulheres que pudessem capturar e as tomariam como reféns. Os homens da aldeia eram informados de que as mulheres só seriam libertadas quando o chefe da aldeia fornecesse aos belgas a soma requerida de borracha. Se os homens não obedecessem, as mulheres seriam assassinadas. Enquanto os homens iam para a selva para salvar seus entes queridos, os soldados da Force Publique estupravam as mulheres que consideravam mais atraentes. Assim que a cota de borracha fosse finalmente atingida, as mulheres seriam vendidas de volta para os aldeões por "um par de cabras a peça". Se os aldeões continuassem a resistir, todos na aldeia – homens, mulheres e crianças – eram massacrados para passar um recado às aldeias vizinhas. Para terem certeza de que os soldados haviam cumprido as ordens, os oficiais belgas exigiam provas. O método padrão era levar a mão direita de cada cadáver. Às vezes, soldados entediados chegavam a usar congoleses como alvo em exercícios de tiro. Um membro da Force Publique teria decorado o canteiro de flores de seu jardim com 20 cabeças humanas.

Voltando à Bélgica, havia um interesse considerável no "exótico" Congo. Como explica Adam Hochschild, Leopoldo "importou" uma exposição do povo congolês para a feira mundial de 1897 em Bruxelas. O rei colocou 267 homens, mulheres e crianças em exibição para o entretenimento de seus concidadãos. O povo congolês foi forçado a exibir suas vidas em recém-construídas aldeias falsas que deveriam representar os vários níveis do se tornar "civilizado". Os visitantes achavam divertido dar aos "aldeões" cativos doces belgas que eles nunca haviam provado. Alguns começaram a ficar doentes devido ao excesso de açúcar. Para acabar com isso, os expositores penduraram uma placa: OS NEGROS SÃO ALIMENTADOS PELO COMITÊ ORGANIZADOR. O "Rei Construtor" havia construído um zoológico humano.

Por ocasião da morte de Leopoldo, entre 2 milhões e 12 milhões de congoleses haviam sido mortos (ao descrever o massacre de tantas pessoas, George Washington Williams, um jornalista investigativo afro-americano, cunhou a expressão *crimes contra a humanidade*). O número de mortos foi devastador. Mas os lucros foram surpreendentes. Segundo uma estimativa conservadora indicada em *King Leopold's Ghost*, o rei embolsou, em caráter pessoal, o equivalente a US$ 1.1 bilhão em valores atuais. Parte desse dinheiro foi usado para construir grandiosos monumentos na Bélgica para onde os turistas ainda hoje afluem, parando, de modo inocente, nas sombras de construções financiadas por um dos piores horrores da história. Para que não acreditemos, erroneamente, que essas atrocidades são história antiga, algumas pessoas ainda vivas hoje eram bebês na época do funeral de Leopoldo.

Um homem, dois sistemas. Na Bélgica, Leopoldo estava obrigado à prestação de contas e sujeito a supervisão. Vidas tinham valor. No Estado Livre do Congo, o rei agia como um tirano, e suas atrocidades eram ocultadas. A borracha tinha valor. Como argumentou o cientista político Bruce Bueno de Mesquita, foi o pior experimento natural do mundo, mostrando como um monstro racista pode ser contido por um sistema e solto por outro.

Às vezes, porém, a história é escrita com roteiro oposto. O que acontece quando uma pessoa decente é colocada em uma posição de poder e tem de assumir o controle de um sistema horrível?

O Vice-Rei de Vermont

"Qual é a diferença entre um banco de parque e um instrutor de esqui?", pergunta Paul.

Eu sorrio e balanço a cabeça.

"Só um deles pode sustentar uma família."

Caem pancadas de neve, neve fresca cobrindo os ramos verdes dos pinheiros que se espalham pela montanha Vermont. Estou no Green Ridge Triple, um teleférico que nos sacode até o pico. Com um baque, o teleférico range até parar. É ventilado, mas a cadeira quase não tem balanço. Estamos bem embaixo de uma torre com o cabo firmemente travado nas rodas que, acima de nós, impulsionam o elevador para a Summit Lodge [Cabana do Pico].

"Sempre digo às crianças que ensino que quando o teleférico para assim, diretamente sob as rodas, é sinal de boa sorte", Paul me fala. "Você tem de fechar os olhos e fazer um pedido... Mas não me conte qual é o pedido ou ele não se realizará."

Balanço a cabeça e sorrio meio sem jeito. É o primeiro passeio de teleférico que fazemos juntos e não é exatamente o que eu havia esperado. Afinal, o homem sentado ao meu lado, com um uniforme de calça azul para neve e jaqueta de esqui combinando com ela, herdou uma ditadura. Durante meses, o alarme de seu despertador soava às 4h30 da manhã como um tiro de morteiro tentando matá-lo. Foi quando ele morava na residência de Uday Hussein e todo dia ia trabalhar no antigo palácio de Saddam Hussein. O que não era exatamente o tópico padrão em um currículo de alguém que se candidatava a um trabalho em uma estação de esqui. Virar hambúrgueres no White Castle?[***] Certo. Mas no Palácio de Saddam? E embora eu não tenha realmente verificado para ter certeza,

---

[***] Cadeia norte-americana de lanchonetes especializadas em hambúrgueres. (N. do T.)

estou razoavelmente seguro de que nenhum outro instrutor de esqui de Vermont teve uma recompensa de 10 mil gramas de ouro oferecida por sua cabeça por Osama bin Laden.

L. Paul Bremer III, conhecido pelos amigos como Jerry, está agora com 80 anos.

Nasceu nove semanas antes de Pearl Harbor. Tem uma touca robusta de cabelo grisalho, mas o rosto parece duas décadas mais jovem que ele – algo que Bremer credita a uma vida inteira de triatlos e maratonas. Quando seus joelhos não puderam mais aguentar o impacto de todos aqueles quilômetros no asfalto, seus dias de corrida foram encerrados e ele se tornou um ciclista sério. No inverno, esquia até onde seus joelhos permitirem.

Bremer é um diplomata de longa data. Serviu em postos no Afeganistão, Malawi, Noruega e Washington. O presidente Reagan o nomeou embaixador para a Holanda, depois fez dele seu tsar do contraterrorismo. Bremer foi mais tarde nomeado presidente de um órgão especialmente criado, a National Commission on Terrorism [Comissão Nacional sobre Terrorismo]. Em 7 de junho de 2000, Bremer apresentou o relatório da comissão, alertando que a "ameaça de ataques criando baixas em massa está aumentando". Em depoimento perante o Congresso naquele verão, Bremer falou dos riscos de outro Pearl Harbor, realizado não pelo Japão, mas por uma sombria rede de terroristas. Quinze meses depois, às 8h46 da manhã do dia 11 de setembro, aquele aviso ignorado mostrou-se tragicamente profético. Na época, os próprios escritórios particulares de Bremer ficavam na Torre Norte do World Trade Center, acima do local onde o primeiro avião bateu. Ele teve a sorte de estar em Washington, DC, naquela manhã. Alguns de seus colegas não foram tão felizes.

Na primavera de 2003, Bremer recebeu um telefonema que iria mudar para sempre sua vida. Era de Donald Rumsfeld, secretário de defesa de George W. Bush. Rumsfeld disse a Bremer que seu nome estava sendo cogitado para "um grande trabalho" relacionado à recente invasão do Iraque. Os riscos eram óbvios, mas a esposa de Bremer, Francie, não hesitou em apoiá-lo: "Se lhe pedirem, você tem de fazer". Quando o presidente pede que façam algo, disse ela, os diplomatas têm o dever de atendê-lo. Em 6 de maio de 2003, o presidente Bush nomeou Bremer chefe da Autoridade Provisória da Coalizão, a entidade que ficou encarregada de criar uma transição suave da ditadura para a democracia no Iraque.

Ela não seria tão suave.

Bremer chegou a Bagdá em meados de maio de 2003 em um transporte de tropas C-130. Apesar do calor escaldante, pisou na pista usando o uniforme que se tornaria emblemático de sua gestão como vice-rei do Iraque: um terno escuro impecável, uma gravata e botas marrons Timberland, estilo combate. Um civil, sim, mas um civil em uma zona de guerra.

Em seu primeiro dia, Bremer participou de uma reunião enervante. A situação da segurança era desastrosa em Bagdá. Saqueadores armados estavam por toda parte, pilhando lojas, ministérios do governo, locais históricos e residências particulares. Era um caos violento. Na reunião, Bremer levantou a possibilidade de os militares norte-americanos atirarem nos saqueadores para mandar uma mensagem de que a ordem estava sendo restaurada. Alguém vazou sua ideia para a imprensa. O *New York Times* publicou uma matéria sobre isso. A reação foi imediata. Se Bremer tivesse tentado emitir uma ordem semelhante nos Estados Unidos, teria sido processado por tentativa de assassinato em massa de civis. Afinal, não se pode atirar em alguém que está roubando uma TV. Muitos norte-americanos ficaram indignados.

Muitos iraquianos, no entanto, não. Bagdá não era Burlington, em Vermont. Durante décadas, Saddam Hussein havia imposto a ordem pela força. O devido processo legal nunca tinha sido parte do sistema. Bremer acreditava na instauração da democracia e do governo da lei. Mas também sabia que ditaduras não viram democracias da noite para o dia. Estava encurralado entre herdar um sistema brutal onde as pessoas esperavam que a ordem fosse gerada pelo cano de uma arma e a opinião pública em seu país, uma democracia onde se supunha que a ordem viesse do Estado de Direito. Dia Jabar, um homem que vendia refrigerantes e cigarros em Bagdá, disse na época a jornalistas que esperava que a sugestão de Bremer de atirar nos saqueadores fosse posta em prática. Sem mão firme, ele advertia, haveria "guerra civil, uma guerra de seitas – sunitas e xiitas", uns contra os outros. Em pouco tempo, os temores do vendedor de refrigerantes seriam confirmados. Centenas de milhares morreriam na violência sectária que se seguiu.

"Esta é Bella", Bremer me diz, acariciando sua pequena cachorra maltês de resgate. Ele me convidou para um café em sua casa depois da aula de esqui. Bremer mora sozinho desde que a esposa faleceu em 2019, mas a casa tem oito quartos. "Queríamos espaço suficiente para satisfazer todos os netos", explica ele. Não mais no uniforme azul de esquiar, Bremer veste uma suéter branca, de gola alta. O cinto tem bandeiras norte-americanas. Ele me leva para seu escritório, um aposento decorado com galardões de uma vida inteira de serviço público. Pendurada na parede sobre a tela do computador há uma bandeira iraquiana que lhe foi dada quando ele deixou o Iraque, e uma dedicatória costurada nela diz: "Por seu notável heroísmo, visão, energia, liderança e dedicação incomparáveis. A história se lembrará de você por reconstruir uma nação". Não posso deixar de pensar que essas palavras sobre seu legado não passam de um toque otimista.

Tomando café expresso com Bella acomodada perto dos meus pés, pergunto a ele sobre sua infame posição contra a pilhagem. O indício de uma careta cruza o rosto de Bremer. "O papel primário de qualquer governo é a segurança pública", diz ele. "Tivemos muitos soldados, mas eles não tinham regras de combate que lhes dissessem para acabar com os saques... Acredito que atirar nos saqueadores teria salvado vidas." Fiz pressão sobre ele, insistindo que ele não teria sonhado com nada remotamente parecido com aquilo se tivesse sido o vice-rei de Vermont. "Claro", diz ele, "mas *tudo* que estávamos fazendo era bem diferente do que se faz nos Estados Unidos".

Bremer fala melancolicamente das esperanças que tinha quando partiu pela primeira vez para o Iraque. Sejam quais forem suas opiniões sobre a guerra, a trágica falta de planejamento pós-guerra e suas catastróficas consequências para tantos iraquianos, Bremer não é um vilão de desenho animado. Ele apoiou a guerra, o que faz com que alguns o vejam desse jeito. Seus críticos dizem que era incompetente e perigosamente ingênuo. Outros o acusam de ser um criminoso de guerra imperialista. Mas ao contrário de outros belicistas, ele estava pelo menos disposto a colocar seu dinheiro onde sua boca estava e a assumir um dos piores empregos do mundo em um dos lugares mais perigosos do mundo. Ele o fez por uma crença genuína – uma crença errada, talvez, vendo as coisas em retrospecto – de que poderia melhorar a vida de outras pessoas. Muita gente mente para mim durante entrevistas. Não tenho dúvidas de que Bremer estava sendo sincero sobre suas intenções. Ele acreditava profundamente na democracia e na liberdade, e achava que estava lutando por ambas.

Mas no Iraque, seus valores foram testados. Quando o clérigo radical Muqtada al-Sadr começou a imprimir incitações à violência contra norte-americanos, Bremer ordenou que o jornal dele fosse fechado. Soldados o fecharam, trancando o prédio com correntes. Os críticos disseram que isso fedia a hipocrisia. "Não queremos outro Saddam!", entoaram os manifestantes, referindo-se a Bremer. Um deles disse à PBS News: "O que está acontecendo agora é o que costumava acontecer durante os dias de Saddam. Nenhuma liberdade de opinião". Mas Bremer tinha motivos para se preocupar. O Exército Mahdi de Al-Sadr continuaria massacrando incontáveis norte-americanos ao convocar para uma *jihad* contra as forças da coalizão (e essas ameaças não eram abstrações; Bremer quase foi morto, pois seu comboio foi alvo de um dispositivo explosivo improvisado, ou IED [*improvised explosive device*]). O papel de Al-Sadr no incentivo à violência contribuiria de forma significativa para os piores anos da sangrenta guerra civil no Iraque. Deveria ele ter tido liberdade para publicar um jornal que incitava à violência?

Uma pessoa decente que herda um sistema ruim tem de fazer opções que a pessoa não faria em um bom sistema, onde os editores de jornais não estão promovendo uma insurgência sangrenta e saqueadores não são precursores de uma guerra entre seitas. Embora Bremer não tivesse autoridade direta sobre os militares, cada decisão que tomava era obviamente de vida ou morte.

Isso ficou claro logo no início do reinado de Bremer no Iraque, quando ele visitou um hospital. As luzes estavam apagadas. Nenhuma máquina estava bipando. Não havia eletricidade. A rede nacional não estava produzindo mais que 10% da energia produzida antes da guerra.

"Eles me mostraram a unidade neonatal", lembra Bremer. "Havia lá um pequeno bebê. Uma menina que pesava 2,7 kg, ou algo parecido, e tinha quase seis meses de idade. E de repente me ocorreu que eu era responsável em fornecer eletricidade para aquele hospital. Não havia mais ninguém por perto que pudesse fazê-lo ou que pudesse providenciar para que alguém o fizesse." Daí em diante, Bremer começava cada reunião matinal diária revisando um diagrama de suprimento elétrico para todo o Iraque e procurando encontrar meios de restaurar mais rapidamente o abastecimento.

Quando ele me contou essa história, sentado no escritório com sua cachorra, recordei do que ouvira poucas horas atrás, quando estávamos trocando algumas palavras nas encostas. Bremer – que fora responsável por devolver a eletricidade, garantir a segurança, pagar milhões de iraquianos que estavam na folha de pagamentos do funcionalismo e assegurar uma transição para a democracia, tudo ao mesmo tempo –, Bremer estava me contando sobre os planos do *resort* para alterar o traçado de um teleférico.

"É uma coisa muito ambiciosa", ele me disse, como alguém assobiando em fascinada apreciação de uma imagem de impossível grandeza. "Eles estão dizendo que vão deslocar toda a coisa neste verão. Vamos ver se conseguem levar até o fim."

Ao contrário de Leopoldo, Bremer queria fazer a coisa certa. Estava constrangido. Suas ações estavam sujeitas a uma supervisão agressiva. No entanto, ele percebeu que, em um sistema destroçado, brutal, um idealista não iria longe. Devido a uma falta de planejamento antes da invasão, Bremer foi forçado a improvisar. Será o primeiro a admitir que algumas dessas improvisações tiveram desastrosas consequências. Mas isso não significa que fossem malévolas. Na realidade, o sistema do Iraque definia suas escolhas. Outro sistema o teria levado a fazer escolhas diferentes. Ele certamente não defendeu atirar em saqueadores quando era embaixador na Noruega.

Após várias horas de conversa com Bremer, me levantei para ir embora. Passei pela sua estante de livros, que tinha uma foto autografada do presidente Bush dizendo: "Para Jerry, grande trabalho!" Ao lado dela, estavam dois outros bens valiosos: o certificado de instrutor de esqui Nível 1 de Bremer e um chapéu que lhe fora dado após sua primeira temporada de esqui e que dizia na aba: MELHOR RECRUTA.

As pessoas são complicadas.

Poucas pessoas herdam ditaduras. Mas muitas operam em sistemas destroçados. Com as restrições impostas por um contexto desses, não temos um livre-arbítrio absoluto. Nosso comportamento – bom e mau – é moldado por esses sistemas.

Considere, agora, o capítulo anterior em conjunto com este. Ao examinar um personagem como o zelador megalomaníaco Steve Raucci, vemos que, sem dúvida, certas pessoas se saem melhor ao manipular o sistema para a obtenção de poder. Mas também é claro que maus sistemas encorajam abusos, enquanto bons sistemas os impedem. A solução, como veremos em futuros capítulos, é reformar os sistemas para que eles atraiam menos indivíduos corruptíveis e para que impeçam os que se tornam poderosos de cometer abusos. Claro que isso é mais fácil de dizer do que fazer.

Mas antes de descobrirmos como consertar as coisas, precisamos responder a uma pergunta fundamental que tem, até agora, se mantido à espreita nos bastidores: O poder *realmente* corrompe? Ou algo mais acontece?

VII

POR QUE PARECE QUE O PODER CORROMPE

Lord Acton e a Inquisição

Um homem é despido. Suas mãos são amarradas nas costas. A corda fere seus pulsos. O corpo é levantado, bem alto, com um sistema de polias rudimentares. Os nós rasgam a pele. Sem poder reagir, o homem chora, implorando para que o soltem. "Realmente eu não conheço ninguém. Não sei de nada. Não emprestei livros para ninguém – ninguém, ninguém! Nem eu mesmo li aqueles livros." Ele grita. Seu corpo cai. No último segundo antes do impacto, a corda fica firme. A polia range. Os pés continuam suspensos alguns centímetros do chão. Os ombros são arrancados das cavidades. Ele grita de novo, depois fica mole ao perder a consciência.

Estas eram cenas padrão, meticulosamente registradas, durante a Inquisição Espanhola. O dispositivo de tortura, conhecido como *strappado*, era usado para obter confissões. Ele quebraria os corpos dos acusados na medida suficiente para ainda lhes dar uma chance de admitir seus pecados e sua heresia antes da morte. Muitos acusados, no entanto, enfrentavam uma execução direta. Alguns eram amarrados na temida cremalheira e esticados até morrer. Outros eram colocados no apropriadamente denominado triturador de cabeças, onde um capacete, uma placa de queixo e parafusos de aperto comprimiam o crânio, pouco a pouco, até que se quebrasse. E não é agradável ler isso.

Séculos mais tarde, em fins dos anos 1800, um bispo britânico chamado Mandell Creighton fez a crônica deste período em uma série de obras históricas. Mas em vez de condenar a brutalidade da Igreja, ele a documentou em um tom desapaixonado. Não cabia ao historiador, Creighton acreditava, moralizar. Para ele, o papel dos historiadores religiosos era semelhante ao dos apologistas profissionais: eles deviam dar a poderosas figuras eclesiásticas o benefício da dúvida em vez de criticar seus abusos.

Um leitor não se deixou impressionar com a crônica de Creighton. John Emerich Edward Dalberg-Acton, primeiro barão Acton, 13º marquês de Groppoli, muitas vezes conhecido como Lord Acton (não consigo imaginar por que esse nome é com tanta frequência abreviado), começou repreendendo o bispo Creighton por sua indiferença à tortura e execução de inocentes. Na opinião de Acton, Creighton "prefere o grande público que vê a história como uma forma de literatura... Não está se esforçando para defender uma causa ou ir avançando rumo a uma conclusão, mas deseja passar por cenas de violenta controvérsia e paixão com uma serena curiosidade, um julgamento dividido a favor de um e de outro e um par de luvas brancas". Era como se o historiador quisesse manter as mãos limpas enquanto falava daqueles que, na Igreja, tinham sem dúvida sujado bastante as mãos. Acton viu a indiferença moral de Creighton. Abdicava da responsabilidade pela história e da necessidade de responsabilizar gente poderosa pelos abusos cometidos em um mundo que costuma deixar impune os que estão em postos de autoridade.

Em uma carta de 1887 ao bispo Creighton, Acton escreveu: "Não posso aceitar seu cânone de que devemos julgar o Papa e o Rei por parâmetros diferentes dos aplicados a outros homens, recorrendo à favorável presunção de que eles não fizeram nada de errado. Se houver alguma presunção é a que se volta para o outro lado, contra os detentores do poder, aumentando à medida que aumenta o poder. A responsabilidade histórica tem de compensar a falta de responsabilidade legal. *O poder tende a corromper e o poder absoluto corrompe de maneira absoluta. Os grandes homens são quase sempre homens maus."* E assim nasceu uma das citações mais famosas da história.

A citação de Acton era nova, mas a ideia não. Citações semelhantes salpicam a história. Em 1770, por exemplo, William Pitt, o Velho, falou na Câmara dos Lordes sobre um fenômeno semelhante, argumentando que "o poder ilimitado tende a corromper a mente dos que o possuem". Lord Acton trouxe apenas a versão que pegou (hoje, o "tende a" é geralmente omitido; a maioria conhece o comentário como "o poder corrompe, o poder absoluto corrompe de maneira absoluta"). Este aforismo amplamente conhecido, amplamente aceito, é repetido em conversas de salão por aqueles que querem parecer espirituosos ao se referirem ao escândalo do dia. Mas será verdadeiro?

Muitas vezes encaramos o poder através de um olhar distorcido, confundindo características inevitáveis do poder com a corrupção *causada* por ele. O poder corrompe, como veremos no capítulo seguinte. Mas nossa visão abertamente cínica do *quanto* o poder corrompe está errada. Parte disso tem relação com quatro fenômenos que são subestimados com demasiada frequência quando elogiamos ou condenamos figuras de autoridade. Chamo esses quatro fenômenos de mãos sujas; aprendendo a ser bom em ser ruim; a oportunidade bate à porta; e sob o microscópio. Cada um nos dá uma perspectiva distorcida que nos faz acreditar que o poder corrompe mais as pessoas do que realmente o faz. Isso não quer dizer que as pessoas no poder se comportem de forma virtuosa, mas sim mostrar que a visão amplamente aceita de que o poder *torna as pessoas piores* é com frequência exagerada devido a erros cognitivos que cometemos quando avaliamos os que estão no comando.

Mãos Sujas em Bangkok

Verifico a hora no meu telefone. São 8h07 da manhã, 7 minutos depois de eu estar programado para me encontrar com Abhisit Vejjajiva, o ex-primeiro-ministro da Tailândia. Estou no café do elegante Hotel Sukhothai, na zona empresarial de Bangkok. O arranha-céu está situado em um jardim tropical muito bem cuidado, com uma longa fileira de palmeiras agindo como escudo para desviar o zumbido incessante dos mototáxis e o caos dos camelôs oferecendo chás gelados tailandeses, doces e com leite.

Enquanto bebo meu caro café batizado de *americano*, examino mais uma vez o saguão do hotel. Há apenas um outro cliente, um tailandês com uma camiseta amarela, contraste gritante com os homens de terno escuro e gravata que entram e saem com rapidez do hotel. Desbloqueio meu telefone e digito uma rápida mensagem. "Estou aqui – posso ir pedindo o seu café?" Um momento depois, meu telefone toca. É uma mensagem de Abhisit. "Também estou aqui." Levanto a cabeça, o homem na camiseta amarela sorri e vou me sentar na mesa dele.

"Desculpe, não esperei que viesse de camiseta", disse eu num tom de timidez.

"Sem problema. Achei que fosse mais velho."

É a ilusão do poder em ação. Nossas suposições sobre poder e *status* levaram a melhor sobre nós. Trocamos um aperto de mão. Nesse momento não pude deixar de me concentrar em um pensamento perturbador: estou cumprimentando um homem que foi acusado de cometer assassinato em massa.

Abhisit fala com um elegante sotaque inglês, subproduto de seus dias de estudante vagando com Boris Johnson no Eton College, escola preparatória de uma superelite, e mais tarde na Universidade de Oxford. Ele explica que está usando a camiseta porque é seu dia normalmente agendado para doar sangue. No fundo da minha mente, eu me pergunto se aquilo não é uma manobra, algo de solidariedade para impressionar que costuma jogar antes de ser entrevistado. Podia ser e podia não ser. Talvez ele fosse realmente altruísta e compassivo. Ou talvez fosse um manipulador maquiavélico. A linha entre esses extremos costuma ser rarefeita na política.

Começo fazendo uma pergunta fácil: Quando ele percebeu que queria se tornar um político? Houve um momento formativo que o colocou nessa trajetória?

"Eu tinha 9 anos quando aconteceram os protestos estudantis em 1973", Abhisit responde. "E eles estavam basicamente pedindo democracia, uma constituição escrita. Sem dúvida eu era novo demais para entender o que estava acontecendo em um nível sofisticado ou profundo. Mas o que me inspirou foi o fato de que tínhamos gente jovem nas ruas tentando trazer mudanças para o país."

Trinta e sete anos depois, Abhisit seria caracterizado por seus oponentes como o homem que massacrou pessoas nas ruas que procuravam trazer mudanças para o país que ele governava.

A maioria dos ocidentais, quando pensam em Tailândia ou Bangkok, imaginam praias imaculadas e uma estridente vida noturna cheia de sexo. Mas o país também abriga mais golpes de Estado que qualquer outro lugar do planeta. Após um golpe em 2006, foi escolhido um novo primeiro-ministro. Mas também ele foi removido do poder depois de ter sido o apresentador – e não estou inventando isso – de quatro programas de culinária na televisão chamados *Tasting, Grumbling* [Degustação, Resmungo], pelos quais lhe pagaram 350 dólares. Esses fundos foram considerados violação de uma lei que proibia que funcionários do governo tratassem de interesses comerciais durante o mandato. Como resultado de um pouco de *pad thai*,* supostamente corrompido, Abhisit foi posto no comando. Foi empurrado para o papel de um primeiro-ministro não eleito, escolhido por generais e por um rei, não pelo povo.

"Eu estava muito determinado a provar que você pode entrar e sair da política sem ser corrompido por ela", Abhisit me diz. "Eu sempre fui muito consciente a respeito disso. E queria dar o exemplo de ser honesto, de ser franco e fiel aos meus princípios. Espero ter conseguido."

Mas no início de 2010, os oponentes de Abhisit começaram a se mobilizar contra ele. Cerca de 120 mil partidários da oposição desceram para as ruas de Bangkok. Exigiam a renúncia de Abhisit. No início, eram pacíficos. Mas em abril, os manifestantes invadiram o Parlamento, forçando o governo a fugir do prédio. Certa noite, o governo tentou desobstruir as zonas de protesto. Os soldados foram recebidos com uma enxurrada de balas e granadas. O comandante foi atingido por uma explosão de granada e morreu. Quatro outros soldados também morreram. As tropas dispararam contra as milícias. Vinte e seis pessoas foram mortas. Quase outras mil foram feridas.

Em resposta, os manifestantes fortemente armados começaram a falar de guerra civil, ameaçando uma violenta revolta de massa se o governo tentasse removê-los das ruas. Como alguns dos manifestantes tinham desertado das forças armadas tailandesas, um conflito sangrento era uma possibilidade realista. Os manifestantes chegaram inclusive a começar a contrabandear armas pesadas para as zonas de protesto, levando-as em sacos de lixo no meio da noite. Em meados de maio, a cidade era um bar-

---

* Prato típico da Tailândia (macarrão de arroz, camarão, amendoim, ovo mexido, broto de feijão e verduras). (N. do T.)

ril de pólvora. Abhisit sabia que se os fogos fossem acesos em Bangkok, a conflagração poderia se espalhar pelo país em uma questão de horas.

"Foram provavelmente dois meses em que eu só conseguia chegar, no máximo, a três ou quatro horas de sono", lembra Abhisit tomando seu café.

Como tiros esporádicos se tornaram parte da trilha sonora da cidade, Abhisit ordenou que helicópteros lançassem panfletos para os manifestantes e as milícias. Os panfletos continham uma advertência: o governo estava estabelecendo zonas de "fogo vivo" com barreira entre os manifestantes e as tropas do governo. Abhisit estava deixando claro que dera sinal verde para os soldados usarem balas de verdade contra qualquer um – mesmo civis desarmados – que penetrassem em áreas não permitidas.

Apesar desses avisos, as milícias começaram a praticar incêndios criminosos sistemáticos em toda a cidade. Alguns manifestantes desprezaram o risco e entraram nas zonas de fogo vivo. Muitos foram mortos por atiradores do governo. Em 19 de maio de 2010, os militares tailandeses romperam as barricadas de protesto. Os líderes da manifestação se renderam. Aos poucos, a ordem retornou. A repressão brutal alcançou seu objetivo. O derramamento de sangue terminou, mas a que custo?

No total, 87 pessoas foram mortas, incluindo dois jornalistas estrangeiros que cobriam os protestos. Como outras poucas dezenas de civis ainda estão desaparecidos, o número de mortos é provavelmente maior. Mais de 2 mil pessoas ficaram feridas. Muitas eram manifestantes pacíficos.

Uma eleição foi realizada no ano seguinte. Abhisit perdeu, ganhando apenas 35% dos votos. Uma vez longe do poder, Abhisit foi acusado de assassinato em massa. Mas quando os militares tailandeses assumiram mais uma vez o controle em um golpe de Estado em 2014, as acusações de assassinato foram retiradas.

No café elegante, Abhisit continua balançando sua xícara de café e olhando para baixo quando fala. "Quando você está no poder, fica sob uma intensa pressão para manter a ordem e tentar acabar com os protestos", diz ele em voz baixa. "Mas ao mesmo tempo, você está tentando fazer o melhor para garantir que não haja perdas. Obviamente, lamentamos o fato de que acabou havendo perdas, mas essa foi a parte mais difícil do período que fiquei no cargo." Alguns generais tailandeses com quem falei fizeram eco a esse sentimento: "Você viu o que aconteceu na Líbia ou na Síria. Não podemos deixar que aconteça na Tailândia. Foi essa a escolha que Abhisit enfrentou: restaurar a ordem matando um pequeno número de 'terroristas' ou deixar centenas de milhares de tailandeses inocentes morrerem em uma sangrenta guerra civil." Pelo menos era como eles viam a coisa. Ou como desenvolveram o viés que quiseram colocar nela.

Já vimos como aqueles com traços da tríade sombria tendem a ter menos escrúpulos ao tomar uma decisão moralmente repugnante. Esses quebra-cabeças morais – como sufocar um bebê para salvar uma aldeia – são usados com frequência como experimentos mentais em aulas de filosofia na faculdade, mas são o tipo de decisão que os políticos enfrentam rotineiramente no mundo real, diante de sistemas destroçados. Quando se governa um país pobre, inconstante, de 70 milhões de pessoas, como fez Abhisit, a maioria das decisões – até mesmo as alocações orçamentárias – são verdadeiras decisões de vida ou morte. Corte o apoio à saúde mental para aumentar o pagamento de professores e pessoas vão morrer. Paralise uma semana a mais uma economia durante uma pandemia e pessoas vão morrer. Permita que manifestantes com granadas incendeiem uma cidade ou atirem em soldados e pessoas vão morrer. E se a metástase de uma revolta urbana levar a uma guerra civil, muita, muita gente vai morrer.

Sentado no café com Abhisit, não consegui parar de pensar em como suas opções causaram a morte de pelo menos 87 pessoas. Isso me assustava. Mas ninguém sabe quantas pessoas teriam perdido a vida se ele tivesse traçado um curso diferente. Poderia ter sido muito menos gente ou o montante poderia ter sido exponencialmente superior. É impossível saber.

Agora, coloque-se no lugar dele. Vamos imaginar que *pudéssemos* saber o que teria acontecido se ele tivesse agido de modo diferente. É o que os cientistas sociais chamam de contrafactual. Vamos imaginar que o contrafactual seja claro: se Abhisit tivesse permitido que os protestos crescessem, eles teriam se mobilizado com sucesso para uma guerra civil, causando um conflito que levava a 25 mil mortes. É fácil dizer que Abhisit é um assassino brutal. É mais difícil dizer como teríamos agido se estivéssemos num cargo de poder e as vidas de milhares de pessoas fossem colocadas em nossos ombros.

Esses cálculos políticos perturbadores, moralmente nauseantes, estão sendo feitos o tempo todo, em todo o globo, por pessoas como Abhisit. Alguns dos que tomam essas decisões apreciam a violência e são guiados por uma bússola que só se inclina para o interesse próprio. Outros só fazem coisas horríveis porque acreditam que é a escolha menos ruim. Depois de me encontrar seis ou sete vezes com Abhisit, espero que ele seja este último tipo de líder. Mas nunca posso ter certeza.

Na peça *As Mãos Sujas*, de Jean Paul-Sartre, o líder comunista ficcional Hoederer fala de tais dilemas impossíveis. "Tenho as mãos sujas até os cotovelos. Eu as mergulhei em sujeira e sangue. Você acha que pode governar de maneira inocente?" Pessoas comuns podem evitar sérias transgressões morais. Há *sempre* outra opção, outro caminho para deixar de fazer algo repugnante. A imensa maioria das pessoas não toma, de modo consciente, decisões que arruínam vidas ou as extinguem. Desviam essas decisões para outros. Elegemos, nomeamos ou contratamos pessoas para fazer escolhas insuportáveis que não conseguiríamos enfrentar. Por sua vez, as pessoas a quem delegamos autoridade são às vezes empurradas para situações em que *todas* as opções são imorais. Não importa o que façam, tudo pode ter consequências desastrosas. Isto não é absolver, tolerar ou normalizar atos grotescos de abuso e violência praticados pelos que estão no poder – muito pelo contrário. Os líderes políticos devem ser responsabilizados por quaisquer abusos contra os direitos humanos que autorizem ou tornem possíveis. Mas vale lembrar que, às vezes, as pessoas que estão no poder têm de pesar duas opções terríveis e tentam escolher o mal menor.

"É fácil sujar as mãos na política e muitas vezes é certo fazê-lo", argumenta Michael Walzer, professor emérito do Institute for Advanced Study [Instituto de Estudos Avançados], em Princeton, Nova Jersey. Ele cunhou a expressão "o problema das mãos sujas" para se referir ao conjunto singular de dilemas morais que os políticos – e outros em posições de autoridade – rotineiramente enfrentam.

Abhisit sujou as mãos. Ordenou que balas fossem disparadas contra os manifestantes, incluindo alguns que estavam desarmados. Se isso não lhe dá calafrios, talvez você concorde em fazer o teste do psicopata. Mas ninguém deve cultivar ilusões: algumas pessoas iam morrer, não importa o que Abhisit fizesse. Isso com frequência é verdade para pessoas que exercem um poder enorme, mas raramente é verdade para o restante de nós.

Em 2019, quando estava liderando seu partido nas eleições, Abhisit adotou uma defesa rígida de princípios que lhe custou muito caro. Bateu de frente com muitos veteranos de seu partido ao enfrentar a junta militar governante e pedir um retorno da democracia liderada por civis. Essa postura encerrou de vez sua carreira política. Ele desperdiçou uma chance de reconquistar o cargo principal da Tailândia para lutar pela democracia – dificilmente o que poderíamos esperar de alguém irremediavelmente corrompido pelo poder.

Contudo, o problema das mãos sujas não se aplica apenas a políticos tailandeses não eleitos, nem está apenas no reino de ditadores e déspotas em países destruídos. Afeta todos que têm controle sobre um grande número de pessoas. E manchou inclusive algumas das figuras mais reverenciadas na história britânica e norte-americana. Como Richard Bellamy, professor de ciência política na University College London, argumenta: "Desejamos políticos com princípios, mas esperamos – e mesmo os obrigamos – a agir sem escrúpulos".

No final de 1941, Winston Churchill tinha um segredo. Seu governo, com a ajuda dos decifradores de código de Bletchley Park, encontrara um meio de decifrar os códigos aparentemente invioláveis das máquinas Enigma nazistas. Enquanto Hitler estava transmitindo mensagens clandestinas codificadas para seus comandantes militares em todo o mundo, o governo britânico as estava lendo. A quebra dos códigos nazistas foi o maior segredo da guerra e a arma mais valiosa no arsenal britânico. Se descobrissem que seus códigos haviam sido quebrados, os alemães substituiriam as máquinas Enigma. Os britânicos estariam de novo voando às cegas em uma guerra mortal.

Na maior parte do tempo, Churchill pôde acrescentar o ótimo ao bom: encontrara maneiras plausíveis de atribuir a inteligência coletada com os códigos quebrados a agentes e informantes. Dessa forma, ele podia tirar proveito da informação roubada sem despertar suspeitas. Mas uma parte da informação era demasiado específica. E era muito arriscado compartilhar com muitas pessoas de que modo as informações eram coletadas. Como advertiam os cartazes do tempo da guerra: "Língua solta afunda navios".

Mas língua presa também afundou navios. Um desses navios foi o HMAS *Sydney*, um cruzador da Marinha Real Australiana. Historiadores sugeriram que Churchill recebeu informações pela quebra dos códigos de que navios australianos, incluindo o *Sydney*, logo seriam atacados. Ele decidiu não compartilhar essa informação com os australianos, sabendo muito bem que manter silêncio colocaria os navios em risco. Contudo, se advertisse o *Sydney*, aumentariam as possibilidades de que os alemães percebessem que seus códigos Enigma haviam sido quebrados.

Em 19 de novembro de 1941, o *Sydney* ficou sob ataque de um cruzador alemão e foi afundado. Todas as 645 pessoas a bordo morreram. É provável que Churchill pudesse ter evitado essas mortes. Optou deliberadamente por não fazê-lo. Ao agir assim, sujou suas mãos para ajudar a derrotar os nazistas.

Do mesmo modo, no início de 1865, durante as fases finais da Guerra Civil Americana, Abraham Lincoln – um homem conhecido pela história como "o honesto Abe" – se comportou de modo flagrantemente desonesto. Para garantir a aprovação da Décima Terceira Emenda, que tornaria ilegal a escravidão nos Estados Unidos, Lincoln efetivamente subornou indecisos na Câmara dos Representantes. Comprou seus votos com favores legislativos não relacionados com a votação. "A maior iniciativa do século XIX", escreveu o congressista Thaddeus Stevens, "foi aprovada por corrupção, ajudada e instigada pelo homem mais puro da América". Puro, sem dúvida, exceto por sujar as mãos por um bem muito maior.

Churchill e Lincoln são tão reverenciados que esses episódios foram encobertos em suas bem conhecidas histórias. Mas para a maioria das pessoas no poder, o problema das mãos sujas distorce nossas avaliações dos líderes, fazendo-os parecer piores do que realmente são. Quando dizemos "o poder corrompe", queremos dizer que o poder torna as pessoas piores do que elas eram antes. Na realidade, na maioria das vezes, elas só precisam tomar decisões piores, o que não é a mesma coisa. Todos nós deveríamos estar contentes pelo fato de o Honesto Abe ter se disposto a entrar num jogo sujo para se livrar da escravidão e que Churchill tivesse estômago para fazer o que era necessário para derrotar os nazistas. Para quem está no poder, atos imorais são, às vezes, sem a menor dúvida, a escolha mais moral.

O problema, no entanto, das mãos sujas não é a única razão pela qual erradamente acreditamos que o poder corrompeu alguém. Às vezes, pessoas com autoridade parecem piores não porque foram corrompidas, mas porque aprenderam alguns novos truques.

Aprendendo a Ser Bom em Ser Ruim

"Não consigo me lembrar de uma época em que não tenha roubado", diz Eric.

"Era de família?", perguntei.

"Meus dois irmãos mais velhos ainda estão vivos e ralando. Acho que nunca tiveram uma multa por excesso de velocidade. E minha mãe e meu pai eram ambos muito trabalhadores, mas pobres."

Eric Allison cresceu em uma área carente no norte da Inglaterra. Em seu quarteirão, só uma família tinha carro, um fato que ele desde cedo percebeu. "Umas cinco portas abaixo havia aquela casa e achei que eles eram ricos porque tinham um carro e não tinham filhos", Eric recorda. "Então, quando fiz 11 anos, resolvi arrombar a casa deles".

Allison havia parado de frequentar a escola. "Eu não gostava da escola e a escola não gostava de mim", ele diz com naturalidade. Em um dos dias que passou em casa, Allison reparou em uma coisa curiosa. Através de um alçapão, poderia acessar as vigas dos telhados. Ele escalou o alçapão, olhou em volta e percebeu que só havia um muro baixo separando a casa de sua família da casa ao lado. O mesmo acontecia com a próxima casa, com a casa seguinte e com toda a fileira de casas. Percebeu que podia entrar em qualquer casa do bloco sem colocar o pé na rua.

Recorrendo à ajuda de dois garotos da vizinhança para servir de olheiros, Allison esperou até que o casal do carro saísse para o trabalho. Seguiu então as vigas e entrou na casa. "Achei que foi um prêmio muito bom. Havia uma jarra com um monte de moedas. E estou falando de moedas de dois xelins e meias-coroas, que era muito dinheiro naquele tempo. Acho que correspondia mais ou menos a 20 libras – mais que o salário de uma semana".

Como era mais inteligente que a maioria dos garotos de 11 anos, Allison percebeu que só não seria apanhado se houvesse uma explicação para a invasão que não apontasse para um trabalho de vizinho. "Varri o chão para que ninguém pudesse ver a poeira das vigas. Depois abri a porta dos fundos e quebrei uma pequena janela ao lado dela." A polícia, ele imaginou, ia presumir que fora uma invasão de gente de fora.

Allison escapou, mas aprendeu uma lição importante: escolha seus cúmplices com sabedoria. Mesmo que tivesse dado instruções estritas, proibindo que os outros garotos de 11 anos que havia em seu plano começassem a gastar de imediato o dinheiro, um não pôde resistir. "Um dos garotos, chamado John, comprou um par de nadadeiras, você sabe, aqueles pés-de-pato para nadar", diz Allison. Quando o pai de John perguntou onde ele pegara aquilo, John acabou apontando Eric como o cabeça da travessura. Eric se declarou culpado e obteve um livramento condicional do juiz.

Essa não foi a última vez em que Eric Allison foi punido por cúmplices não confiáveis. Ele roubou uma máquina de chicletes na frente de uma loja. O "prêmio" – como Allison sempre diz – foi um monte de moedas e um bom número de chicletes. Voltou de imediato para casa depois do roubo e escondeu com cuidado seu prêmio, para a eventualidade de a polícia dar uma busca. Seu parceiro, que não era tão inteligente, ficou vagando pela cidade com a boca cheia de goma de mascar. "Ele me dedurou", diz Allison. Allison foi mandado para um centro de detenção juvenil.

Assim que saiu de lá, o jovem ladrão voltou a roubar. "Mas fui mais cuidadoso", lembra Allison. Ele começou a pensar em como poderia maximizar os retornos e minimizar os riscos. Começou a se informar com muito mais cuidado sobre os parceiros potenciais. E nunca mais voltou a repetir duas vezes o mesmo erro.

Aos 21 anos de idade, ele ainda roubava, mas também havia conseguido arranjar um emprego respeitável como garçom em um restaurante chique. Só poderia sonhar em circular em um ambiente como aquele usando um uniforme. "Percebi que preferia estar sentado a uma mesa comendo a comida em vez de servindo os outros. Tomei, então, a decisão realmente consciente de me tornar um criminoso em tempo integral. E foi o que fiz".

Ano após ano, Allison fez experiências. Por tentativa e erro, suas ambições cresceram, as habilidades se expandiram e os erros foram eliminados. A carteira também ficou mais recheada à medida que os roubos começaram a lhe render quantias de seis dígitos por ano, somas substanciais naquele tempo. "Nunca me preocupei com dinheiro", diz Allison. "Eu só gostava de roubá-lo".

Ele começou a fazer pesquisas intensas antes dos trabalhos, tipo investigar famílias ricas com "dinheiro antigo", como diz ele, gente que tinha participado de corridas de cavalos em Ascot, versão britânica do Kentucky Derby. Depois, quando ficava sabendo que eles estavam na pista de corridas com seus cavalos de estimação, ia buscar o prêmio em suas casas.

Allison também descobriu como fazer falcatruas com cheques e retirar dinheiro de bancos com cheques falsos. "Se naquele tempo existia um lugar... acho que você diria, de Plymouth a Aberdeen... que tivesse mais de um banco, eu andei por lá," ele explica. A coisa se tornou uma competição, um jogo para testar seus limites, não pelo dinheiro, mas pela emoção do roubo. Ele tentou inclusive estabelecer registros pessoais para a maioria dos bancos fraudados em um único dia. "Meu melhor dia teve 75", diz com orgulho.

Quando não estava roubando, Allison estava pensando em como roubar melhor. Ocorreu-lhe que seus esquemas de fraudes com cheques renderiam somas maiores se pudesse encontrar algumas contas bem recheadas e descobrir que proprietários não verificavam seus extratos com frequência, fazendo com que o desaparecimento de uma grande soma de dinheiro pudesse passar despercebida. Então, Allison e alguns cúmplices – ele não vai dizer seus nomes ("tenho de manter algumas coisas em segredo para proteger os culpados", diz ele) – invadiram a casa do funcionário de um banco para roubar seu cartão magnético. Assim, tiveram acesso a alguns registros bancários, descobriram que contas estavam prontas para servir de alvo e obtiveram um enorme prêmio. O problema era pegar o dinheiro: "Você não pode simplesmente entrar num banco Lloyds em, digamos, Cheltenham e dizer: "Meio milhão de libras em dinheiro, por favor", explica ele. Mas a essa altura Allison já era um criminoso sofisticado e descobriu uma maneira de descontar os cheques usando bancos em Gibraltar e Genebra através de um intermediário, que recebia uma parte.

"Quando recebemos o telefonema dizendo que a águia havia pousado, que o dinheiro tinha sido de fato sacado e estava a caminho, lembro que saí e comprei uma garrafa realmente incrível de vinho tinto", ele recorda. "E fiquei lá sentado sozinho com aquela garrafa, só pensando: 'Nada mau, Eric. Nada mau. De máquina de chicletes a isto'".

Eric Allison escapou de incontáveis assaltos ao longo dos anos contando com métodos cada vez mais sofisticados. Durante umas seis décadas de roubo em tempo integral, ele só foi pego algumas vezes. Em seu último grande trabalho, roubou 1 milhão de libras do Barclays, um dos maiores bancos da Grã-Bretanha. Foi apanhado e passou sete anos na prisão, o que lhe deu um tempo considerável para refletir.

Hoje, ele deixou para trás a vida de crime – sua carreira, como Allison se refere a ela – e trabalha como correspondente da prisão para o jornal *Guardian*. Pergunto se sente saudades de sua antiga vida. "É, sinto falta", ele diz suspirando. "Sinto falta da vibração". E, diz ele, se o *Guardian* não tivesse lhe dado uma chance, admite que ainda estaria roubando. "Com certeza não estaria conversando com você", ele brinca, rindo.

Allison nunca esteve no topo de uma hierarquia formal, mas mesmo assim ilustra uma lição crucial sobre os que detêm o poder. "Eu não me tornei uma pessoa pior", ele insiste. "Isso não é absolutamente exato. Eu só fiquei melhor ao fazer meu trabalho". Ele pode não ser o que esperamos da expressão *eterno aprendiz*, mas é isso exatamente o que ele é.

Aprender é uma parte integrante de conquistar o poder e mantê-lo. O que cria uma percepção equivocada. Se você analisava os dados, ia *parecer* que as pessoas estavam piorando com o tempo – que o poder as estava corrompendo. Na realidade, suas más intenções podem ter ficado estáticas, enquanto a eficiência aumentava. Elas sempre foram corruptas. Apenas ficaram melhores nisso.

Entre ditadores e déspotas, esse fenômeno tem nome: aprendizado autoritário. Às vezes, os ditadores realizam reuniões de cúpula para compartilhar ideias. Se fosse uma conferência, haveria seminários como "Protestos Esmagadores: um Estudo de Caso" ou um painel sobre "Como Fazer os Dissidentes Desaparecerem". Em um exemplo particularmente exótico tirado do mundo real em 1958, Mao recebeu o líder soviético

Nikita Khrushchev em uma piscina. Como não sabia nadar, Khrushchev teve de usar boias infláveis nos braços enquanto discutiam diplomacia e trocavam estratégias. Seus intérpretes andavam de um lado para o outro na beira da piscina enquanto os dois conversavam.

Outras vezes os ditadores simplesmente inovam. Assim como Allison usou tentativa e erro para melhorar no roubo, os ditadores fazem o mesmo para se saírem melhor no roubo das eleições. No passado, a manipulação eleitoral costumava ser feita principalmente por uma desajeitada violação de urnas de votação. Era grosseiro. Era provável que os perpetradores fossem apanhados. As pessoas podiam ver aquilo acontecer e, às vezes, os cabos eleitorais faziam besteira. Quando isso acontecia, era difícil explicar por que mil votos haviam sido contados em uma urna que cobria uma zona eleitoral de apenas 500 eleitores. Era um reino primitivo à espera de inovação.

No início dos anos 2000, o governo da Ucrânia desenvolveu uma engenhosa estratégia. Em áreas com alta densidade de eleitores da oposição, o dia da eleição pareceu normal. Como de hábito, as pessoas puseram seus votos nas urnas. Mas quando agentes credenciados foram contá-los, todas as cédulas estavam em branco. Não eram votos de protesto. Na realidade, o regime tinha substituído as canetas nas zonas eleitorais controladas pela oposição por outras, que continham tinta invisível. Após alguns minutos, o *X* desaparecia. A manipulação tinha ficado mais inteligente.

No Zimbábue, o governo chegou a desenvolver um plano que levou dezoito anos para se tornar realidade. Funcionários do governo deixavam sistematicamente de fornecer certidões de nascimento para bebês nascidos em áreas de oposição. Quando esses bebês se tornavam adultos não conseguiam se registrar para votar – muito provavelmente contra o governo dominante – porque eram incapazes de provar sua identidade. "Você tem de acordar bem cedo para nos derrotar", disse um funcionário do governo do Zimbábue ao professor Nic Cheeseman, da Universidade de Birmingham.

Todos esses são exemplos de governos corruptos e malévolos que conseguiram aperfeiçoar o modo de se tornarem corruptos e malévolos. Ficaram piores porque suas táticas ficaram melhores, não porque o poder tenha corroído um caráter moral previamente honesto.

Mas sempre que alguém – muitas vezes alguém detestável que decorou citações para se mostrar espirituoso em um coquetel – repete o bastante surrado adágio de Lord Acton, um fenômeno com frequência também se manifesta: a megalomania. "Por que", essa pessoa poderia perguntar, "todo ditador fica maluco? Você sabia que Kim Jong Un afirma ter aprendido a dirigir automóveis pouco depois de ter aprendido a andar? Por que todos os ditadores inventam mitos bizarros sobre si mesmos a que ninguém, em sã consciência, poderia dar crédito"? E então, como a pessoa é detestável, ele ou ela responderá à pergunta com um sorriso arrogante: "Porque o poder corrompe e o poder absoluto corrompe absolutamente".

Este é um exemplo – e certamente não o primeiro – do erro cometido pelo pedante contador de histórias de um coquetel. Ditadores se comportam de modos malucos. Seus mitos (conhecidos pela ciência política como cultos da personalidade) são muitas vezes bizarros. Mas esse comportamento é, na realidade, estratégico e racional, adotado como resultado de a pessoa ter aprendido a como permanecer no topo.

Na Coreia do Norte, a dinastia Kim inventou toda uma teologia em torno de seu governo chamada *juche*. Decorar seus mitos excêntricos é essencial para continuar vivo, porque é provável que um desafio ao dogma oficial do Estado acabe com uma sentença de morte ou passagem só de ida para um *gulag*. No entanto, as histórias sobre os Kim são objetivamente absurdas. Segundo a sabedoria oficial, os Kim compuseram milhares de óperas. Eles não precisam ir ao banheiro como simples mortais. E foram até mesmo eles que inventaram os hambúrgueres (conhecidos localmente como "pão duplo com carne", o que, para ser justo, é uma denominação muito mais precisa).

Tudo isso serve a um objetivo crucial que os ditadores aprendem a valorizar com o correr do tempo: é um teste de lealdade que separa as pessoas em quem você pode confiar das pessoas em quem você não pode confiar. Se as pessoas estão dispostas a se expor em público borrifando mentiras obviamente absurdas sobre o "Amado Líder", sem dúvida é mais provável que sejam dignas da confiança do regime. Um capanga que fica repetindo absurdos é um capanga em quem podemos investir. O problema, no entanto, é que como esses mitos envolvendo o líder acabam se tornando lugar-comum na sociedade, ninguém vai trazer alguma novidade ao repeti-los. A solução? Continue inventando mitos cada vez mais loucos e testando continuamente as pessoas na esfera do regime e na esfera da sociedade para ver quem os aceita e quem não os aceita. Essa estratégia cria um efeito de catraca: se as mentiras não ficarem mais radicais, os testes de lealdade se tornam inúteis. Parece que a sede dos ditadores por controle absoluto está distorcendo suas mentes, quando muitas vezes é apenas um aprimoramento de suas estratégicas. O poder não os corrompeu. Eles aprenderam a ser bons em serem maus.

A Oportunidade Bate à Porta

Vamos agora imaginar um mundo alternativo. Neste mundo imaginário, a moralidade humana é governada por uma precisa probabilidade estatística. Cada vez que são presenteadas com a oportunidade de fazer algo imoral ou abusivo, as pessoas se comportarão mal precisamente 10% do tempo. A cada dez vezes que as pessoas se deparam com uma carteira cheia de dinheiro na calçada, vão colocá-la uma vez no bolso. Nove em cada dez vezes elas devolverão a carteira intacta ao proprietário.

Em tal mundo, quem seriam as pessoas menos éticas?

Essa pergunta tem duas respostas plausíveis. A primeira é que todo mundo é igualmente ético. Todos estão se comportando mal na mesma proporção do tempo. Mistério resolvido, caso encerrado.

Mas a segunda resposta – o modo como normalmente parecemos responder – é que os menos éticos são os que se comportam de maneira imoral com mais frequência ou que infligem o maior dano aos outros. Para ver como essa visão é arbitrária, vamos imaginar duas pessoas neste mundo, uma que vive em uma fazenda em uma estrada de terra na zona rural e outra que mora na avenida mais movimentada de uma agitada metrópole. A pessoa da estrada rural se depara com uma carteira perdida uma vez por ano. A pessoa na avenida movimentada se depara com uma carteira perdida cinco vezes por ano. Após dez anos, o morador da cidade encontrou 50 carteiras e colocou cinco vezes o dinheiro no bolso. O residente do campo se deparou com 10 carteiras perdidas e colocou uma vez o dinheiro no bolso. Isso torna a pessoa da cidade cinco vezes pior? Com certeza uma lógica dessas não faz sentido. Sua bondade ou maldade seria simplesmente uma função da densidade populacional. Se levamos essa linha de raciocínio ao seu extremo, a pessoa mais ética do mundo poderia ser um assassino em série, sádico e psicopata, largado sozinho em uma ilha deserta. Essa pessoa jamais poderia se comportar de modo imoral com outra pessoa. Seria virtuosa sem querer. Isso não parece uma maneira sensata de fazer julgamentos morais, não é?

No entanto, mesmo que essa lógica pareça muito distorcida, é como tendemos a atribuir culpa em nosso mundo. Nossa intuição é determinar quem são as "pessoas más" pela frequência com que elas fazem coisas ruins. Fazemos esses julgamentos sem qualquer referência à frequência com que um indivíduo se vê diante de uma oportunidade de se comportar mal e ferir outra pessoa. Isso é uma ressalva de particular relevância para quem está no poder, pois ser colocado em uma posição de autoridade produz necessariamente oportunidades mais frequentes – e mais cheias de consequências – para a transgressão.

Considere, por exemplo, o que pode acontecer quando os seres humanos têm que brincar de Deus. Duzentos anos atrás, durante as Guerras Napoleônicas, um cirurgião francês chamado Dominique-Jean Larrey mudou a forma como eram tratados os ferimentos no campo de batalha. No passado, a ênfase fora colocada em salvar soldados que pudessem voltar com rapidez à luta. Outros que poderiam ter sobrevivido, mas que jamais seriam capazes de voltar a lutar, foram deixados para morrer. Larrey mudou isso, colocando a ênfase nos soldados que precisavam com maior urgência de cuidados para sobreviver. Na Primeira Guerra Mundial, os pacientes eram classificados em três categorias: aqueles que iam sobreviver, não importa a doença; aqueles que morreriam, não importa a doença; e aqueles que teriam maior probabilidade de sobreviver se recebessem um tratamento de urgência. A triagem moderna – da palavra francesa *trier*, "classificar" – nasceu. Quando as batalhas explodem ou ocorre um desastre, os médicos se tornam imensamente poderosos. Viram deuses de jalecos brancos, já que devem decidir quem é – e quem não é – digno de urgente socorro médico, pois o relógio não para e o tempo se esgota.

Nova Orleans não é um campo de batalha napoleônico, mas em um hospital de tijolos vermelhos, 5 quilômetros a oeste do Bairro Francês da cidade, a triagem desempenhou um papel central em uma horrível tragédia. Em 2005, o hospital era conhecido como Memorial Medical Center, um nome que se tornaria infame depois que os diques da cidade se romperam. Quando o Furacão Katrina atacou, as enchentes invadiram o hospital. Ele se tornou uma ilha distópica, com as copas das árvores circundantes e os tetos das ambulâncias parecendo brotar de um mar escuro, cinza-azulado. Lixo e detritos flutuavam do lado de fora das janelas. Duzentos pacientes e 600 funcionários continuavam presos lá dentro.

Como o fornecimento de energia da cidade entrara em pane, o hospital funcionava graças a um gerador de emergência. Sem ar-condicionado, a temperatura em seu interior disparou com rapidez para bem mais de 110 graus Fahrenheit (43 graus centígrados). Então, nas primeiras horas da madrugada da quarta-feira, 31 de agosto, o gerador parou. As luzes apagaram. Máquinas de respiração que salvam vidas passaram a ser alimentadas por baterias de emergência. Trinta minutos depois, os *bips* das máquinas pararam de ser ouvidos. As baterias tinham se esgotado e os pacientes começaram a morrer. A dra. Anna Pou, médica extremamente respeitada, conhecida pelos colegas pela dedicação que tinha a seus pacientes, tentou um bombeamento manual de ar para os pulmões de alguns que precisavam de ventilação mecânica para sobreviver. Na corrida contra o relógio, os médicos mantiveram alguns pacientes vivos pelo tempo suficiente para eles serem evacuados pela guarda costeira. Alguns, incluindo o paciente que estava com a dra. Pou, não resistiram.

Na manhã seguinte, a gravidade da crise ficou evidente. A dra. Pou e seus colegas decidiram que deveriam fazer a triagem dos pacientes restantes, classificando-os em três categorias. Como Sheri Fink, a jornalista ganhadora do Prêmio Pulitzer reportou: "Aqueles cujo estado de saúde é razoavelmente bom e poderiam sentar ou andar seriam classificados como '1s' e teriam prioridade na evacuação". Os 2s estavam piores; provavelmente iam sobreviver, mas precisavam de ajuda. Os 3s eram os mais doentes e seriam evacuados no final, na medida em que tinham a menor chance de sobrevivência. De modo polêmico, os 3s também incluíam quem havia assinado uma ordem de não ressuscitar [*do-not-resuscitate order – DNR***], como se uma DNR desse permissão para que o paciente

---

** Uma ordem de não ressuscitar é uma ordem legal determinando que a pessoa não deve ser submetida a procedimentos de ressuscitação cardiopulmonar se o coração parar de bater. Às vezes essas

fosse abandonado durante uma crise. Pou desempenhou um papel fundamental na horrível tarefa de classificar os pacientes. Quando os médicos chegaram a uma decisão, o número da triagem foi escrito em um pedaço de papel e colado no peito do paciente ou anotado, com tinta não lavável, na sua camisola hospitalar.

Enquanto isso, a situação ia ficando desesperadora. Não havia ninguém a caminho para socorrê-los. Quando o hospital começou a ficar sem suprimentos, a equipe começou a racioná-los. Os médicos e enfermeiras mal haviam dormido desde que a tempestade desabou. Alguns pacientes estavam em um estado terrível, o calor implacável e pegajoso agravando suas condições já bastante sérias. Um médico, Ewing Cook, olhou em volta e viu muitas pessoas que provavelmente não iam sobreviver. Ele refletiu sobre a possibilidade de submeter à eutanásia pacientes que provavelmente já estavam em seus leitos de morte. Quando mais tarde explicou por que não agiu por impulso, sua resposta foi simples: ele não teve oportunidade. "Não o fizemos porque havia um número excessivo de testemunhas", disse ele a Sheri Fink. "Essa é a mais pura verdade".

Mas Cook ainda achava que a eutanásia de pacientes era uma boa ideia. Ele acabou deixando o hospital de barco (para tentar resgatar alguns de seus familiares que também foram afetados pelo furacão). Quando saiu, falou com a dra. Pou e ensinou-a "a administrar uma combinação de morfina com um sedativo benzodiazepínico" para que alguns pacientes "fossem dormir e morrer". Uma enfermeira disse mais tarde que a dra. Poul lhe contara que "a decisão fora administrar doses letais" de sedativos para alguns dos pacientes 3s. Essa lista incluía várias pessoas que não estavam morrendo, mas que eram tão obesas que o resgate não parecia plausível. (O advogado da dra. Pou contestou que ela tivesse usado a expressão "doses letais"). Sem eletricidade, os pacientes teriam de ser

---

ordens também abrangem decisões sobre outros modos de intervenção para o prolongamento da vida. (N. do T.)

carregados pelas escadas para serem resgatados. Alguns pesavam quase 180 quilos. Era difícil imaginar como sairiam de lá.

Um desses pacientes extremamente obesos era Emmett Everett, de 61 anos. Everett tinha ficado paraplégico devido a uma lesão que sofrera e estava à espera de uma cirurgia mais ou menos rotineira. No entanto, passava bem. Estava saudável o bastante para ter tomado sozinho o café da manhã da quinta-feira e, segundo o relatório de Fink, havia perguntado a um membro da equipe: "Então, estamos prontos para o *rock and roll*"?

Segundo declarações dadas mais tarde aos investigadores, a dra. Pou subiu para o sétimo andar, onde estava Everett, carregando frascos de morfina e uma droga chamada midazolam, que é usada para sedar pacientes antes da cirurgia. Se usada em determinadas doses em conjunto com a morfina, pode ser fatal. Como Fink descreve: "Pou desapareceu no quarto de Everett e trancou a porta". Logo depois da entrada da dra. Pou no quarto de Everett, ele morreu. Mais oito pacientes daquele andar também morreram.

Quando as inundações começaram a refluir, foram descobertos 45 corpos no hospital Memorial. Vinte e três – mais da metade – tinham ou morfina, ou midazolam, ou ambos na corrente sanguínea, embora somente para um punhado deles esses medicamentos tivessem sido prescritos para o controle da dor. Quando dois peritos forenses foram levados ao hospital para avaliar a causa da morte de Everett e dos pacientes no mesmo andar, eles concordaram que oito das nove mortes tinham sido causadas por homicídio. Outro perito acreditava que todas as nove eram homicídios. Um técnico forense declarou de forma sucinta: "O fato de todos os pacientes do andar terem morrido intoxicados por medicamentos em um período de três horas e meia está além da coincidência".

A dra. Pou foi acusada de assassinato. O grande júri, no entanto, se recusou a indiciá-la. As acusações acabaram sendo retiradas. Três processos cíveis foram movidos contra a dra. Pou e outras pessoas. (Fink escreveu mais tarde sobre essa perturbadora saga em seu livro premiado *Five Days at Memorial* [Cinco Dias no Memorial]).

Não há nenhum outro indício – antes ou depois – de que Anna Pou tenha alguma vez tentado prejudicar pacientes. No entanto, peritos concordaram que é extremamente provável que suas decisões durante aqueles poucos dias catastróficos tenham provocado as mortes prematuras de várias pessoas que provavelmente teriam sobrevivido. Alguns argumentam que isso faz da dra. Pou uma assassina. Outros dizem que ela fez o melhor que pôde durante uma crise terrível e que, mesmo que a retrospectiva nos dê uma visão mais clara, a tomada de decisões naquele momento insondável foi obscurecida pela incerteza, pelo pânico e pela fadiga. Você é o juiz. Ainda que uma verdade não seja dita no debate: se Anna Pou fosse uma zeladora, uma guarda de segurança ou uma administradora de hospital em vez de médica, ela teria sido acusada de assassinar pacientes. O fato de ocupar uma posição que lhe permitia decidir o destino de outras pessoas lhe dava a *oportunidade* de causar danos. O mesmo fenômeno se aplica a todos que estão em posições de autoridade. Eles enfrentam um número maior de situações em que podem ferir os outros. Quando cometem um erro, mais pessoas sofrem. Isso significa que o poder os transformou em pessoas piores? Ou eles apenas *parecem* ter se tornado piores devido a esse aumento de oportunidades e a uma ampliação das consequências? Com frequência, é o segundo caso.

Sob o Microscópio

Vamos voltar de novo ao nosso mundo mítico de pessoas previsivelmente corruptíveis que se comportam mal, com a regularidade de um relógio, precisamente em 10% do tempo. Mas agora vamos imaginar que, em vez de pegar uma carteira perdida, essas pessoas estão propensas a desviar dinheiro do seu empregador. Uma mulher trabalha para uma empresa de papel de médio porte em, digamos, uma pequena cidade da Pensilvânia. Outra trabalha para uma empresa de papel de médio porte em uma cidade sombria, nos arredores de Londres. Ambas têm o mesmo número de oportunidades de fraude. Mas há uma diferença: neste mundo ficcional, o grupo de vigilância antifraude na Grã-Bretanha tem dez funcionários, enquanto o grupo de vigilância antifraude nos Estados Unidos, devido a cortes no orçamento, tem apenas um funcionário. O que aconteceria se examinássemos os dados da fraude? Veríamos que a estelionatária britânica era muito, muito pior que a norte-americana, pois ela seria apanhada com muito mais frequência – mesmo que as duas estivessem se comportando de maneira idêntica. Afinal, a longa carreira de Eric Allison como ladrão parece bem melhor no texto do que de fato era, pois apenas uma diminuta porção de seus crimes apareceram em sua ficha policial. Quando se trata de avaliar pessoas que se comportam mal, o nível de escrutínio que elas enfrentam é uma variável essencial para avaliar de forma correta suas ações.

Isso é particularmente importante para os que se encontram em posições de imenso poder, porque muitos operam sob o olhar constante de um microscópio. Às vezes, os ricos e poderosos podem usar seus consideráveis recursos para desviar esse olhar, para disfarçar abusos ou crimes como atividade legítima. Mas em grande parte do tempo, um comportamento aparentemente pior daqueles no poder pode ser atribuído a uma explicação que consideramos menos frequente: eles são simplesmente mais examinados que nós.

Veja Bernie Madoff, por exemplo. No final de 2008, quando a economia global entrou em colapso, o maior esquema Ponzi*** da história foi descoberto. Madoff tinha orquestrado uma fraude maciça, girando em

---

*** Esquema de pirâmide financeira. (N. do T.)

torno de US$ 64 bilhões. Famílias foram arruinadas. Economias de toda uma vida foram perdidas. Mas quando a poeira baixou e Madoff foi preso, as vítimas ficaram com uma única e enlouquecedora pergunta: como ele conseguira se safar por tanto tempo?

Madoff vinha cometendo fraude desde pelo menos a década de 1990, com alguns investigadores suspeitando que suas operações tinham se baseado em rendimentos forjados desde os anos 1970. Mas Madoff tinha duas grandes vantagens principais que permitiram que seus crimes passassem despercebidos por décadas. Primeiro, ninguém olhava muito de perto porque ninguém estava se queixando, contanto que seu dinheiro continuasse aumentando. Em segundo lugar, mesmo quando denunciantes tentaram afundar suas operações – e o fizeram em diversas ocasiões – os investigadores não olharam muito de perto porque Madoff estabelecera fortes laços de amizade com grande parte das pessoas que poderiam destruí-lo. Para ter uma camada extra de proteção, Madoff participava do conselho da Associação das Indústrias de Segurança.

Alguns críticos alegaram que Madoff pode ter sido submetido a menos escrutínio por manter laços pessoais com a Comissão de Valores Mobiliários (SEC), a principal instância de regulação financeira nos Estados Unidos. O próprio Madoff se gabava em encontros de negócios desses elos de proximidade com advogados da SEC, dizendo que "até minha sobrinha se casou com um deles". (Mais tarde, a investigação interna da SEC não encontrou qualquer irregularidade relacionada a esse potencial conflito de interesses). Mas a SEC não segurou a peteca. Eles tinham sido avisados, por um *e-mail* de 2006, que Madoff estava potencialmente administrando "o maior esquema Ponzi já visto". Isso aconteceu depois de Harry Markopolos, um executivo de valores mobiliários, ter fornecido à SEC, não menos de três vezes entre 2001 e 2005, evidências da fraude de Madoff. Markopolos percebeu, dando uma olhada de 5 minutos em um dos fundos de Madoff, que os retornos eram inventados. Quatro horas mais tarde, provou matematicamente que eles foram fabricados. Suas repetidas queixas – respaldadas por rigorosa evidência – nunca levaram a nada mais que uma investigação de rotina.

A habilidade demonstrada por Madoff para evitar por décadas que o detectassem é a exceção que prova a regra. Se não fosse por sua manipulação magistral das autoridades que deviam estar fazendo uma rigorosa supervisão, é provável que ele tivesse sido apanhado com rapidez, pois estava lidando com uma grande quantidade de dinheiro. Enquanto isso é provável que milhões de casos de fraude em pequena escala passem desapercebidos sem que os perpetradores precisem se preocupar em mexer os pauzinhos para evitar a detecção. Eles simplesmente não controlam dinheiro suficiente para justificar uma segunda olhada.

Uma ilustração perfeita desse problema da "ponta do *iceberg*" surgiu quando o Congresso dos Estados Unidos fez um ajuste aparentemente insignificante nos formulários de impostos em 1987. No passado, para obter uma redução de impostos, as famílias só precisavam listar seus dependentes em um formulário. Um funcionário então se perguntou se as pessoas não estariam listando dependentes fictícios ou mesmo animais de estimação para se aproveitar de incentivos fiscais. Um formulário novo e aprimorado adicionava uma linha ao lado de cada dependente e pedia o número do Seguro Social de cada um.

Sete milhões de pessoas desapareceram. Havia 77 milhões de norte-americanos dependentes pedindo deduções fiscais em 1986, mas apenas 70 milhões em 1987. Essa mudança abrupta sugere que até uma em cada dez "pessoas" que alegavam ser dependentes para obter reduções de impostos nos Estados Unidos não existiam. A receita norte-americana chegou a encontrar 11 mil famílias particularmente ousadas que tinham, de modo misterioso, perdido pelo menos *sete* dependentes de um ano fiscal para outro. O governo recebeu um adicional de US$ 2,8 bilhões em receitas fiscais no ano seguinte. Esse dinheiro teria sido distribuído para pessoas que estavam cometendo fraude fiscal ano após ano sem que ninguém percebesse. Sem dúvida alguma, havia um colossal *iceberg* de mau comportamento sob a superfície. Muitas vezes vemos apenas sua ponta quando pessoas em cargos de poder são expostas porque alguém se preocupa em dar uma olhada no assunto. Se isso é verdade, talvez sejamos todos piores do que parecemos ser, mas o poderoso pode ser apanhado com mais facilidade porque é mais submetido a escrutínio.

A imagem está começando a entrar em foco. Pessoas corruptíveis são atraídas pelo poder. São em geral melhores para obtê-lo. Nós, como seres humanos, somos atraídos para seguir os líderes errados por razões irracionais ligadas ao nosso cérebro da Idade da Pedra. Maus sistemas deixam tudo pior.

Contudo, nossas intuições sobre poder podem ser falhas e equivocadas. Quatro fenômenos – mãos sujas, aprendizagem, oportunidade e escrutínio – fazem *parecer* que o poder torna as pessoas piores do que elas realmente são. Às vezes confundimos os efeitos de poder com aspectos intrínsecos de sua manutenção. Contudo, esses quatro fatores atenuantes são apenas parte da história. Não explicam plenamente os efeitos corrosivos do poder. Isso acontece porque, como veremos, Lord Acton tinha razão.

O poder realmente corrompe.

VIII

O PODER CORROMPE

Rancho Rajneesh

No centro-norte da Suíça, quase 10 quilômetros ao sul do Rio Reno, se encontra um vilarejo de cartão-postal. Entre colinas verdes exuberantes e chalés que parecem recortados de uma revista de turismo de páginas brilhantes e depois chapados nas encostas, dá quase para sentir o cheiro do *fondue*. Mas se você piscar enquanto dirige para o pico de uma rua principal, você não vai ver uma construção. No meio do caminho para uma das encostas idílicas do vilarejo há um centro de saúde de médio porte. É o lar de duas dúzias de pessoas portadoras de deficiência e da mulher que cuida delas – uma pequena e frágil septuagenária nascida na Índia que é também a pior bioterrorista da história americana.
"Quem sabe não quer um pouco de água?", uma enfermeira pergunta enquanto pego meu *notebook*.

Eu hesito. "Não, obrigado, já bebi um pouco". Não é uma resposta normal quando nos oferecem água, mas entrei em pânico e não consegui pensar em uma recusa mais natural. Em nenhuma circunstância eu iria consumir algo que me fosse oferecido.

No final de 1949, logo após o nascimento de uma Índia independente, Sheela Ambalal Patel também nasceu. Ela cresceu em uma família amorosa – e uma família que tinha recursos suficientes para assegurar que ela tivesse oportunidades que a maioria dos indianos não tinha. Em 1967, aos 18 anos de idade, Sheela partiu para os Estados Unidos para estudar na Universidade Estadual de Montclair, em Nova Jersey. "Eu queria estudar belas artes e me tornar uma artista", ela me diz. "Agora, aprendi a ser uma artista de como viver a vida!"

O caminho de Sheela para a Montclair começou a prepará-la para uma típica vida americana. Ela se casou com um homem de Illinois. Mas em 1972, como muitos outros jovens na esteira do despertar cultural da América nos anos 1960, Sheela e seu novo marido procuraram algo mais que a existência suburbana padrão. Queriam um despertar espiritual. Então, juntos, partiram para a Índia em busca de um guru. Ingressaram em um *ashram*, um coletivo monástico dedicado aos ensinamentos de Bhagwan Shree Rajneesh – um homem alto, magro, com olhos esbugalhados e uma comprida barba grisalha de feiticeiro que prometia iluminação a seus discípulos. Era conhecido por eles como Bhagwan ou Osho. Seus seguidores tornaram-se conhecidos como *sannyasins* ou *rajneeshees*. O movimento religioso Nova Era de Bhagwan foi sempre um tanto mal definido. Mas seus princípios fundamentais pareciam ser uma mistura de amor livre e liberação sexual combinados com o desfrute dos excessos do capitalismo em uma comuna supostamente sem classes. Os *rajneeshees* se engajavam em "terapias" experimentais, que incluíam longas sessões de sexo em grupo (mais tarde, foi alegado que elas também envolveram violência e abuso sexual).

Como uma convertida aos ensinamentos de Bhagwan, Sheela adotou o nome *sannyasin* Ma Anand Sheela. Em 1980, seu marido morreu da doença de Hodgkin, deixando Sheela como uma jovem viúva. Mas seu verdadeiro amor era Bhagwan. O guru também tinha uma queda por ela. Os dois ficaram mais próximos. "Eu era apenas uma pessoa jovem e simples", diz Sheela com um sorriso melancólico. "Eu não sabia o que estava fazendo". Não obstante, em 1981 Sheela havia se tornado a mão direita de Bhagwan. Tudo relacionado a Bhagwan passava por ela.

Sheela foi logo incumbida de encontrar um lugar para construir uma utopia da Nova Era, onde o mundo inteiro poderia girar em torno de Bhagwan. Após voar pelos Estados Unidos para visitar vários lotes de terra, ela encontrou o Big Muddy Ranch [Grande Rancho Turvo], no Oregon central. Era enorme: 26 hectares ou cerca de 259 km² de colinas secas, queimadas pelo sol e pontilhadas de artemísias. Sheela o comprou. Ela o rebatizou de Rancho Rajneesh.

A cidade mais próxima ficava 27 quilômetros a noroeste, onde você seria saudado por uma placa verde dizendo: ENTRANDO EM ANTELOPE. POPULAÇÃO: 40. DIRIJA COM CUIDADO. Os habitantes locais ficaram de imediato desconfiados dos novos vizinhos. Os *sannyasins* pareciam alienígenas para os peões em chapéus de *cowboy* que comiam em uma lanchonete simples na rua principal de Antelope. Os recém-chegados se vestiam exclusivamente de vermelho. Usavam colares de contas chamados *malas*, complementados por um medalhão que continha uma foto do guru de olhos esbugalhados. Estava claro que pretendiam ficar.

Em 1982, as tensões estavam aguçadas. Os veteranos de Antelope queriam deter o que viam como invasão de sua cidade pelo guru de um sexo exótico e seus milhares de jovens discípulos. Uma fatia considerável desses discípulos era norte-americana, trocando seu despertar espiritual californiano da Nova Era por um grande experimento em um trecho remoto do Noroeste do Pacífico. Muitos americanos trouxeram seu dinheiro de Hollywood, que era despejado nos cofres de Bhagwan. Mas eles trouxeram algo ainda mais valioso: seu direito de voto. Enquanto os habitantes da cidade procuravam bloquear os planos dos *rajneeshees* de construir uma imensa comuna, ocorreu a Sheela que havia mais *rajneeshees* americanos que residentes de Antelope. Eles poderiam simplesmente dominar a cidade.

Em novembro de 1982, os *sannyasins* venceram as eleições locais e assumiram o conselho da cidade de Antelope. Mudaram o nome da cidade para Rajneeshpuram e triplicaram os impostos pagos pelos habitantes locais. A placa na entrada da cidade foi trocada. Ela agora dizia CIDADE DE RAJNEESH: SEJA BEM-VINDO. A lanchonete foi rebatizada de Rajneesh Zorba, o Restaurante de Buda. Caminhoneiros de *jeans* não sabiam o que fazer com os chás de ervas, os sanduíches de broto de alfafa e os retratos de um indiano com barba comprida olhando para os que paravam ali em busca de um bule de café preto.

Mais ou menos nessa época, Sheela começou a sentir um gosto pelo poder. Como ajudante poderosa de Bhagwan, tinha de repente vastos recursos à sua disposição. Ela construiu um aeroporto. "Tive uma ideia maluca", Sheela me conta. "Por que não compramos um avião? Podemos ter um DC-3 muito barato. E então joguei a ideia para Bhagwan e ele disse: 'Tudo bem. Faça'". O DC-3 se tornou o carro-chefe da Air Rajneesh, complementado por um jato executivo, dois helicópteros e alguns aviões a hélice menores. Com ajuda de mão de obra gratuita (os *rajneeshees* trabalharam doze horas por dia, sete dias por semana, para construir a utopia de Bhagwan), Sheela também supervisionou a construção de um *shopping*, uma Medical Corporation, um reservatório de 1 bilhão e 325 milhões de litros de água criado por uma barragem de 120 metros, uma agência de correio, um sistema público de ônibus para os *rajneeshees* e uma fazenda que fornecia 90% de sua alimentação. Logo havia milhares de "pessoas vermelhas" no rancho. E todas aprendiam, quase de imediato, uma lição importante: contrarie Sheela por sua conta e risco.

Ao mesmo tempo que estava construindo um império físico, Sheela também construía um império midiático. À medida que crescia o interesse da imprensa pela comuna, a estrela de Sheela brilhava. Ela voou ao redor do mundo, tornando-se um para-raios no meio das polêmicas. Em uma entrevista ameaçadora, que prenunciou o que estava por vir, Sheela foi questionada sobre aqueles que, no Oregon, tentavam se colocar no caminho da implementação que ela fazia do sonho utópico de Bhagwan. "Eles não aprenderam sua lição", disse ela com um sorriso maroto. "Ainda não".

Mas enquanto se aquecia no brilho do próprio estrelato onde era cultuada, Sheela também estava consolidando seu poder, atrás de portas fechadas, em Rajneeshpuram. Bhagwan tinha feito um voto de silêncio. Isso deu a Sheela um tipo exclusivo de poder sobre o grupo: era ela a voz de seu deus. Sheela usou esse poder como um cassetete. Como escreveu Win McCormack, repórter do *Oregonian*, em uma reportagem investigativa de meados dos anos 1980: "Sem a menor dúvida, Sheela transformou-se na mais tirânica, amoral e cruel das assistentes executivas de Bhagwan Shree Rajneesh".

Sheela também criou uma "força de paz" fortemente armada. Eles faziam exercícios de tiro ao alvo com armas de assalto semiautomáticas. Mapeavam de helicópteros, e de armas em punho, os morrotes cheios de juníperos.* Todos os visitantes tinham de passar por quatro postos avançados de vigilância e pontos de controle. Alguns, na imprensa do Oregon, começaram a temer que um incidente no estilo de Jonestown – com violência de massa ou suicídio em massa – pudesse acontecer.

Os habitantes locais, bem conscientes dessas possibilidades sinistras, decidiram tentar retomar o controle de sua comunidade. Eram em menor número e tinham sido postos em segundo plano ao nível da cidade, mas os números estavam ao lado deles em termos de condado. Tudo que precisavam fazer era conseguir que o governo do condado responsa-

---

* Árvores e arbustos cujos frutos são usados na produção de perfumes e bebidas, como o gim, por exemplo. (N. do T.)

bilizasse Bhagwan, Sheela e os *rajneeshees* pela violação de todo tipo de regulamento relativo ao uso da terra e à construção civil. Mas Sheela, que já se embriagara de tanto brindar ao poder de seu guru, não estava disposta a permitir que alguns funcionários do condado a derrubassem. "Os burros só conseguem entender um chute", disse ela a Frances FitzGerald do *New Yorker*.

Em 29 de agosto de 1984, três funcionários do governo do condado vieram inspecionar o rancho. Dois eram adversários conhecidos dos *rajneeshees*, enquanto o terceiro simpatizava com eles. No final da visita, um representante da Rajneesh Medical Corporation ofereceu-lhes um copo d'água. Era um dia quente, e todos os três beberam satisfeitos. Na manhã seguinte, os dois inimigos conhecidos dos *rajneeshees* acordaram com "uma dor insuportável de estômago". Ambos foram hospitalizados, gravemente doentes devido às potentes bactérias que haviam sido misturadas à água que beberam. Eles sobreviveram. O funcionário do condado mais simpático aos *rajneeshees* nada sofreu. Mais ou menos na mesma época, Sheela disse a seus subordinados: "Quem enfrentar a opção de salvar mil pessoas sem iluminação ou um mestre iluminado deve sempre escolher o mestre iluminado". Logo ela ia mostrar o que quis dizer com isso.

Para impedir que o condado reagisse com severidade, Sheela decidiu tentar manipular a eleição reduzindo o comparecimento. No final de setembro e início de outubro, dois servidores de confiança de Sheela circularam por restaurantes locais salpicando pequenas doses de *Salmonella typhimurium* nas travessas de saladas. Devia ser um teste para as eleições de novembro. Nesse "experimento", os *rajneeshees* envenenaram quase mil pessoas. Muitas foram hospitalizadas, incluindo uma criança que quase morreu. Os envenenamentos foram inicialmente atribuídos ao manuseio incorreto de alimentos, mas quando mais tarde os investigadores deram uma batida no Rancho Rajneesh, a verdade veio à tona. "Tínhamos encontrado salmonela em sua Medical Corporation e tínhamos amostras de pessoas doentes que haviam sido envenenadas por salmonela", diz-me o ex-promotor Barry Sheldahl. "Enviamos as amostras para o Centro de Controle de Doenças em Atlanta, onde eles as compararam e disseram que eram cepas idênticas de *Salmonella typhimurium*. Exatamente idênticas". Os agentes da lei também encontraram ordens de compra dessa salmonela na Rajneesh Medical Corporation. Testemunhas disseram que Sheela tinha sido o cérebro por trás dos envenenamentos. (Em seus depoimentos, elas também disseram que tinha havido inclusive um falatório sério sobre purê de castores no suprimento de água do condado, já que os castores eram famosos por abrigar bactérias nocivas nos intestinos.)

Mas os investigadores também descobriram algo muito pior: complôs alternativos que ainda não tinham sido postos em prática. Segundo depoimentos de testemunhas, Sheela havia pensado em usar a *Salmonella typhi*, que é muito mais mortal. Havia indícios de que os *rajneeshees* estavam explorando a possibilidade de usar o HIV como arma, na época um vírus novo, misterioso. Foi descoberto outro complô para assassinar um procurador dos EUA. Sheela também teria escrito em um guardanapo uma lista de treze pessoas que precisavam ser "liquidadas" e teria escolhido a dedo um grupo de *sannyasins* para se transformarem no que foi mencionado como uma "equipe de assassinato". Ela também estaria conspirando para matar o médico pessoal de Bhagwan, alguém que Sheela parece ter visto como ameaça potencial devido à intimidade que ele tinha com o guru. E para que ninguém se equivocasse acerca de suas intenções, os investigadores também apreenderam, no prédio da Medical Corporation, uma literatura leve que incluía os seguintes livros: *How to Kill*; *Deadly Substances*; *Handbook for Poisoning*; *The Perfect Crime* and *How to Commit It* [Como Matar; Substâncias Mortais; Manual do Envenenamento; O Crime Perfeito e como o Praticar]. A impressionável e jovem estu-

O poder corrompe

dante que esperava ser uma artista e "não sabia o que estava fazendo" tinha descoberto como fazer um bom número de coisas.

Em 1985, tudo desmoronou. Sheela fugiu do rancho, mas acabou sendo presa. Foi condenada a uma longa pena de prisão, mas só passou quatro anos atrás das grades antes de ser deportada. Bhagwan se voltou contra Sheela e a denunciou. Ele fugiu dos Estados Unidos e morreu em 1990. O Rancho Rajneesh é agora o acampamento de verão do Rancho Vida Jovem Cristã da Família Washington. Não há indícios do rancho original no *website* deles.

Hoje, em sua impecável vila suíça, Sheela continua sendo a mesma pessoa que se irrita com facilidade – embora seus cabelos negros retintos tenham ficado grisalhos e seus óculos escuros Diva, dos anos 1980, tenham sido substituídos por óculos de leitura. É uma pessoa calorosa e gentil, bem longe do monstro que passei a conhecer pelas transcrições judiciais. Em seu quarto espartano na casa de repouso, dois retratos a vigiam: um de seus pais e um de Bhagwan. Sentado diante dela, enquanto esquizofrênicos passam diante da porta aberta do quarto, posso dizer que o que a empolga é falar de seu passado perdido, daquela existência poderosa no Rancho Rajneesh, que agora é apenas uma memória distante.

Pergunto se ela acha que o poder a corrompeu.

Ela não hesita. "Meu poder era o poder do amor por Bhagwan e sua gente. O poder não era corrupto quando partia de mim. O mundo pode dizer o que quiser, mas estou lhe contando o que sinto."

Fiquei sem saber como reagir diante dessa resposta. Mas tenho certeza de que Sheela teve uma experiência extrema. A maioria das pessoas que experimentam o gosto do poder não terminam tentando transformar o HIV em uma arma, assassinar procuradores ou pensar em envenenar água com castores picados. Sua jornada de inocente estudante de arte a bioterrorista decidida a eliminar os inimigos de seu guru parece combinar muito bem com a máxima de Lord Acton. Afinal, agora que Sheela perdeu poder, não há provas de que ela tenha ferido alguém – tanto assim que o governo suíço lhe concedeu uma licença para cuidar de pessoas vulneráveis. Será Sheela um exemplo de boa pessoa que foi tornada má pelo poder?

Como os cientistas sociais adoram apontar, o plural de *anedota* não é *dados*. Portanto, temos de nos voltar para os dados. O que o poder realmente *faz* com você?

Cavalo-Vapor Corrompe

Dacher Keltner não é o guru de um culto Nova Era, mas é *o* guru acadêmico quando se trata de estudar os efeitos cognitivos do poder. Com um cabelo comprido louro que poderia fazê-lo passar despercebido em um torneio de surfe profissional e um sorriso amplo e acolhedor, Keltner é a antítese de muitas das pessoas abusivas que ele estuda. A primeira coisa que Keltner perguntou quando me recebeu em sua casa foi: "Você já lanchou?"

Em seu laboratório na Universidade da Califórnia – em Berkeley – chamado Greater Good Science Center [o maior dos bons centros de ciência] – Keltner produz de maneira frenética uma quantidade impressionante de pesquisas sobre emoções, sentimentos, poder, espanto e a ciência por trás do que nos faz funcionar. Seus estudos, que foram citados por outros pesquisadores em impressionantes 58.851 vezes, formaram grande parte da base da ciência emocional por trás de um filme da Pixar, *Divertidamente* (*Inside Out*). Keltner regularmente aconselha os aspirantes a líderes do Vale do Silício. Muitas das pessoas mais proeminentes que estudam o poder nos principais departamentos de psicologia dos Estados Unidos já foram seus alunos de doutorado.

O poder corrompe

Os seres humanos são fascinados pelo poder desde milhares de anos antes de Keltner. Mas os estudos do poder tornaram-se mais sistemáticos após a Segunda Guerra Mundial, quando pesquisadores tentaram dar sentido ao mal que acabara de ser desencadeado no mundo. Na década de 1960, houve os experimentos de Milgram, nos quais muitos participantes comuns se mostraram dispostos a chocar de maneira fatal as pessoas sobre as instruções de uma figura de autoridade. Os experimentos de Milgram se articulavam muito bem com o conceito de Hannah Arendt da "banalidade do mal", que procurou explicar como pessoas comuns puderam ser participantes ativas das atrocidades do Holocausto. Na década de 1970, Philip Zimbardo causou impacto com o Experimento da Prisão de Stanford, que já examinamos.

Mas durante décadas a literatura científica sobre como o poder nos afeta foi limitada. Isto se deveu em parte à imposição de certos limites éticos, há muito esperados, sobre o que os pesquisadores podiam fazer com as pessoas (nem o experimento de Milgram nem o de Zimbardo seriam permitidos hoje.) Então, em 2003, Keltner, juntamente com Deborah Gruenfeld e Cameron Anderson, desenvolveu uma nova teoria que motivou uma enxurrada de pesquisas. Foi chamada de Teoria de Abordagem/Inibição, o que não é – desculpas a Keltner e a seus coautores – exatamente uma expressão sonora e fácil de lembrar, algo que escape da língua. Mas as ideias por trás dela são facilmente digeríveis. No essencial, o poder leva a um comportamento de "abordagem": as pessoas se tornam mais propensas a agir, a perseguir metas, a assumir riscos, a buscar recompensas e a se autopromover. O poderoso aborda a vida como um jogador: se você não joga, não pode vencer. O poder faz com que mais pessoas joguem e joguem mais confiantes de que vão vencer. Os sem poder, ao contrário, são inibidos. São mais reativos que proativos. São cautelosos, tentando proteger o que já têm em vez de arriscar. Estão mais sintonizados nas ameaças e no perigo vindos de outros. Se os poderosos são jogadores da vida, os sem poder são mais propensos a se agarrarem aos poucos trunfos que já possuem.

A abordagem de Keltner é informada tanto por experimentos quanto por dados de observações, nas quais ele testa hipóteses no mundo real. Às vezes, suas teorias são geradas pela observação de si mesmo. ("Quando me sinto mais poderoso, falo mais palavrões", ele me diz. "Não posso evitar." E com certeza ele descobriu que ganhar poder tende a fazer com que os outros também falem mais palavrões.) Outras vezes, suas teorias vêm da experiência vivida.

Um dia, quando estava indo de bicicleta para o trabalho, Keltner quase foi atropelado por um cara que dirigia uma Mercedes muito preta, o tipo de carro que existe para ser símbolo de *status*. Isso o fez pensar: por que sempre parece que essas escapadas por um triz acontecem com carros caros, não com calhambeques, em especial se considerarmos que condutores de carros ricos têm muito mais a perder numa colisão? Experiências como essa, que são aborrecimentos para a maioria de nós, são hipóteses para Keltner. E quando tem uma hipótese, ele a testa.

Keltner montou um experimento. Pôs um pesquisador escondido entre os arbustos em uma estrada movimentada de Berkeley para anotar a marca e o modelo dos carros que se aproximavam. Enquanto isso, outro pesquisador esperava que um carro se aproximasse e então pisava na faixa de pedestres. Um movimento cronometrado para que o carro pudesse pelo menos desviar, mas que ia requerer uma direção um tanto agressiva. O que aconteceu?

"Zero por cento dos motoristas de carros precários – os Yugos e Plymouth Satellites da vida – cruzaram a faixa de pedestres", ele explicou à National Public Radio em 2016, enquanto "46,2% de nossos motoristas de carros ricos – você sabe, Mercedes e similares – cruzaram a faixa de pedestres". Quando Keltner publicou sua pesquisa, o motorista particularmente ofendido de um caro Toyota Prius híbrido escreveu para ele e pacientemente explicou que não importava se os carros eram caros, mas que *tipo* de carro caro estava envolvido. Era uma hipótese rival: ricos condutores de Prius eram mais respeitosos que os ricos condutores de Mercedes e BMW. Então Keltner fez um teste. "Na verdade, os condutores do Prius eram os piores", diz ele com uma risada.

O trabalho de Keltner sobre o poder destaca um efeito claro, em que pessoas poderosas tendem a perder suas inibições. Estar "embriagado com o poder" é uma descrição acertada. Aumente a sensação de poder das pessoas e elas não se importarão tanto com o que os outros pensam delas. Vão se tornar menos eficientes em entender as pessoas porque sentirão menos necessidade de ter empatia com os outros. Começarão a achar que as regras não se aplicam a elas. Como Keltner explica, "pessoas que desfrutam de considerável poder são mais propensas a comer de modo impulsivo e a ter casos sexuais, a violar as regras da estrada, a mentir e trapacear, a furtar na loja, a tirar doces das crianças e a se comunicar de maneira rude, profana e desrespeitosa". Lord Acton tinha razão.

Keltner escreveu *The Power Paradox* [O Paradoxo do Poder] em 2016. A tese do livro não é complicada. Ele argumenta que ser uma boa pessoa – alguém que é afável, altruísta, competente e gentil – ajuda a conquistar o poder. Essas características fazem os outros admirá-lo. Eles depositam sua confiança em você. Falam muito bem de você para seus patrões. Tudo isso permite que você suba na hierarquia. Mas então (e este é o paradoxo) esses mesmos traços que o ajudaram a chegar ao topo são rapidamente desgastados pelos efeitos corrosivos do poder, de modo que é mais provável que você abuse de sua autoridade quando estiver no topo.

Os sistemas e as pessoas que Keltner estuda estão principalmente nos Estados Unidos, seja em dormitórios, nas ruas de cidades universitárias ou em salas de reuniões. É um ambiente bem diferente para exercer o poder do que aquele que exploro em minha pesquisa ao estudar ditadores que manipulam eleições na antiga Bielorússia, em Belarus e rebeldes que recrutam crianças-soldados na África Ocidental. Então, quando falei com Keltner, eu tinha uma grande pergunta. Não é possível que a parte otimista do "paradoxo do poder" – a ideia de que ser "bom" o ajuda a subir a escada – se aplique melhor, digamos, a empresas altamente regulamentadas da *Fortune 500* em ricas democracias industrializadas, com rigorosos departamentos de RH e conselhos fornecendo supervisão? O mesmo seria verdade se estivéssemos tentando subir na hierarquia em uma pequena empresa liderada por um pequeno tirano ou se você quisesse ser um chefão do tráfico, um líder de seita ou um gerente da Gazprom, o gigante russo da energia? Afinal, o lado cor-de-rosa do paradoxo do poder não parece soar verdadeiro para as Ma Anand Sheelas do mundo.

A maioria dos acadêmicos com teorias abrangentes como Keltner ficariam na defensiva ante esse tipo de pergunta mordaz. Mas Keltner é um verdadeiro cientista, mais interessado em explicar o mundo de maneira precisa que em proteger seu ego. Ele admitiu de imediato com um sorriso caloroso: "Claro, isso pode ser verdade e essa é uma das grandes limitações. Temos um problema porque muitas de nossas descobertas são influenciadas por nossas amostras".

A pesquisa na psicologia moderna é atormentada por dois problemas crônicos: a crise de replicação e o problema WEIRD. A crise de replicação, que já discutimos com referência aos estudos duvidosos da "pose de poder", refere-se a resultados de pesquisa que não são replicados quando outra equipe independente de cientistas realiza o mesmo estudo. Se você adicionar vinagre a bicarbonato de sódio, ele entra em efervescência – não importa quem adiciona, onde a pessoa está no planeta ou que marca de bicarbonato ela usa. Do mesmo modo, se realizamos duas vezes o mesmo estudo de psicologia em diferentes contextos com diferentes participantes e chegamos aos mesmos resultados, há boa razão para acreditar que seja uma "verdadeira" descoberta e não apenas um acaso acionado por ruído estatístico. "Se for uma única descoberta em um mesmo lugar, você deve expressar cautela", Keltner me diz.

Então, há o problema WEIRD [Estranho], um acrônimo que representa *Western, Educated, Industrialized Rich Democracies* [Democracias Ocidentais, Educadas, Industrializadas e Ricas]. Quando você começa a ler pesquisas de psicologia, uma das sentenças mais comuns na seção de metodologia é algo desse tipo: "Os participantes eram 31 alunos de uma faculdade particular na costa leste dos Estados Unidos (17 mulheres, 14 homens; idade média = 19,7 anos) que entraram na pesquisa para obterem créditos para o curso". Tradução: Fiz meus universitários de elite participarem do experimento se quisessem ser aprovados no meu curso. Tais práticas são conhecidas como amostragem de conveniência, em que os participantes de um projeto de pesquisa são selecionados não porque sejam representativos da população em geral, mas porque estão disponíveis, são baratos ou fáceis de conseguir para servir de amostra. Isso não seria um problema se a pesquisa estivesse estritamente tentando descobrir o que faz garotos desproporcionalmente ricos e altamente educados de uma faculdade americana funcionarem. Mas a psicologia está tentando descobrir o que faz os *seres humanos* funcionarem. Nessa busca, a questão dos garotos de uma faculdade WEIRD é um viés seriamente problemático.

Um estudo de 2010 na *Brain Sciences* descobriu que dois em cada três estudos de psicologia dos Estados Unidos usaram, de forma exclusiva, universitários como cobaias. Em outros países, esse número foi de quatro em cada cinco. A esmagadora maioria desses estudantes são ocidentais. Visto o que aprendemos no Capítulo 6 com a teoria do arroz e as maneiras pelas quais as pessoas em sociedades coletivistas raciocinam de modo diferente daquelas em culturas mais individualistas, isso não é um assunto trivial. Como o estudo diz sem rodeios, "um estudante americano selecionado aleatoriamente tem uma probabilidade 4 mil vezes maior de ser um participante da pesquisa que uma pessoa selecionada aleatoriamente fora do Ocidente". Isso parece muito, e de fato é.

Como Keltner argumenta, este problema crucial precisa ser corrigido, porque muitos dos estudos de poder na literatura acadêmica estão explorando percepções que podem se aplicar a garotos de uma fraternidade WEIRD, mas não a um idoso executivo chinês. Tentar usar um estudante de psicologia de 19 anos para inferir lições sobre ditadores sanguinários ou mesmo CEOs implacáveis é um salto muito grande. Keltner evita com frequência a amostragem de conveniência e verifica regularmente seu trabalho (seu estudo dos carros foi replicado em outros contextos), mas outros pesquisadores não são tão diligentes. Esta é uma ressalva importante antes de continuarmos, porque algumas das pesquisas a seguir são afetadas pelo fenômeno WEIRD. Ainda assim vale a pena examinar esses estudos, em parte porque seus resultados são relativamente robustos e em parte porque, mesmo com distorções, eles são instrutivos para a compreensão de como o poder nos modifica.

Há quatro maneiras principais de os pesquisadores estudarem como o poder muda nosso comportamento. A primeira é com "manipulações estruturais", que é o jargão acadêmico para experimentos em que as pessoas tomam decisões que afetam diretamente outras pessoas. Isso é com frequência mais confiável porque a sensação de poder sobre outra pessoa é real, não imaginada. Em seguida, temos a pré-ativação [*priming approach*], em que o sujeito de um experimento é aleatoriamente atribuído a um dentre dois grupos. O primeiro grupo está, por exemplo, instruído a escrever um curto ensaio sobre uma época em que eles se sentiam particularmente poderosos. O segundo grupo (de controle) está instruído a escrever um curto ensaio sobre o que eles fizeram, digamos, na terça-feira passada. A ideia é ter um grupo ativando a parte do cérebro associada a se sentir poderoso e depois checar o resultado com pessoas que não foram colocadas nessa mentalidade.

Os demais métodos são, a meu ver, os menos confiáveis. Na terceira abordagem, as pessoas são preparadas com pistas subconscientes sobre o poder (fazendo, por exemplo, com que completem um quebra-cabeças de busca de palavras em que as palavras associadas com poder ou controle, como *autoridade* ou *chefe*, apareçam com frequência). E a quarta abordagem faz com que as pessoas assumam certas posturas físicas, como a pose de poder (não incluí quaisquer resultados de pesquisas que usam essas duas últimas abordagens). Com essas palavras de cautela fora do caminho, o que a ciência parece sugerir sobre os efeitos do poder?

A maioria dos estudos conclui que o poder nos torna piores. Um padrão experimental comum usa o "jogo do ditador". Um pote cheio de dinheiro deve ser distribuído entre as pessoas no experimento. De modo aleatório, uma pessoa é designada para ser o ditador e lhe é concedido o poder de decidir quem fica com o quê – sempre usando dinheiro real. A ideia é variar as condições e ver se as pessoas se comportam de modo egoísta ou altruísta.

Em um estudo de 2015, pesquisadores fizeram o jogo do ditador com três arranjos diferentes. No primeiro, em um cenário de "pouco poder", o ditador só tinha controle sobre uma pessoa. O ditador poderia repartir o pote de dinheiro com uma divisão de 60/40, 50/50 ou 90/10. A condição de "médio poder" dava ao ditador controle sobre três pessoas, com as mesmas opções de divisão. A condição de "alto poder" dava ao ditador controle sobre três pessoas, mas acrescentava a opção de uma repartição ainda mais desigual, 96/4. Como um desalento, os pesquisadores descobriram que, à medida que o poder aumentava, também aumentava o comportamento egoísta. Na condição de pouco poder, havia 39% de chance de que o ditador ferrasse os outros. Na iteração de médio poder, esse número subia para 61%. E na condição de alto poder, em que os ditadores podem realmente fazer imposições a outras três pessoas, eles levavam o dinheiro e comandavam em 78% do tempo.

Depois, com um grupo distinto de pessoas, os pesquisadores conduziram o mesmo experimento com um pequeno ajuste. Antes de o jogo do ditador começar, perguntavam aos participantes como um líder *devia* se comportar numa situação em que a tarefa fosse compartilhar recursos. Como era de se esperar, a maioria disse que um líder deveria ser magnânimo e compartilhar de forma justa com os outros. Contudo, quando logo depois se encontraram em uma posição de liderança diante daquela exata opção, só metade das pessoas no grupo de pouco poder realmente se comportaram como tinham dito que um líder devia se comportar. No grupo de alto poder, só uma pessoa em cinco se manteve fiel aos princípios declarados e compartilhou os recursos de forma justa. O poder não apenas corrompe, ele também o torna mais hipócrita.

Para um toque adicional (e particularmente dignificante), os pesquisadores também colheram a saliva dos participantes com um canudo. Isso permitiu que eles medissem os níveis de testosterona em quem se inscreveu para o experimento. Quando analisaram os dados, os pesquisadores descobriram algo notável: os que estavam no grupo de alto poder *e* tinham altos níveis de testosterona se mostravam excepcionalmente propensos a pegar o dinheiro para si próprios. (Outros estudos mostraram um efeito de interação entre poder, testosterona e abuso narcisista. Em um experimento, os pesquisadores injetaram testosterona em macacos talapoin e descobriram que, após a injeção, os machos dominantes se tornaram muito mais agressivos para com seus subordinados.)

Outra descoberta, robusta e replicável, é que o poder aumenta a disposição de correr riscos. Em um estudo, os voluntários foram aleatoriamente designados para assumir um papel de chefe ou de subordinado em uma tarefa. Depois eles jogavam vinte-e-um. Era mais provável que os que tinham estado no papel de chefes na tarefa anterior partissem para o *"hit"* – pegassem uma carta adicional – mesmo quando fosse arriscado fazê-lo. Essa descoberta tem um sentido intuitivo. Pessoas que se encontram em posições de poder são, por definição, as vencedoras da vida. Venceram quando rolaram os dados no passado. Além disso, por serem poderosas em termos comparativos, podem se dar ao luxo de perder ainda mais e ainda assim continuar no topo. Pessoas sem poder em posições precárias evitam correr riscos desnecessários porque não podem se dar ao luxo de perder. (Eventualmente, pessoas tão deprimidas a ponto de achar que não têm nada a perder, podem estar mais propensas a ter comportamentos de risco.)

De modo bizarro, sentir-se poderoso não o faz apenas querer correr riscos, também lhe dá uma falsa sensação de que pode controlar esses riscos mesmo quando está bem claro que não pode. Essa noção é conhecida pelos cientistas como controle ilusório. Em um estudo, os participantes foram aleatoriamente divididos em três grupos. Um grupo escrevia um curto ensaio sobre uma época em que se sentiu poderoso. Outro grupo escrevia sobre algo neutro. E um terceiro escrevia sobre um tempo em que outra pessoa tinha poder sobre eles. Depois, eles foram informados de que seriam pagos se fossem capazes de prever com exatidão o resultado de um lançamento de dados – algo que é completamente aleatório. Em seguida, lhes era dada a opção de jogarem eles próprios os dados ou de o pesquisador jogá-los por eles. Embora isso não fizesse diferença para o resultado, todas as pessoas do grupo poderoso escolhiam elas próprias lançar os dados, em comparação com cerca da metade no grupo sem poder (esse estudo foi um tanto frágil, pois estava baseado em apenas 38 universitários, mas o conceito de controle ilusório está bem documentado em outra pesquisa). Não é difícil imaginar o quanto pode ser prejudicial no mundo real quando pessoas poderosas acreditam erroneamente ter a capacidade de gerenciar riscos – e jogar elas próprias os dados, pondo em risco a vida de outras pessoas com base nessa falsa crença.

Outras descobertas são igualmente desanimadoras. Em um experimento de 2008, os pesquisadores usaram uma medida padrão para determinar o quanto uma pessoa se sentia poderosa. Depois, fizeram os participantes comentar uns com os outros os acontecimentos ou momentos de sua vida que tinham lhes causado angústia ou sofrimento. Algumas histórias eram devastadoras. Os pesquisadores mediram as reações dos que estavam ouvindo essas experiências traumáticas. Os participantes que se sentiam mais poderosos foram menos afetados pelo que ouviram. Desenvolviam menos empatia, um aspecto que Keltner também encontrara em sua própria pesquisa.

A ideia de que pessoas poderosas se preocupam menos com as pessoas abaixo delas na hierarquia não é particularmente nova. Foi explorada pelo filósofo alemão Georg Wilhelm Friedrich Hegel em 1807, quando ele escreveu sobre um relacionamento abstrato entre um amo e um escravo. Como Hegel explica, o amo não precisa saber muita coisa sobre o escravo. Se o escravo é extrovertido ou tem uma cor favorita não é importante do ponto de vista do amo. Mas para o escravo, conhecer o amo – compreendê-lo – é crucial para evitar espancamentos e continuar vivo. Como resultado, a relação assimétrica de poder faz com que os subordinados estejam mais sintonizados com aqueles que têm controle sobre eles do que vice-versa. Nos tempos modernos, essa dinâmica explica por que você pode saber o dia de aniversário de seu chefe mesmo que o chefe não saiba do seu.

Além dessas descobertas, uma longa lista de estudos mostra que adquirir poder tende a fazer as pessoas se comportarem de modo pior. O poderoso interrompe mais os outros, usa mais estereótipos, usa menos raciocínio ético quando toma decisões e julga mais os comportamentos dos outros, indo inclusive além dos comportamentos que eles exibem. A evidência científica é de vez em quando embaçada quando queremos saber exatamente *por que razão* ter controle sobre os outros nos afeta de forma tão negativa. O fato é que poucos estudos sugerem que o poder torne as pessoas mais virtuosas.

Continua a haver um grande problema com essas descobertas de pesquisa: a maior parte delas têm lugar sob condições controladas. Mesmo que a amostra não seja demasiado WEIRD [ESTRANHO], e mesmo que encontremos um grupo representativo da população em vez de alunos da faculdade, ainda teremos de enfrentar o problema de as pessoas envolvidas saberem que não são *de fato* poderosas. Todos que estão jogando o jogo do ditador sabem que é apenas um jogo. Não se pode conferir um poder real, duradouro, a alguém que está dentro de um laboratório, por mais que nos empenhemos nisso. E manipular vidas reais para deixar algumas pessoas sem poder e outras poderosas devido a um experimento não é (felizmente) possível por causa das normas éticas.

Estamos, portanto, confinados entre dois métodos falhos de testar se o poder corrompe. O primeiro, que observa o poder no mundo real (como com Ma Anand Sheela), vem em geral distorcido por um efeito de autosseleção. Sheela queria o poder, conseguiu alcançá-lo e parece que o poder a corrompeu. Mas é impossível dizer se a causa subjacente do comportamento destrutivo de Sheela eram as falhas de sua personalidade, o sistema de culto em que ela se encontrava ou o poder em si. O mesmo problema existe quando medimos o mundo real com o experimento da faixa de pedestres e dos carros de Keltner. As pessoas eram motoristas agressivos porque estavam dirigindo BMWs? Ou é mais provável que pessoas agressivas enriqueçam e comprem BMWs *porque* têm menos respeito pelos outros? Não podemos dizer com certeza.

A segunda abordagem, usando experimentos em um ambiente controlado, é um pequeno corte de papelão, algo bem frágil diante da verdadeira experiência do poder real. Distribuir até US$ 100 em um laboratório não é nem remotamente parecido com a experiência de se tornar um CEO, um ditador ou mesmo um treinador esportivo. Esses estudos são certamente melhores que nada, mas não reproduzem a situação real.

No entanto, apesar dessas razões para cautela, todas as evidências disponíveis apontam em uma direção. Tornar-se poderoso o deixa mais egoísta, reduz a empatia, aumenta a hipocrisia e o torna mais propenso a cometer abusos. Lord Acton tinha razão: o poder tende, de fato, a corromper. O problema, então, não é que a sabedoria popular esteja errada, mas que a sabedoria popular só se concentre em uma minúscula parte do quadro. Nós nos fixamos na ponta do *iceberg* – nas pessoas poderosas que podemos ver. Mas como já comentamos, focarmos nesse ápice significa que estamos desprezando os perigos muito maiores que se escondem sob a superfície: por que pessoas corruptíveis são atraídas para o poder, por que são melhores em obtê-lo e como exploram os preconceitos cognitivos em nosso cérebro da Idade da Pedra para nos convencer de que o merecem.

Até aqui grande parte de nosso foco esteve em nossa mente. Investigamos que traços de personalidade tornam as pessoas mais propensas a buscar poder e vimos como manter o poder afeta a tomada de decisões. Mas ainda estamos perdendo uma peça-chave do quebra-cabeças, porque se tornar poderoso não muda apenas o modo como você pensa. Muda também fisicamente o seu corpo.

IX

COMO O PODER MUDA O SEU CORPO

Este é o seu Cérebro de Macaco com Drogas

Quando a US Drug Enforcement Administration (DEA) [Administração de Fiscalização de Drogas dos Estados Unidos] dá uma grande batida, eles encurralam os repórteres em uma sala com um pódio, um microfone e uma mesa que transborda de drogas. Um político ou um funcionário da DEA diz então com orgulho à multidão de repórteres por qual valor as drogas apreendidas seriam vendidas na rua. Isso é o equivalente humano de um primata batendo no peito. Mas assim que as câmeras são desligadas e o pódio fica vazio, para onde vão as drogas? Para algum armazém do governo cheio de florestas verdes de maconha em decomposição ao lado de brancas encostas de montanhas de cocaína?

A maioria das drogas apreendidas em grandes batidas são queimadas (com uma cuidadosa atenção para garantir que ninguém fique acidentalmente chapado no processo). Mas algumas terminam em uma instalação em Maryland chamada National Institute on Drug Abuse [Instituto Nacional do Abuso de Drogas]. Lá, uma pequena porção selecionada de cocaína é refinada, purificada e enviada para o Laboratório Nader da Wake Forest University.

"O investigador precisa obter uma licença do DEA", me diz o dr. Michael Nader. "Tenho uma licença II, de rotina." Como é totalmente pura, a cocaína que ele recebe tem um enorme valor no mercado de rua. É mantida em uma sala segura, em um cofre com duas fechaduras. Duas pessoas têm de estar presentes para retirá-la e guardá-la.

Mas embora sejam tomadas precauções para impedir que as pessoas coloquem as mãos na cocaína, Nader não faz pesquisa em humanos. Na realidade, ele dá cocaína a macacos.

"Quando olhamos para a filogenia dos primatas do Velho Mundo e para onde interrompemos essa linha milhões de anos atrás", diz Nader, "a espécie mais próxima que pode ser usada em pesquisa biomédica são babuínos e macacos". (Não é considerado ético fazer pesquisa com drogas em chimpanzés ou gorilas. Eles se parecem muito com seres humanos.) Mas quando você restringe o procedimento a uma opção entre experimentos em babuínos ou macacos, há um claro vencedor. "Babuínos são três ou quatro vezes maiores que um macaco", Nader explica. "Têm caninos enormes. Como são carnívoros, não constituem o tipo de animal que gostaríamos de hospedar para uma pesquisa ou com quem gostaríamos de trabalhar intimamente". Na realidade, Nader e seu laboratório trabalham com macacos-resos, uma espécie de macaquinhos bonitos com faces vermelhas e pelo castanho-acinzentado.

Vários anos atrás, Nader e sua equipe de pesquisadores tiveram uma nova ideia. Decidiram testar como hierarquia, posição e *status* afetam a experiência do uso de drogas. Era uma questão que valia a pena investigar porque o vício em drogas parece afetar os humanos de maneiras diferentes, dependendo de seus estratos sociais. Quem tem mais probabilidade de ser fisgado? Os alfas no topo ou aqueles que caíram para o fundo da hierarquia social?

Aqui está como funciona o experimento de Nader. Eles pegam 24 macacos e colocam cada um em um cercado individual. Nenhum outro macaco, nenhuma hierarquia social. Então, depois que os macacos se acostumaram a ser solitários, eles erguem as portinholas. De repente, existem seis grupos de quatro macacos. A hierarquia é estabelecida quase de imediato, com uma nítida classificação de um no topo e os outros na base. "Eles descobrem a hierarquia com muita rapidez e assim permanecem", diz Nader.

Uma vez definida a ordem social, os pesquisadores escaneiam o cérebro dos macacos. Fazem isso para medir o número de receptores de dopamina. A dopamina é o principal neurotransmissor que está associado às vias de recompensa no cérebro. Os receptores, como você pode supor pelo nome, recebem a dopamina. Nosso cérebro tem dois tipos de receptores de dopamina: D1 e D2. Quando a dopamina fica encerrada em um receptor D1, ela nos dá prazer, reforçando assim o fascínio de qualquer comportamento que tenha provocado a liberação de dopamina. Por outro lado, quando a dopamina é bloqueada em um receptor D2, ela não reforça esse comportamento. Em termos hipotéticos, se você tivesse exclusivamente receptores D1, qualquer liberação de dopamina o deixaria preso ao comportamento anterior (como usar drogas) de modo rápido e vigoroso. Se você tivesse exclusivamente receptores D2, o efeito seria amenizado. Você poderia parar de um modo súbito e inesperado.

O que Nader e seus colegas pesquisadores descobriram quando escanearam os macacos foi espantoso: você pode alterar a proporção e o número de receptores de dopamina simplesmente criando hierarquias. "O que temos mostrado", Nader explica, "é que se o animal sai de uma situação de alojamento individual para um grupo social e se torna dominante... quando ele tem acesso à cocaína, a situação não é tão reforçadora". Tornar-se um macaco dominante devia, hipoteticamente, torná-lo menos propenso a ficar viciado em cocaína.

Mas essa hipótese precisava ser testada. No experimento subsequente, cada macaco recebeu uma dose intravenosa. Depois cada macaco foi colocado em uma "cadeira de primata", especialmente projetada com rodas. Elas os levaram para o laboratório, onde todos se sentaram na frente de um "painel de inteligência", que dava a eles um conjunto de controles para operar. Puxe uma alavanca e uma luz se acende, seguida por uma série de bolas de banana sendo despejadas em uma vasilha de alimentação. Puxe outra alavanca e há uma luz, o barulho de uma bomba de infusão e uma dose constante de cocaína vai direta para a corrente sanguínea. Com o correr do tempo, os macacos aprendem a associar as alavancas, os padrões de luz e os barulhos a cada tipo de recompensa. Entendem que direita significa comida açucarada e esquerda significa cocaína.

Em doses suficientemente altas, todos os macacos escolheriam a cocaína (isso também é verdade para os humanos). Mas em doses baixas a moderadas, os macacos subordinados eram muito mais propensos a escolher cocaína em vez de comida. Os menos poderosos ficariam viciados. Os macacos dominantes escolhiam comida.

Em um experimento posterior, Nader e seus colegas pegaram macacos de um grupo de quatro e os colocaram em outra colônia de quatro outros que já tinham estabelecido sua hierarquia social. Mudar de grupos é estressante, mais ou menos o equivalente, no mundo dos macacos, a ser o garoto novo da escola tentando sentar-se entre um grupo já existente no refeitório. Logo após essa desorientadora experiência social, os pesquisadores executaram o teste cocaína *versus* bolas de banana. Os subordinados estavam ainda mais suscetíveis a se automedicarem com a cocaína, enquanto os macacos dominantes estavam resilientes e continuavam escolhendo a comida em vez da cocaína.

Após os experimentos, eles escanearam de novo o cérebro dos macacos. Sem a menor dúvida, o número de receptores D2 nos macacos dominantes havia aumentado. A composição química de seus cérebros tinha sido alterada pelo poder.

Algumas pessoas fazem objeções a esses experimentos, mas o dr. Nader insiste que ele e seus colegas trabalham duro para dar uma boa vida aos macacos. As doses de cocaína não são suficientes para causar sofrimento. "Quando vão ao laboratório, os veterinários estão sob a impressão de que os macacos vão estar estressados e que vão ter uma aparência horrível", diz Nader. "Cada veterinário tem ficado surpreso ao ver como parecem saudáveis. Provavelmente você tinha essa visão de, você sabe, um macaco que é apenas pele, ossos e tem apenas um bocadinho de pelo. E não é nada disso. Eles são bem cuidados."

O mais importante, diz Nader, é que esses macacos são heróis inconscientes tentando salvar seres humanos das garras de uma dependência destrutiva. O objetivo da pesquisa é compreender melhor a dependência para que seu magnetismo possa ser quebrado nos seres humanos. "Estou tentando fazer com que, ao receberem um estímulo que diz que a cocaína está disponível, os animais respondam: 'Vou ficar aqui e vou pegar a bolinha de banana'", Nader me diz. "É isso que eu quero". É mais provável que nossa versão de uma bola de banana seja uma salada verde e saudável, mas a ideia é a mesma.

Os estudos de Nader levantam uma intrigante possibilidade. Se o coquetel químico dentro do cérebro dos macacos se altera quando eles ganham poder e preponderância, seria surpreendente se nós – seus primos primatas – *não* desenvolvêssemos alterações biológicas quando adquirimos controle sobre outros. Os estudos dos macacos com a cocaína parecem apontar para uma conclusão simples: que o poder é bom para o nosso corpo. Ele nos deixa mais resilientes. Será verdade?

A resposta não é tão simples.

CORRUPTÍVEIS

Estresse Biológico é Mau. Controle é Bom

Como posição, poder, *status* e saúde física se entrelaçam? Como podemos ter certeza de que esses fatores são a *causa* de mudanças biológicas em nosso bem-estar físico, não coincidências?

São duas das perguntas a que o professor *sir* Michael Marmot, da University College London, dedicou grande parte da vida para responder. Na maioria dos estudos observacionais (estudos que analisam dados do mundo real, não um experimento cuidadosamente controlado em laboratório), é difícil desvincular causa e efeito. Se apenas comparamos, digamos, CEOs a zeladores, certamente encontraremos grandes diferenças em resultados de saúde. Mas os dois grupos têm tantas diferenças que quaisquer relações que encontremos entre *status* e saúde podem ter sido causadas por centenas de variáveis diferentes: educação, experiência quando crianças, nutrição, entre outras. Seria impossível mostrar que o *status*, ou subir na hierarquia, tinha alterado a biologia de alguém.

Sempre que Marmot sugeria que poder e saúde estavam relacionados, a maioria das pessoas atribuía isso a uma dentre duas coisas: estresse ou dinheiro. Ou pessoas que eram poderosas teriam piores resultados de saúde porque eram estressadas ou teriam melhores resultados de saúde porque eram ricas.

Em 1985, Marmot decidiu testar essas hipóteses. Lançou o Estudo Whitehall II para examinar desigualdades de saúde, com ênfase especial em hierarquia e *status*. Whitehall é o nome de uma estrada na área de Westminster, em Londres, onde estão localizados muitos escritórios do governo britânico. O estudo teve como objetivo rastrear as carreiras no governo de 10.308 funcionários públicos britânicos. Como as comparações estavam sendo feitas entre pessoas na mesma profissão e com frequência entre pessoas que começaram ocupando o mesmo cargo, Marmot poderia neutralizar muitas das outras confusas variáveis que talvez dificultassem a descoberta de que efeitos eram causados por posição e hierarquia e quais não eram. Muito mais que em estudos anteriores, maçãs eram comparadas com maçãs.

Além disso, como as mesmas pessoas estavam sendo avaliadas ao longo do tempo, Marmot era capaz de ver como as mudanças de *status* relativo afetavam a saúde nos mesmos indivíduos. "Na entrada do estudo", diz Marmot, "você pega pessoas de um determinado nível de antiguidade e observa a trajetória dessa coorte. Onde estaria a média para esse grupo dez anos depois? E então você olha se essas pessoas estavam acima ou abaixo da média – em outras palavras, elas tinham se saído melhor do que a média ou pior?" Com isso, a equipe de Marmot poderia rastrear um grupo de pessoas que entraram no serviço público ao mesmo tempo, inclusive na mesma posição, e ver como seus resultados de saúde divergiam ao longo do tempo com relação às suas promoções. Além disso, como a faixa de salários do funcionalismo do serviço público é mais estreita que a do setor privado, o dinheiro não seria um fator tão importante. Os participantes foram inicialmente avaliados em 1985 e depois a cada dois a cinco anos.

Nos dados, Marmot descobriu uma relação crua, mas clara: quanto mais alto você subiu na hierarquia, mais baixa sua mortalidade. Marmot chama isto de Síndrome de *Status*. Os do estrato mais baixo que tinham permanecido lá mostravam o triplo da mortalidade dos que haviam ascendido aos escalões mais altos do poder. À primeira vista, isso era desconcertante, porque ia contra a presumida relação entre empregos de alto estresse e saúde. "As pessoas diziam: 'Bem, o estresse não pode ser importante'", Marmot me conta. "Certamente notas altas estão sob mais estresse do que notas baixas – você sabe, se você tem prazos e ministros chamando você o tempo todo. E eu pensei: 'Sim, pessoas em postos mais altos *estão* sob maior estresse'". Mas Marmot teve um choque de discernimento quando começou a olhar para as questões que se concentravam menos na posição e mais na possibilidade de ter controle – na capacidade de poder moldar os eventos no local de trabalho. "Percebi que não é só a pressão", diz Marmot. "É a combinação de alta demanda com baixo controle. E compreendi: isso explica tudo em nossos dados."

Quanto mais Marmot e sua equipe de pesquisadores cortavam e picavam os dados, mais clara era essa relação. Pessoas que enfrentavam imensa pressão no trabalho (que Marmot chama de demanda) estavam bem desde que também sentissem ter um alto grau de controle. Mas para pessoas que se sentiam sob muita pressão e *não* sentiam que estavam no banco do motorista (ou que fossem capazes pelo menos de mover o volante de vez em quando), os resultados para a saúde foram muito piores. Não precisamos ser ditadores, mas precisamos sentir que temos algo a dizer sobre decisões que afetam nossas áreas de desempenho profissional.

Marmot tinha descoberto que a sabedoria popular – de que mais poder produziria maus resultados para a saúde devido ao estresse adicional – estava errada. O motivo, no entanto, de estar errada é surpreendente. O fato é que há uma lacuna realmente imensa entre o que muitas vezes chamamos de estresse e o que realmente estressa nosso corpo de maneiras prejudiciais.

O biólogo de Stanford, Robert Sapolsky, descobriu – ao estudar babuínos e humanos – que o estresse é uma ferramenta crucial para a sobrevivência. Quando o nosso corpo está funcionando de forma correta, o estresse provoca uma série de mudanças biológicas que nos ajudam. Mais uma vez, vamos pensar em nossos ancestrais da Idade da Pedra. Digamos que você sai para sua caminhada matinal na esperança de conseguir uma pitada de caça e de coletar alguma coisa antes do desjejum quando, de repente, um tigre dentes-de-sabre aparece no alto de um monte e mostra as presas mais ou menos em sua direção. Tanto você quanto o tigre têm uma reação induzida por estresse. O corpo faz uma pausa na digestão normal, redirecionando a energia de produzir estoques de gordura para longo prazo e injetando de imediato essa energia na corrente sanguínea. Isso faz sentido. Tanto você quanto o tigre vão precisar de energia extra para o que está prestes a acontecer. Como houve uma pausa na digestão, a produção de saliva fica mais lenta (o que explica, como observa Sapolsky, por que ficamos com a boca seca quando estamos nervosos). Processos de longo prazo que são necessários para a boa saúde, como crescimento e reparação de tecidos, são postos também em modo de espera. Esta é uma parte bem-vinda da triagem corporal, já que você pode não ter mais nenhum tecido para reparar se o tigre dentes-de-sabre o pegar. O hipotálamo manda simultaneamente as glândulas pituitárias se lançarem à ação. O sistema nervoso simpático entra em alta velocidade, liberando hormônios que aumentam a frequência cardíaca e a pressão arterial. A adrenalina inunda sua corrente sanguínea. Se tudo funcionar da maneira certa, sua chance de sobrevivência vai aumentar. Em termos coloquiais, conhecemos isso como reação de lutar ou fugir.[1] O estresse está projetado para ajudar a nos salvar.

Mas assim como muitas outras coisas em nossas vidas modernas divergiram de nosso *design* evolutivo da Idade da Pedra, o mesmo acontece com a resposta ao estresse. Quem tem medo de falar em público e ficou na frente de uma multidão para fazer uma comunicação sentiu algo semelhante ao que nossos ancestrais sentiam na presença de um predador – uma clássica resposta ao estresse. É perfeitamente normal e geralmente não tem grandes consequências. Mas o problema, como argumentam Marmot e Sapolsky, é que nossa resposta ao estresse de lutar ou fugir tem, em alguns locais de trabalho ou estilos de vida, se tornado uma condição crônica em vez de uma emergência de curto prazo. O "ralar" diário de certos trabalhos, em vez de nos levar a um momento excepcional de

---

[1] Pesquisa recente sugeriu que a reação de lutar ou fugir difere em homens e mulheres, com as mulheres sendo mais propensas a ter uma reação de "cuidar e fazer amizade". O *cuidar* se refere a proteger o vulnerável (como as crianças), e o *fazer amizade*, a encontrar outros que possam ajudar na defesa mútua.

quebre-o-vidro diante de um predador mortal, nos coloca em modo de estresse. O que devia ser apenas um estresse agudo é agora, para muita gente, mera rotina.

Uma razão pela qual esta relação é tão difícil de entender vem do fato de a sociedade moderna usar a palavra *estresse* para se referir a coisas que são intensas, mas não estressantes em termos biológicos. Muitos trabalhos de alta intensidade exigem muito de nós (ou têm "alta demanda", como diria Marmot), mas não são estressantes pelo fato de gostarmos imensamente de fazê-los e sermos capazes de moldar seus resultados (tendo "pleno controle" sobre eles). O CEO ou a CEO que está observando sua *startup* decolar pode dizer que essa ascensão meteórica é "estressante" quando ela não é nem de longe estressante em termos fisiológicos. É estimulante e maravilhosa. O trabalho árduo, intenso, não inibe os processos normais de saúde como faz o estresse biológico. Porque combinamos os dois em nosso discurso diário, muitas vezes atribuímos erradamente ao estresse o que é, na realidade, paixão ou intensidade.

Segundo a pesquisa de Marmot, no entanto, você *de fato* obtém uma resposta prejudicial de estresse biológico se mantiver uma posição de baixo *status*. Mas o mesmo efeito também existe para posições de alto *status* que combinam alta demanda com baixo controle. É sempre provável que um zelador maltratado enfrente consequências adversas de saúde devido à sua falta de controle sobre o que está à sua volta, mas em certas circunstâncias o mesmo pode acontecer com um CEO. Como então isso se manifesta no mundo real? Infelizmente (embora pudesse dar um bom *reality show*), não podemos responder a essa pergunta com experimentos que trocassem permanentemente CEOs e zeladores para ver o que acontece. Em vez disso, temos de voltar a nossos primos primatas em busca de respostas.

Machos Alfa de Babuínos para a Sala de Reuniões

A maioria das turmas de doutorado se debruça sobre livros empoeirados nas bibliotecas, encara planilhas ou labuta com grunhidos em um laboratório. Não é assim para o aluno Jordan Anderson da professora Jenny Tung. Ele passa parte de sua primeira pesquisa doutoral na Universidade Duke praticando suas habilidades de se esconder enquanto atira dardos através de um tubo. "Depois de um tempo você pega o jeito", ele me diz.

Os dardos de sopro são usados para tranquilizar babuínos a distância, para que eles possam ser estudados. Mas de modo crucial, para não bagunçar a pesquisa, é essencial que a fonte do tranquilizante não seja vista nem ouvida pelos babuínos, ou eles começarão a associar seus tratadores humanos com a estranha experiência de sentir uma picada aguda seguida por uma repentina sensação de sonolência intensa que faz com que caiam e durmam.

Anderson, Tung e uma pesquisadora pós-doutoral, Rachel Johnston, realizam estudos sobre babuínos no Parque Nacional Amboseli, no Quênia, perto das encostas do Monte Kilimanjaro. Investigam a vida e a biologia dos babuínos para obter novas percepções sobre a evolução humana, o envelhecimento e a saúde. Se pudéssemos entender o que um babuíno está pensando ou comunicando sobre hierarquia e *status*, talvez pudéssemos entender melhor a nós mesmos. Pois, como Charles Darwin um dia expôs: "Aquele que compreender o babuíno fará mais pela metafísica humana do que Locke".[2]

A equipe de pesquisa de Tung queria saber se o poder e o *status* afetam o ritmo de envelhecimento. Para descobrir isso, confiaram em um método inovador que examina as taxas de mudança em nossos genes. O roteiro biológico de nossa vida (ou da vida dos babuínos) é composto de

---

[2] Isto se refere ao filósofo político britânico John Locke.

uma sequência de DNA que nunca é editada, não importa quanto tempo se viva. É fixa. Contudo, nosso corpo se altera de forma significativa com o correr do tempo. O segredo para entender como um roteiro estático pode produzir mudança maciça se encontra na regulagem do gene – a "troca" de genes ligados ou desligados. Parte dessa regulagem é irregular, o que significa que esses genes ligam e desligam em vários momentos, dependendo de toda uma série de fatores externos. Mas certas seções do genoma são ligadas e desligadas em intervalos regulares, como em um tique-taque de relógio.

Um desses relógios é um processo chamado metilação do DNA. Dos A's, G's, C's e T's que constituem nosso DNA, os C's (ou citocinas) são mais propensos a ser afetados por esse processo. Como Tung me disse, ele produz "uma pequena marca química, apenas um carbono extra e alguns hidrogênios que ficam meio soldados à bases de nosso DNA, particularmente em coisas como babuínos e coisas como nós". Se medirmos a taxa de metilação ao longo do tempo, podemos obter uma boa medida *proxy* de nosso envelhecimento "genético", que é inteiramente distinto do número de aniversários que comemoramos.

"Está sem dúvida claro para nós que alguns indivíduos que têm 60 anos são, em termos fisiológicos, muito menos saudáveis que a média dos 60 anos", explica Tung. "E alguns indivíduos com 60 anos são muito mais saudáveis que a média dos que têm 60 anos de idade, de um modo que parece se infiltrar até o nível da célula." Se olharmos ao nosso redor, isso não é surpreendente. Percebemos o tempo todo quando a idade de alguém diverge de como a pessoa aparenta. O método usado pela equipe de Tung é um modo muito mais preciso de medir essa divergência, investigando se um determinado babuíno está envelhecendo mais rápido ou mais devagar em termos de idade biológica do que poderia ser previsto pela idade do calendário.

Com estudantes como Jordan Anderson soprando dardos nos babuínos (245 deles, para ser preciso), a equipe testou o envelhecimento genético da colônia de babuínos e viu como isso combinava com a posição social dentro daquela colônia. A teoria mais óbvia seria que a baixa classificação social levaria a um envelhecimento mais rápido e que a posição social mais elevada levaria a um envelhecimento mais lento, precisamente porque babuínos de condição mais elevada, assim como os de sua área de acasalamento, obtêm mais comida. Mas as descobertas foram mais surpreendentes. Machos de alto escalão envelhecem muito mais depressa. Um ambicioso macho babuíno que estava ascendendo com rapidez na hierarquia social foi testado uma vez em uma classificação social razoavelmente baixa e depois testado dez meses mais tarde, depois de sua posição ter melhorado de forma substancial. Embora só dez meses tenham se passado, seu envelhecimento previsto (baseado em marcadores biológicos) tinha aumentado em quase três anos, como se o tempo tivesse sido acelerado. Nos dados babuínos, os dois indivíduos que viram a maior desaceleração em seu previsto envelhecimento biológico foram dois indivíduos que *desceram* com mais rapidez na hierarquia social. Como Tung, Anderson e Johnston registraram em seu estudo, chegar ao topo de fato confere vantagens significativas na busca de um parceiro, mas isso tem um custo significativo – é uma estratégia "viva rápido, morra jovem" para babuínos.

Há, no entanto, evidência considerável de que é muito ruim ser um babuíno de baixo escalão. Depois de mais de trinta anos estudando centenas de babuínos na savana queniana, Robert Sapolsky, da Stanford, demonstrou que babuínos de baixo escalão têm índices piores de pressão alta, níveis mais baixos de bom colesterol, piores sistemas imunológicos e um retorno mais baixo ao funcionamento corporal normal quando enfrentam uma situação estressante. Sapolsky, no entanto – mais alinhado com as descobertas do grupo de Tung – também demonstrou que a vida no topo pode ser estressante para machos alfas, em particular durante lutas pelo poder. A teoria de Sapolsky era descomplicada: é bom ser o rei babuíno, mas quando há risco de uma insurreição é tão estressante – talvez até mais – do que ser um camponês babuíno.

A teoria de Sapolsky foi amparada por um estudo de 2011 conduzido por Laurence Gesquiere, de Princeton, no qual sua equipe mediu o glicocorticoide, um hormônio relacionado ao estresse. Eles descobriram que quanto mais alto um indivíduo escalou na hierarquia primata, menos estresse ele teve. Mas houve uma exceção: os machos alfas no cume estavam extraordinariamente estressados. Isso levou os pesquisadores a uma conclusão em conflito com nosso pensamento convencional. A melhor posição para ocupar era a ranhura macho *beta*, onde você poderia ter acesso a todos os espólios do poder sem o risco que acompanha um soberano babuíno.

Mas tudo isso são apenas curiosidades sobre os babuínos ou existe a mesma dinâmica entre os humanos modernos? É bom ser um gerente, mas é mau ser um CEO? E como esses estudos dos babuínos se cruzam com a pesquisa de Whitehall II de Marmot e seus conceitos de alta demanda e baixo controle?

Quatro economistas podem ter encontrado respostas em um estudo de 2020 – um estudo que nos ajuda a determinar se Darwin estava certo ao dizer que os babuínos trazem um vislumbre, embora ligeiramente mais peludo, de humanidade. Conduzidos por Mark Borgschulte, da Universidade de Illinois, os economistas decidiram responder a duas questões. Primeira: os CEOs envelhecem mais rápido quando estão sob maior estresse? Segunda: os CEOs morrem mais rápido quando estão sob estresse? Para investigar essas questões, eles começaram a examinar um experimento natural brilhante da história empresarial norte-americana.

Em meados da década de 1980, estados norte-americanos começaram a aprovar leis "antiaquisição" ("*anti-takeover*"), que tornava mais difícil que um invasor corporativo assumisse o controle de uma companhia. Essas leis tornaram menos estressante ser um CEO porque garantiram mais segurança no emprego ao reduzir o risco de uma conquista hostil e abrupta. Usando inteligentes técnicas de pesquisa, foram comparados quase 2 mil CEOs (principalmente homens) que estiveram no comando durante um período de maior estresse – o Oeste Selvagem dos ataques corporativos antes das leis – e no período de menor estresse, depois que as leis os protegeram. CEOs que estiveram mais tempo no comando depois que as leis foram colocadas em prática viveram mais tempo do que CEOs que estavam no comando durante o período mais estressante. Como explicam os autores da pesquisa: "Para um CEO típico em nossa amostra, o efeito de experimentar [o estresse reduzido das] leis "antiaquisição" (*anti-takeover*) equivale mais ou menos a um efeito de tornar o CEO dois anos mais jovem".

Naturalmente, os trabalhos do CEO não são todos igualmente estressantes. Para colocar isso com maior precisão, embora todos os CEOs possam descrever seus empregos como "estressantes", é provável que alguns CEOs enfrentem mais estresse biológico que outros. Estar encarregado, digamos, da Delta Airlines ou da British Airways durante uma pandemia devastadora provavelmente coloca mais estresse pernicioso sobre você do que ser o CEO de uma companhia que vende *webcams* ou equipamento de ginástica em casa. Trabalhando sob esse pressuposto, os economistas compararam CEOs que governavam empresas que estavam passando por crises substanciais de todo o ramo industrial com aqueles que não estavam. Sem dúvida, CEOs que supervisionaram uma empresa durante um período desastroso para as indústrias do ramo morreram mais cedo que aqueles que não passaram por isso (do mesmo modo, um estudo publicado no *British Medical Journal* que abrangia vários séculos e incluía 17 países descobriu que os políticos que ganharam eleições e ocuparam seus cargos morreram mais cedo que os concorrentes que perderam as eleições e nunca ocuparam seus cargos. O fardo de estresse que acompanha a participação no combate político parece encurtar a vida dos políticos.)

Alguma evidência, portanto, sugere que se tornar o chefão nos faz morrer mais cedo. Mas e durante a vida? CEOs que enfrentam períodos particularmente estressantes parecem envelhecer mais depressa que outros CEOs? Esse envelhecimento é distinto do envelhecimento que Tung e sua equipe mediram usando o relógio de DNA com babuínos porque se concentra em como olhamos para fora, não em marcadores químicos dentro de nosso genoma. Contudo, o conceito de estresse baseado no envelhecimento não devia ser pouco familiar. Todos nós temos visto as fotos antes e depois de presidentes americanos que entram jovens na Casa Branca, mas emergem após quatro ou oito anos de mandato com um número muito maior de rugas e um grande brotar de cabelos grisalhos. Mas os pesquisadores – liderados por Mark Borgschulte – queriam testar, de forma sistemática, se esse efeito que parecemos notar se mantém sob escrutínio científico.

Para verificar, usaram o aprendizado de máquina. O código de computador envolvido é complexo, mas a ideia é simples. Eles alimentaram um computador com 250 mil rostos de indivíduos para que a máquina pudesse "aprender" a identificar marcadores físicos do envelhecimento humano. Uma ruga ou mancha grisalha aqui ou ali, um pouco mais de pelos brotando na orelha. Com o tempo, o modelo é refinado, ficando cada vez melhor em detectar diferenças sutis que mudam com o tempo – diferenças que o olho humano pode nem mesmo ser capaz de detectar. Depois eles fizeram o modelo analisar fotos de CEOs em vários momentos ao longo de sua gestão como alfa da empresa. Quando o modelo expôs os resultados, o veredito foi claro: períodos genuinamente estressantes nos fazem parecer estar envelhecendo mais depressa. Os CEOs que supervisionavam empresas durante atingidas pela Grande Recessão de 2008-2009 pareciam ter envelhecido um ano mais rápido na década seguinte do que os CEOs que não estavam supervisionando uma companhia durante um choque tão estressante. Esqueça o dispendioso creme antirrugas. Mas procure se livrar do estresse que vem com alto *status* e baixo controle.

Então, como podemos reconciliar as teorias de Marmot geradas a partir do Estudo Whitehall II, as descobertas com os babuínos nas savanas do Quênia e macacos subordinados sendo viciados em cocaína no laboratório? O que todos têm em comum é um acordo de que ocupar uma baixa posição na ordem do poleiro social é terrível para a saúde. A pesquisa é clara: ser de baixo *status* nos mata mais depressa.

A imagem se torna mais turva à medida que os indivíduos se elevam em direção à dominância. Estudos parecem apontar para uma interação muito mais complexa entre poder, controle, posição e saúde nos escalões mais altos. Os resultados são mistos. Parece seguro dizer, no entanto, que ter um alto *status* isola você de resultados ruins para a saúde – mas só até certo ponto. Ter um alto *status* sem altos níveis de controle sobre seu destino pode danificar seu corpo. Ter um alto *status* em um momento de crise pode fazê-lo envelhecer mais rápido e morrer mais jovem. E ser um alfa – estar sozinho no topo – pode ser desastroso para sua saúde, em particular quando o risco de ser derrubado dessa posição é real. Entre os babuínos, como esse risco de perder poder está sempre à espreita na savana, uma posição elevada parece sempre acelerar o envelhecimento biológico. CEOs são diferentes, com alguns se preocupando continuamente em ser chutados enquanto outros têm segurança no emprego. Essa variação de estressores cria discrepâncias nos efeitos do poder relacionados com saúde para humanos. Seja como for, a evidência sugere que ter muito pouco ou excessivo poder pode prejudicar nossa saúde, enquanto ascender para algum lugar na parte média-alta da escada social é com frequência o ideal.

No entanto, antes de começar a reavaliar se você, afinal, *realmente* deseja uma promoção, há algumas boas notícias. Se você é um trabalhador de baixo *status* estressado pela precariedade, um CEO de alto *status* suportando as consequências de uma pandemia ou um chefão do tráfico tentando apenas continuar vivo, há alguns meios que podem lhe proteger dos corrosivos efeitos sobre a saúde de ter muito pouco ou demasiado poder. Essa proteção está ao alcance de todos.

Sobrevivemos com uma Pequena Ajuda de Nossos Amigos

Entre 1997 e 2001, 159 homens e 175 mulheres entraram voluntariamente em um laboratório e um pouco do vírus do resfriado comum foi injetado em suas narinas. Ficaram seis dias de quarentena em quartos separados e depois saíram US$ 800 mais ricos. Era para um estudo sobre a biologia das doenças – mas com uma diferença. Antes do período de quarentena e da aplicação deliberada do vírus nos voluntários, os pesquisadores fizeram os participantes preencher em uma série de questionários. Um deles girava em torno das relações sociais. Os pesquisadores perguntavam aos participantes com quantas pessoas eles tinham falado naquele dia, quantas conversas com duração de mais de 10 minutos haviam mantido nas últimas 24 horas e que papéis sociais eles geralmente ocupavam (mãe, marido, colega, mentor, *coach* etc). Usando essas métricas, os pesquisadores desenvolveram uma pontuação de "sociabilidade" classificando os participantes de extrovertidas borboletas sociais a eremitas estilo Unabomber. Depois, os pesquisadores coletaram outros dados para assegurar que qualquer correlação que procurassem e encontrassem não seria devido a outra coisa (como problemas de saúde preexistentes, índice de massa corporal, raça, nível de escolaridade e coisas afins). Uma vez coletados todos os dados necessários, os participantes tiveram o vírus injetado em suas narinas e deram início à quarentena.

Os pesquisadores se recostaram e esperaram que as fungadas surgissem. Em cada dia dos seis dias de quarentena, os participantes foram avaliados com relação a sintomas do resfriado comum. Os cientistas mediram a produção de muco, deram às pessoas um pouco de corante pelas narinas, anotaram quanto tempo ele demorou para chegar à garganta (em comparação com os níveis pré-infecção) e usaram uma série de objetivos métricos semelhantes que permitiam que os pacientes fossem comparados com rigor científico. Quando os números foram calculados, aqueles que tinham baixas pontuações de sociabilidade eram três vezes mais propensos a desenvolver sintomas de resfriado comum do que os que tinham altas pontuações de sociabilidade, embora todos tivessem recebido a mesma dose do vírus. Essa descoberta impressionante sugere que ter uma rede social robusta pode melhorar nossa saúde, reduzindo o estresse e melhorando nosso bem-estar geral. Em contrapartida, ser de baixo *status*, destituído de poder e solitário é uma mistura mortal. (Essa descoberta pode refletir, em parte, o fato de pessoas mais sociáveis ficarem expostas a mais vírus e, portanto, serem mais resilientes quando expostas em um experimento de laboratório. Mas isso não explica toda a variação.)

Não está de todo claro como as redes sociais estimulam a função imune em um nível biológico, mas algumas percepções iniciais são oferecidas por outras espécies. Na Duke, a professora Tung (com os dardos de sopro e os babuínos) tem também examinado como o *status* afeta a capacidade de combater doenças dos macacos, a mesma espécie usada nos estudos de cocaína de Nader. O grupo de Tung variava artificialmente o *status* entre os macacos, pegando indivíduos dominantes e colocando-os em grupos onde eles se tornariam subordinados e vice-versa. Ao manipular experimentalmente o *status*, eles poderiam isolar causa e efeito. Primeiro pegariam uma amostra de um macaco em um papel dominante, depois, quando ele passava a desempenhar um papel subordinado, tiravam uma amostra do mesmo macaco. Como era o mesmo indivíduo e a única coisa que mudava era o *status*, os pesquisadores podiam descobrir que efeito o *status* estava exercendo sobre o macaco em termos biológicos (variar experimentalmente o *status* dos humanos transgrediria normas éticas, razão pela qual tais experimentos só foram feitos em alguns primatas).

Macacos que mudaram o *status* de dominante para subordinado tiveram pior funcionamento do sistema imune. Da mesma forma, macacos que passaram do *status* de subordinados para o *status* dominante tiveram uma resposta imunológica estimulada. Mas como o mundo real costuma ser surpreendente, os dados tinham duas rugas interessantes. Primeiro, macacos dominantes apresentaram respostas imunológicas que tinham uma sintonia fina para lutar contra vírus, enquanto os macacos subordinados estavam mais bem equipados para lutar contra bactérias – uma descoberta surpreendente que mostra a desconcertante complexidade de posição social e biologia. Em segundo lugar, muito parecido com o estudo de resfriados e relações sociais, macacos subordinados que passavam com frequência por uma limpeza dos pelos – uma prática social que envolve limpeza, mas que também é usada para reforçar laços entre dois indivíduos – tinham sistemas imunológicos mais resilientes que aqueles que não entravam nesse processo.

Nossos primos primatas podem nos ensinar algumas lições importantes. É provável que pessoas que estão enfrentando significativos estressores biológicos devido à falta de poder e ao baixo *status*, ou devido a alto *status* com uma falta de controle, possam afastar os efeitos negativos do estresse construindo melhores relações sociais. Nossa biologia *será* afetada por nosso lugar na hierarquia social, mas podemos amenizar os efeitos negativos com uma pequena ajuda de nossos amigos. Sem a menor dúvida, ao contrário do que acontece com primatas, nosso *status* social não é monolítico. Quem está mal situado na hierarquia de sua empresa pode estar no topo hierárquico de sua igreja, sinagoga ou mesquita. Pode ser um capitão reverenciado do time de *softball* da comunidade. Ou pode ser apenas muito respeitado por uma família amorosa, solidária, onde ele se sente poderoso e no controle. A tapeçaria densamente tecida de nossa moderna vida social nos dá oportunidades de burlar os riscos de morte e envelhecimento que, de forma invariável, estão ligados a uma posição mais unidimensional em espécies de menor complexidade social.

Se você quer ser saudável, aumente, sempre que possível, o controle que tem sobre sua vida – em particular, se estiver em um nível inferior na escada social ou perto de seu topo. Mas como a maioria das pessoas não pode simplesmente sacudir uma varinha mágica e se verem mais no controle, o caminho mais fácil, se você estiver indo para uma promoção, é certificar-se de que ela não vem à custa daqueles que você ama e com quem se preocupa.

Com esta nota positiva, voltamo-nos agora para os quebra-cabeças mais assustadores do livro. Se pessoas corruptíveis querem mais poder, são melhores em obtê-lo e algumas boas pessoas são corrompidas por exercê-lo, como podemos inverter essas dinâmicas? O que pode ser feito para consertá-las? Está na hora de descobrir como garantir que um número maior de boas pessoas busque o poder, obtenha-o e continue boa quando estiver no comando.

X
ATRAINDO O INCORRUPTÍVEL

Lição 1:
Recrute ativamente Pessoas Incorruptíveis
e Exclua as Corruptíveis

Nas primeiras horas do dia 16 de outubro de 2010, Didacus Snowball e sua namorada C.T. estavam se preparando para ir dormir. Lá fora, estava bem abaixo do ponto de congelamento, com um brusco vento costeiro uivando em torno da casa. Isso não era particularmente incomum no final do outono em Stebbins, um pequeno povoado do Alasca com cerca de 500 residentes que ficava bem na costa do Mar de Bering, pouco mais de 300 quilômetros ao sul do círculo ártico. Mas estava quente no interior quando o casal foi para cama. Então eles ouviram uma batida forte. Didacus atravessou a sala e abriu a porta para ver quem era.

Quando a porta recuou, o homem que estava lá fora se atirou para dentro. Atacou Didacus, dando-lhe um soco no rosto, imobilizando-o no chão e começando a estrangulá-lo com as próprias mãos. C.T. gritou, berrou para que o homem saísse da casa e mandou Didacus correr e buscar ajuda na delegacia de polícia que ficava ao lado. Didacus lutou para se livrar da gravata do desconhecido e saiu em disparada, esperando encontrar um agente de serviço. Mas com Didacus fora da casa, o intruso se lançou contra C.T., jogou-a no chão, pôs as duas mãos em volta de seu pescoço e começou a sufocá-la. Ela tentava gritar, mas sua respiração foi diminuindo sob o aperto firme dos dedos do homem. Tudo ficou escuro. Ela perdeu a consciência.

Quando voltou a si alguns minutos mais tarde, o intruso – ela o reconheceu como um residente local chamado Nimeron Mike – estava em cima dela. Olhando para baixo viu, com horror, que ele tentava lhe tirar o *jeans*. Finalmente, C.T. conseguiu escapar do peso do seu corpo. Ela agarrou um rifle descarregado que estava bem ao seu alcance e bateu na cabeça de Mike. E assim teve tempo para se afastar.

Bem a tempo, a polícia chegou. Mike foi preso. Foi condenado e posto no registro de agressores sexuais do Alasca por tentativa de estupro. Não foi o primeiro contato de Mike com a lei. No total, ele já havia passado seis anos atrás das grades por uma variedade de crimes: violência doméstica, lesão corporal, direção perigosa, apalpar uma mulher, dirigir embriagado e roubar um carro.

Uma década mais tarde, se Didacus Snowball e C.T. fossem atacados em sua casa por um intruso, Nimeron Mike poderia estar novamente envolvido. Mas dessa vez, teria aparecido de uniforme e carregando um distintivo. Porque Nimeron Mike, um homem que tinha uma ficha criminal do tamanho da pista do campo de pouso de Stebbins, havia se tornado um dos policiais juramentados do povoado.

"Eu tinha o fato... de que A ou B era um policial de serviço", me contou Kyle Hopkins, repórter investigativo do *Anchorage Daily News*. "Mas quando eu procurasse levantar o histórico deles, a coisa não faria sentido porque eles tinham condenações que aparentemente os impediriam de ser policiais." Durante anos, Hopkins continuou vendo esse padrão: criminosos se tornando policiais. O padrão se destacava ainda mais em aldeias remotas e isoladas do Alasca.

Hopkins decidiu mergulhar mais à fundo. Em parceria com a ProPublica, publicou uma grande história. Sua reportagem ganhou um Prêmio Pulitzer por expor um fato surpreendente: condenados reincidentes estavam sendo contratados como policiais com uma assombrosa frequência no Alasca. Não deveria estar acontecendo. Mas estava. E em Stebbins, Hopkins descobriu outro fato chocante. Cada policial – sem nenhuma exceção – tinha sido condenado por violência doméstica. Se seu namorado ou marido estava batendo em você, chamar a polícia só garantia que outro agressor entrasse em sua casa. A podridão ia direto para o topo. O chefe de polícia fora condenado por 17 crimes, incluindo agressão violenta e abuso sexual de uma menor. Os bandidos haviam tomado a delegacia.

Como isso podia ter acontecido?

A resposta é simples. Não havia candidatos qualificados, os residentes de Stebbins que eram qualificados não se inscreviam. E os criminosos que não conseguiam encontrar trabalho em outra parte ficavam muito felizes por trocar um macacão laranja por um uniforme azul. A administradora da cidade, Joan Nashoanak, destaca que as ofertas de emprego sempre especificam que os candidatos não podem ser criminosos nem ter sido condenados por contravenção nos últimos cinco anos. Mas sempre que precisava de um novo policial, a cidade tinha de renunciar a essa exigência. A escolha que a cidade enfrentava era entre um policial que era bandido ou absolutamente nenhum policial. "Não conseguimos encontrar mais ninguém sem antecedentes criminais", Nashoanak disse a Hopkins. Quando Hopkins foi atrás de Nimeron Mike como parte de sua reportagem investigativa em Stebbins, Mike disse que poucas horas depois de se candidatar ao emprego foi empossado como agente. "Agora sou um policial? É assim tão fácil?", Mike se lembrava de ter se perguntado na época.

Stebbins é uma história de advertência extrema para o que acontece quando não se tem um *pool* de candidatos suficientemente profundo e quando não se pensa com cuidado sobre recrutamento. Vamos raspar o fundo do barril e acabar tendo montes de pessoas horríveis em posições de autoridade.

Então, aqui está a pergunta de 1 trilhão de dólares: como podemos garantir que pessoas melhores tentem ganhar poder?

Quando se trata de recrutamento, há três respostas principais. Primeira, consiga muitos candidatos. Em segundo lugar, busque de modo proativo o tipo de pessoa que você quer no poder. E terceiro, dedique recursos suficientes para excluir as pessoas corruptas e corruptíveis que se autosselecionam para posições de autoridade. Stebbins fracassou em todas as três frentes. É um caso extremo, mas está longe de ser única nessa tríade de fracassos.

Ao tentar expandir o *pool* de candidatos, precisamos buscar tanto *aprofundamento* quanto *ampliação*. Um *pool* mais profundo de candidatos é aquele em que conseguimos um número maior de candidatos similares aos que já temos, o que permite que sejamos mais seletivos. Um *pool* mais amplo de candidatos é aquele em que recrutamos candidatos que são significativamente diferentes dos que já temos, o que nos permite inovar e melhorar. Ambos são úteis para melhorar resultados, em particular quando eles ocorrem em conjunto.

Pense em montar um pacote de M&M's que contenha 30 doces. Se você manufatura apenas 30 verdes e não outros, não há espaço para erro. Você deve incluir todos os lascados, quebrados e descoloridos. Todos serão verdes. Se você, no entanto, fabrica 60 verdes, ainda terá um pacote só de verdes, mas pelo menos poderá pegar os 30 melhores. Os quebrados serão descartados. A coisa está se aprofundando.

Se seus cientistas de doces tiverem um momento de empolgação com a novidade e começarem a produzir em série M&M's marrons, amarelos, vermelhos, alaranjados, castanhos e azuis, o processo está se ampliando. Melhor ainda se eles descobrirem um amendoim M&M's. É provável que o melhor pacote de M&M's seja retirado de um *pool* mais profundo de doces dentro de cada cor (assim você pode escolher o melhor de um conjunto uniforme), mas também de um *pool* expandido para incluir cores e tipos que anteriormente não existiam – o equivalente humano de novas ideias, novas habilidades e novas perspectivas.

Ampliar também pode criar um círculo virtuoso. Matthew Syed, autor de *Rebel Ideas* (Ideias Rebeldes), mostrou de modo eficaz como pensar diferente inflama a inovação dentro das organizações. Mas isso também faz pessoas que normalmente não competiriam por posições de liderança começarem a se ver como futuras detentoras de poder. Em um experimento na Índia, por exemplo, algumas aldeias foram aleatoriamente atribuídas a uma líder feminina. Outras foram aleatoriamente atribuídas a um líder masculino. O que aconteceu? Houve um nítido "efeito de modelo de conduta". Os pais nas aldeias lideradas por mulheres começaram a esperar mais de suas filhas, criando-as para serem mais ambiciosas. E as moças nessas aldeias começaram a se ver como potenciais líderes futuras, alterando, de forma empoderadora, suas opções de vida. Ampliar produz efeitos positivos de imediato, mas também rende dividendos futuros.

Pense em alguém que você conheceu que seria uma poderosa força moral como representante no Congresso ou Parlamento, ou que seria um CEO responsável e inspirador. Todo mundo conhece muitas pessoas que seriam líderes fenomenais se lhes fosse dada uma chance. Mas muitas, senão a maioria, dessas pessoas não iam querer se envolver em política ou pensar em ocupar a sala com a melhor vista, com um mastro de 3 metros, de uma grande empresa. O desafio que enfrentamos é descobrir como conseguir mais desses tímidos incorruptíveis para que eles comecem a competir com os corruptos narcisistas e superconfiantes que nasceram acreditando que *merecem* o poder porque são uma dádiva de Deus ao homem.

No entanto, muitas organizações nunca pensam nesse problema quando projetam protocolos de recrutamento. Quando é hora de encontrar alguém para colocar em um cargo de responsabilidade, são muitos os que seguem um padrão previsível: faça o que foi feito da última vez. Chamo isto de erro QWERTY, porque eles estão cometendo o mesmo tipo de erro que explica por que estamos acostumados a digitar *e-mails* e mensagens de texto em um teclado com *design* ilógico.

No final dos anos 1860, o inventor norte-americano Christopher Latham Sholes produziu o protótipo do que se tornaria a máquina de escrever. As primeiras versões das máquinas de escrever foram concebidas com um *design* de teclado intuitivo: uma fileira inferior que corria em ordem alfabética de *A* a *M* e uma fileira superior que continuava de *N* a *Z*. Se você conhecesse o alfabeto, saberia onde encontrar cada letra. Mas havia um problema. As máquinas mecânicas estavam propensas a travar se as pessoas batessem nas teclas com demasiada rapidez, em especial se as letras, em rápida sucessão, estivessem próximas umas das outras. Sholes, então, deu a seu genro, um superintendente escolar na Pensilvânia, uma tarefa crucial: descobrir que letras ocorrem juntas com mais frequência na língua inglesa. Os resultados de sua análise amadora foram usados para projetar um novo *layout* de teclado que visava separar letras sequenciais no alfabeto, letras que provavelmente seria necessário remanejar, como *S* e *T* ou *N* e *O*. Eles apresentaram um projeto que é quase idêntico ao *layout* QWERTY de hoje. E o arranjo das teclas teve um bônus. Como o *layout* era extremamente confuso, ninguém conseguia bater rápido o bastante para travar as máquinas.[1]

Avance 120 anos. Os teclados de computador tinham eliminado o problema do bloqueio mecânico. Mas qualquer um que estivesse digitando em um computador já tinha aprendido o *layout* QWERTY. As primeiras empresas de tecnologia se defrontaram com uma opção: sempre otimizar a digitação no computador com algo melhor ou se manter fiel à forma existente de fazer as coisas, embora o problema que ela tenha sido projetada para resolver tenha desaparecido. Como você bem sabe, eles escolheram se prender à maneira antiga (Os cientistas sociais se referem a este fenômeno como dependência do caminho – em que uma nova decisão está amplamente baseada em decisões anteriores. Isso em geral tem um resultado pior, mas é encarado, na época, como o caminho de menor resistência.) Quando os esforços de recrutamento replicam o modelo antigo pegando a mesma linguagem para o anúncio de emprego ou recrutando do mesmo *pool* de pessoas, temos a abordagem QWERTY para decidir quem fica no comando. Está na hora de nos livrarmos disso.

O recrutamento no piloto automático não é apenas problemático por falhar em aprofundar ou ampliar o *pool* de candidatos. Com frequência ele também reproduz preconceitos, pois as organizações que mudaram sua cultura para serem mais inclusivas nem sempre atualizaram da mesma maneira seu processo de recrutamento. Múltiplos experimentos randomizados têm demonstrado que a linguagem usada em anúncios de recrutamento para posições de liderança faz uma enorme diferença em quem se inscreve. Por exemplo, a linguagem expressa com frequência um viés de gênero. Pesquisadores encontraram evidências consistentes de que um anúncio de recrutamento que se refere a algo como estabelecer

---

[1] Uma equipe de pesquisadores japoneses questionou recentemente essa explicação. Argumentam que as origens do teclado QWERTY foi mais uma resposta às necessidades de transcrever com rapidez o código Morse, mas a parábola é igualmente relevante, não importa que versão esteja correta.

"preponderância sobre a concorrência" é percebido por prováveis candidatos como indicativo de uma organização onde é maior o peso masculino. Tem sido demonstrado que essa linguagem agressiva reduz o número de mulheres que se inscrevem para tais posições de autoridade. Como o viés é sutil, precisamos agir com determinação para neutralizá-lo.

Fazer isso não é assim tão difícil. Na Universidade Carnegie Mellon, o corpo docente notou que apenas 7% dos graduados em ciência da computação eram mulheres. Eles então jogaram fora sua velha maneira de fazer as coisas – livraram-se da máquina de escrever QWERTY, por assim dizer – e reformularam por completo o modo como falavam de ciência da computação. Reformaram pré-requisitos inflexíveis que poderiam assustar potenciais graduados. Buscaram de modo proativo um *pool* mais amplo de potenciais graduados. O resultado? Em poucos anos, o departamento passou de 7% para 42% de mulheres. Eles não precisaram de cotas. Só precisaram pensar com mais cuidado sobre que fatores poderiam ampliar o efetivo de estudantes que viriam até eles. Deu certo.

Aqui está a lição: se estamos tentando encontrar a pessoa certa para um posto de autoridade, devemos pensar com cuidado sobre o tipo de pessoa que queremos que se inscreva, quem queremos ver ingressar na academia de polícia ou concorrer a um cargo público. Não deveríamos nos voltar apenas para itens de um currículo ou competências específicas, mas também levar em conta outros índices, como traços de personalidade e o histórico da pessoa no trabalho em equipe. Para obter melhores candidatos a cargos eletivos, partidos políticos e organizações da sociedade civil precisam fazer um trabalho muito melhor de recrutar gente com integridade moral que, mesmo com relutância, possa entrar na política encarada como serviço público, sem a avidez de entrar na política como meio de enriquecer, ficar famoso ou chamar atenção para seu ego. Muitos líderes inovadores estão nas fileiras de profissões apolíticas – líderes na educação, em cuidados de saúde e na ciência para mencionar alguns, líderes que provavelmente seriam excelentes servidores públicos, mas que nunca consideraram seriamente essa possibilidade. Com um pouco mais de esforço para quebrar o molde QWERTY de recrutamento, isso pode mudar.

Uma melhor triagem é também essencial. Em uma única entrevista de emprego, um narcisista charmoso pode passar uma impressão muito diferente da que poderia ser obtida a partir de uma avaliação mais completa. Um exame mais rigoroso talvez pareça sair muito caro. Mas para os que procuram alguém que possa dar uma contribuição significativa, é provável que uma avaliação mais completa nos primeiros estágios poupe muito tempo, dinheiro e danos evitáveis que poderiam ocorrer mais tarde. E para posições de enorme importância, como chefes de Estado ou CEOs de grandes empresas, avaliações psicológicas, em busca de traços da tríade sombria, são provavelmente sábias, mesmo que hoje sejam consideradas incomuns ou insultantes. Nesse nível de poder, as apostas são simplesmente demasiado altas para se preocuparem com um brevíssimo questionamento invasivo. Sejam quais forem as intervenções específicas adotadas, uma grande parte da batalha é reconhecer um problema central: quem não deveria estar no poder está mais propenso a buscá-lo. Precisamos projetar *cada* sistema para tentar excluir os candidatos corruptíveis, famintos pelo poder.

Não devemos imaginar, no entanto, que um recrutamento melhor seja uma panaceia. Fazer com que pessoas sensatas, com senso moral, se apresentem para arcar com as responsabilidades e riscos da liderança será sempre um desafio. Como vimos ao longo dos capítulos anteriores, pessoas corruptíveis são atraídas para o poder como mariposas para uma chama. De que outra forma, então, podemos garantir que mais gente incorruptível seja atirada na mistura? A resposta pode estar com um boi inglês e uma maquininha bizarra inventada na Grécia antiga.

Lição 2:
Use Sorteio e Governança Paralela para Supervisão

Francis Galton, um eugenista polímata inglês com imensas costeletas correndo pelo rosto, estava obcecado com dados. Seu lema pessoal era: "Sempre que puder, conte". Essa afinidade com a quantificação, combinada com seus infames preconceitos, fazia com que ele se comportasse de maneiras bizarras enquanto procurava traduzir o mundo em números. Ao viajar pela Grã-Bretanha vitoriana no final do século XIX, Galton observava, com particular interesse, as mulheres jovens. Usando uma engenhoca que chamou de "furador", que "consistia em uma agulha enfiada em um dedal e um pedaço de papel em forma de cruz", ele fazia furos para registrar, de forma personalizada, a atração feminina. Depois compilou as classificações do furador e criou um "mapa da beleza". Os resultados foram reconhecidamente de uso limitado (em sua avaliação subjetiva, Londres aparecia no alto do quadro; Aberdeen, na Escócia, vinha no fundo).

No entanto, muitas das tentativas menos repugnantes de quantificação de Galton produziram resultados mais úteis. Em 1906, ele participou de uma feira rural. Uma das diversões era uma competição em que os visitantes da feira eram convidados a adivinhar o peso de um boi. Galton não acreditava que alguém chegasse ao peso certo, mas decidiu fazer uma análise estatística das respostas. Quando a competição se encerrou, Galton analisou os 787 palpites. O que encontrou foi notável. A estimativa média – aquela precisamente no meio de todas as 787 – era 548 quilos [1,208 libras].[2] A estimativa média – a média estatística – era 543 quilos [1,197 libras].

O peso real do boi? Também 543 quilos.

---

[2] De início Galton reportou esse número, de maneira incorreta, como 1,207 libras, e só foi corrigido por um exame da evidência em 2014.

CORRUPTÍVEIS

A parábola de Galton da competição para adivinhar o peso do boi (que voltou a ser popularizada no livro de 2004, *The Wisdom of Crowds* [A Sabedoria das Multidões], de James Surowiecki), nem sempre funciona. Os seres humanos estão às vezes tremendamente errados, mesmo quando analisamos o conjunto de seus pensamentos, opiniões ou suposições. Mas quando uma distribuição razoavelmente aleatória de pessoas põe sua mente coletiva para resolver um problema, elas podem, às vezes, funcionar excepcionalmente bem. Algumas pessoas sempre estarão mal, e teriam estimado 130 ou mais de 13 mil quilos no caso do boi. Mas se não houver distorções sistemáticas no grupo de pessoas que dão os palpites, as suposições baixas em geral apenas cancelam as altas. O que nos deixa com um grande número de suposições razoáveis.

O problema é que o grupo de pessoas que toma decisões está mais ou menos *sempre* sistematicamente dominado, de alguma forma, por algum viés. Com frequência, nada poderia estar mais longe de um comportamento aleatório. Por exemplo, desde 1721, houve 55 primeiros-ministros britânicos. Quarenta e um estudaram em Oxford ou Cambridge. E como já vimos, as pessoas que buscam o poder não são distribuídas ao acaso. Elas costumam ser bastante anormais com relação ao restante da população. É provável que os participantes da feira do condado fossem uma fatia bem mais representativa da população local, talvez com a possível exceção do eugenista andando por lá com seu furador.

A aleatoriedade real pode ser particularmente útil porque neutraliza a influência de pessoas com um machado para triturar ou uma agenda oculta. Ao tentar adivinhar o peso de um boi, é provável que estejamos motivados apenas pela possibilidade de chegar à resposta certa. Os visitantes da feira não foram influenciados por expedientes políticos nem estavam moralmente comprometidos por alguma necessidade urgente de serem reeleitos. A parábola do boi de Galton está, portanto, em desacordo com o modo como as decisões são em geral tomadas.

Mas a parábola do boi também oferece outra percepção. Se alguém estivesse tentando manipular o concurso, teria sido muito mais fácil subornar a pessoa que fosse contar os votos que subornar 787 indivíduos para que mudassem seus palpites. Se o poder corrompe, é muito mais difícil corromper grupos aleatórios de pessoas que corromper o grupo pequeno, autosseletivo, de pessoas corruptíveis que têm sede de poder.

Vários milhares de anos atrás, os atenienses antigos acreditavam na força incorruptível de números aleatórios. Em virtude disso, projetaram uma democrática máquina anticorrupção, uma laje gigantesca de pedra com fileiras de buracos cuidadosamente esculpidos. Foi chamada de *kleroterion*. Para tomar decisões importantes, os cidadãos colocariam seu *pinakion*, uma peça personalizada de madeira ou bronze, nas ranhuras da máquina. Então, um funcionário giraria uma manivela que ia liberar, de forma aleatória, uma bola preta ou uma bola branca da máquina. Se a bola fosse preta, a fileira superior de cidadãos era dispensada da deliberação. Se a bola fosse branca, a fileira aleatoriamente distribuída era cutucada para o dever. Era sem dúvida uma espécie de versão antiga das máquinas de loteria que têm bolas quicando, só que, neste caso, as bolas eram usadas para selecionar autores de decisões em vez de dígitos para o prêmio principal em uma competição.

Usar o aleatório para colocar cidadãos em posições de autoridade é chamado de sorteio. Alguns defensores do sorteio argumentam que devemos substituir inteiramente as eleições e introduzir a governança por sorteio. Essa proposta tem muitos problemas. Minaria a escolha democrática. E algumas tarefas políticas – como negociar um tratado de proibição de testes nucleares – requerem conhecimentos específicos cultivados ao longo de toda uma carreira. Mas isso não significa que o sorteio devesse ser descartado inteiramente. Na realidade, deveria ser usado para aconselhar funcionários eleitos em vez de substituí-los.

É assim que poderia funcionar. Na política, poderíamos ter uma grande Assembleia Cidadã anual escolhida por uma versão computadorizada do *kleroterion*. Pense nisso como um dever de cidadania para desenvolver a musculatura. A assembleia funcionaria por um ano. Selecionaria algo como dez grandes questões para resolver durante o ano, talvez com a contribuição de funcionários eleitos. Em um ano poderiam ser problemas relacionados à mudança climática e reforma tributária, no ano seguinte, política de saúde e transporte. Além disso, funcionários eleitos poderiam solicitar rápidos pareceres consultivos da Assembleia de Cidadãos – respostas a questões sim-ou-não que estivessem sendo debatidas com urgência na legislatura. É uma boa ideia impor legalmente o uso de máscaras em espaços públicos lotados de gente durante uma pandemia? Devíamos bombardear a Síria? Está finalmente na hora de comprar a Groenlândia? A assembleia teria o mesmo acesso a opiniões e conselhos de especialistas que os funcionários eleitos. Depois de terem discutido e debatido, os membros da assembleia iam emitir publicamente os pareceres consultivos. Os funcionários eleitos não teriam nenhuma obrigação de seguir esses conselhos, mas a sabedoria da multidão selecionada aleatoriamente seria visível para todos. Se tivessem uma visão diferente, os políticos precisariam ao menos explicar por que estavam se desviando da solução proposta pela assembleia.

O mesmo modelo pode ser adaptado para qualquer grande organização, de corporações transnacionais a departamentos de polícia. Grandes empresas podiam usar o sorteio para criar uma *shadow board** de diretores saídos das fileiras da organização. Cada vez que uma decisão

---

* "Muitas empresas lutam com dois problemas que parecem não ter relação um com o outro: trabalhadores mais jovens sem engajamento e uma fraca resposta a mudanças nas condições de mercado. Algumas empresas têm enfrentado os dois problemas ao mesmo tempo criando uma *shadow board* – um grupo de funcionários não executivos que trabalha com executivos seniores em iniciativas estratégicas. O objetivo? Potencializar os saques [*insights*] dos grupos mais jovens e diversificar as perspectivas a que os executivos estão expostos." [Jennifer Jordan e Michael Sorell, em *Why You Should Create a "Shadow Board" of Younger Employees*, Harvard Business Review, 04/junho/2019] (N. do T.)

Atraindo o incorruptível

importante precisasse ser tomada, a *shadow board* emitiria suas próprias opiniões. Isso forçaria quaisquer diretorias remotas, inacessíveis, a pelo menos brigar com a visão que vinha de baixo. Separadas da miopia da corrida de ratos do lucro trimestral, *shadow boards* poderiam ajudar a prevenir falhas catastróficas, forçando seus superiores a encarar preocupações gerais que são, com demasiada frequência, ignoradas. Para órgãos públicos, como departamentos de polícia, conselhos de revisão civil que avaliam a má conduta poderiam ser suplementados por uma *shadow board,* um quadro paralelo de cidadãos que tivesse um peso sobre decisões importantes que afetam a operação do departamento. Às vezes a multidão vai estar errada. Mas é saudável para quem está no poder ser vez por outra obrigado a ouvir opiniões, cuidadosamente analisadas, de um conjunto aleatório de pessoas que são afetadas por suas decisões.

A supervisão por sorteio tem várias virtudes. Primeiro porque, sendo aleatória, não sofreria com o problema de pessoas corruptíveis procurando uma posição em uma *shadow board* ou em uma Assembleia de Cidadãos. Em vez disso, é mais provável que muitas das pessoas nas Assembleias de Cidadãos e *shadow boards* estivessem lá a contragosto – o que seria uma mudança bem-vinda.

Em segundo lugar, quando os líderes estão agindo por imoralidade ou interesse próprio, isso muitas vezes se tornaria óbvio porque estaria em contraste gritante com a orientação da assembleia ou da *shadow board*. O público teria confiança de que aqueles convocados para o serviço por sorteio não estão tomando decisões visando não perturbar lobistas ou porque não querem colocar à margem um estreito grupo de interesses. Clientelismo e nepotismo se tornariam muito mais difíceis. Dentro do negócio, uma *shadow board* teria todos os motivos para pensar em um prazo mais longo que o comunicado trimestral da imprensa e ser um antídoto para os que são demasiado míopes.

Em terceiro lugar, embora os sistemas políticos estejam com frequência voltados para o impasse, as pessoas comuns tendem a se voltar para o compromisso. Quando nós e nossos amigos não conseguimos decidir entre a comida italiana do Olive Garden e o TGI Fridays, é raro que alguém se afaste e faça postagens de ataque a seus rivais sobre a qualidade das baguetes. Mas os políticos se comportam assim o tempo todo. Incluir um maior número de pessoas comuns na tomada de decisões faria pressão para que aqueles que estão de fato no poder gravitassem em direção a soluções sensatas, não para posturas espalhafatosas.

Um estudo recente trouxe suporte concreto para essa abordagem. Um experimento envolvendo 864 participantes em Zurique, na Suíça, comparou o poder adquirido de forma aleatória com o poder adquirido via competição. Os pesquisadores descobriram que os que acabaram no poder por acaso se comportavam com menos arrogância. A seleção casual é humilhante de um modo que vencer uma competição (como uma eleição) não é. Embora seja apenas um estudo, fornece resultados encorajadores. As pessoas que *não* querem poder talvez fossem mais honradas ao exercê-lo.

Melhor recrutamento, combinado com supervisão por sorteio, pode tornar menos provável que pessoas ruins tomem decisões ruins. Mas como o sorteio não pode e nem deve ser usado para todas as posições de autoridade, resta ainda uma pergunta importante: e aquelas maçãs podres que inevitavelmente chegam de fininho? O que podemos fazer para minimizar o dano que elas podem nos causar?

Lição 3:
Rodízio para Reduzir o Abuso

Quando Helen King era policial, uma equipe de seu departamento parecia estar sempre atuando além de suas forças: eram os policiais disfarçados com roupas civis que se especializaram em apreensões de drogas. "Todos achavam que eles eram ótimos", me diz King. "A qualquer momento que chegasse um pouco de informação, mesmo em uma sexta-feira tarde da noite, eles tomariam a frente, pesquisariam, obteriam um mandado e o executariam. Tudo era realmente produtivo e útil." No papel, eles eram destaques.

King descobriu mais tarde a verdadeira razão por trás da avidez e do entusiasmo deles. Cada vez que a equipe realizava uma incursão e encontrava plantações de drogas crescendo sob lâmpadas de estufa, eles a colhiam e as vendiam de volta para os traficantes. Essa lucrativa falcatrua ficou realmente um bom tempo sem ser detectada. Como os policiais conseguiram agir como criminosos sem ser apanhados?

A equipe, como definido no projeto, havia se tornado uma unidade lacrada. Todos da unidade estavam no esquema. Isso significava que não havia estranhos bisbilhotando ou fazendo perguntas indesejáveis. Enquanto eles continuassem trabalhando duro para alardear apreensões de drogas aparentemente produtivas, os resultados falariam por si mesmos. (Esse tipo de coisa acontece com mais frequência do que se poderia pensar. Em 2014, descobriram um policial na Inglaterra com 11 quilos de cocaína em sua máquina de lavar, o que é mais impressionante porque as máquinas de lavar britânicas são muito pequenas. Colocar 11 quilos dentro de uma delas é um feito surpreendente.)

Quando subiu na hierarquia, acabando como comissária-assistente da Polícia Metropolitana de Londres com foco em recrutamento e treinamento, King percebeu que os policiais corruptos ligados ao tráfico tinham lhe trazido uma valiosa percepção. "Se você consente que equipes, sejam apenas dois policiais uniformizados ou toda uma equipe de drogas, trabalhem isoladas do restante da força e trabalhem por um longo período de tempo como grupo fechado, muitos casos de corrupção vão desaparecer", alerta King. A solução é simples: fazer um rodízio de pessoas para que ninguém fique muito acomodado. Sangue fresco não traz apenas novas perspectivas. Também fornece anticorpos contra a corrupção.

    O rodízio é importante por duas razões. A primeira é evidente: a qualquer momento que um grupo de pessoas esteja em conluio, um estranho representa um risco. Quanto mais forasteiros transitarem pelo grupo, mais difícil se torna conspirar sem ser apanhado. Além disso, quando se transferem para outro lugar, forasteiros que sabem sobre pactos com bandidos podem colocar a boca no trombone. Algumas organizações, países ou equipes têm uma cultura tão arraigada de corrupção que nenhuma soma de rodízio fará diferença. Apodrecido por dentro, podre por fora. Mas na maioria das vezes, o risco adicional de exposição trazido pelo rodízio é um impedimento. Detém o abuso antes que ele aconteça. (A lógica é similar à dos bancos que requerem que os empregados em posições sensíveis tirem duas semanas de férias consecutivas a cada ano. É semelhante a um rodízio de duas semanas. Sem alguém para adulterar a contabilidade durante um período, o processo de fraude é com frequência descoberto quando tentam substituir o fraudador.)

    O rodízio também é importante por uma razão imprevista, relacionada a algo chamado Princípio de Peter. O conceito, que foi cunhado por seu homônimo, Laurence J. Peter, afirma que as pessoas tendem a subir até o "nível de sua incompetência". Se um sistema é amplamente meritocrático, as pessoas que têm um bom desempenho vão ascender na hierarquia. Mas por fim, todos nós atingimos o Platô de Peter – o nível em que nossas habilidades simplesmente não estão à altura do trabalho. Nós nos vemos de cabeça para baixo. Não estamos mais superando as expectativas. O que acontece então? Não há mais promoções. Não há mais desempenho estelar. E é onde muita gente fica estagnada.

Infelizmente, pessoas estagnadas são pessoas corruptíveis. A perspectiva de promoção é uma poderosa motivação para fazer as pessoas se comportarem de maneira adequada, mas quando atingem o Platô de Peter as pessoas perdem essa motivação *e* é mais provável que fiquem entediadas com seu trabalho, o que é uma combinação perigosa. De repente, alguém que estava seguindo as regras enquanto esperava subir ao topo pode começar a contorná-las devido a uma crescente frustração.

O rodízio ajuda a resolver ambos os problemas. Se a variedade é o tempero da vida, então o rodízio é exatamente o tipo de páprica anticorrupção de que precisamos. Se alguém ainda não acha a vida picante o suficiente, mesmo após girar por aí, pelo menos o movimento de pessoas entre equipes e unidades irá garantir que qualquer mau comportamento seja detectado mais cedo.

Esse não é apenas um conceito abstrato sonhado por cientistas sociais durante cochilos na torre de marfim de suas poltronas. Foi testado – tanto no mundo real quanto em experimentos. Por exemplo, o governo federal alemão tem indicado certas áreas do serviço civil como particularmente propensas à apropriação indébita, suborno ou corrupção. Para os cargos nelas incluídos, ninguém pode ocupar uma determinada posição por mais de cinco anos. Se for feita alguma exceção a essa norma, as razões para a exceção têm de ser formalmente justificadas por escrito. À primeira vista, isso tem parecido funcionar. Não há grande corrupção em torno desses cargos. Mas a Alemanha já é um país com certa corrupção. Em função disso, é difícil isolar causa e efeito. A corrupção é baixa porque os funcionários são alemães, que seguem as regras trabalhando na Alemanha, ou porque eles estão sendo postos em rodízio?

Para descobrir, Christoph Bühren, da Universidade de Kassel, decidiu conduzir um experimento. Os participantes foram colocados em pares, com um designado como funcionário público em um jogo que oferecia pagamentos reais, mas onde subornar outras pessoas era uma opção. Para tornar as coisas mais interessantes, os pesquisadores fizeram um ajuste na configuração. Um grupo do estudo teve repetidas interações com a mesma pessoa. Outro grupo teve seus parceiros constantemente trocados. Os resultados foram extraordinários. Quando o estudo foi realizado na Alemanha, o suborno aconteceu em 32% das vezes quando as pessoas eram deixadas com o mesmo parceiro. Mas quando elas estavam trabalhando cada vez com um estranho, essa taxa caía para apenas 13%. Repetidas interações faziam as pessoas confiarem mais, o que as deixava mais à vontade para lançar um esquema secreto. Para não pensarmos que este efeito só funciona em países relativamente isentos de corrupção, o estudo foi replicado na China. Lá, as taxas de suborno caíram de 41% com colegas regulares para apenas 19% com estranhos rotativos.

O rodízio não faz um milagre. Mas ajuda. E funciona melhor quando uma proporção maior das pessoas na organização, no partido político ou no departamento de polícia já são honestas e decentes. Se você está recrutando pessoas melhores e não está preso no piloto automático do estilo QWERTY, é mais provável que o rodízio se torne um círculo virtuoso. Quanto melhores forem as pessoas que você coloque em rodízio, mais elas se tornarão uma tática eficaz para dissuadir e suprimir a má-fé daqueles que estão no poder. E se todos forem supervisionados pela miscelânea aleatória de uma *shadow board* ou uma Assembleia de Cidadãos selecionada por sorteio, tanto melhor.

Infelizmente, mesmo essas intervenções *ainda* não são suficientes. Há outro problema: como vimos quando encontramos psicopatas inteligentes que ascenderam na hierarquia, as versões humanas de maçãs podres são boas em se disfarçarem como imaculadas porque raramente olhamos muito abaixo da superfície. O modo como avaliamos os líderes muitas vezes recompensa manipuladores astutos que *parecem* ser honestos e bem-sucedidos. Vamos precisar mudar isso também.

Lição 4:
Monitorar Processos de Tomada de Decisão, não Apenas Resultados

Quando eu estudava no Carleton College, na zona rural de Minnesota, um grupo empreendedor de estudantes voluntários decidiu começar um programa gratuito de compartilhamento de bicicletas chamado Yellow Bikes [Bicicletas Amarelas]. A ideia foi animadora. As pessoas doariam suas bicicletas velhas. Os estudantes iam consertá-las e pintá-las de amarelo brilhante. Depois elas seriam deixadas no *campus*, destravadas, de modo que alguém que quisesse pedalar em vez de caminhar para a sala de aula precisaria apenas pegar uma bicicleta livre e iniciar o trajeto. Apesar das escapadas por um triz de alunos embriagados descobrindo uma infortunada falta de freios enquanto se precipitavam ladeira abaixo no *campus* (ou foi o que ouvi), o programa se mostrou um sucesso estrondoso. Um estudante chegou inclusive a completar a etapa de ciclismo do Carleton Triathlon em uma instável bicicleta amarela.

Há quatro anos, meu irmão tinha me dito que seus colegas do Dartmouth College haviam tentado algo praticamente idêntico. A única diferença foi que as bicicletas estavam pintadas de verde. Logo após o projeto ter preparado a frota inicial de bicicletas pintadas em um tom brilhante de verde, um grupo de estudantes decidiu que seria divertido construir uma rampa e lançar as bicicletas, com piloto e tudo, no rio Connecticut, esparramando água para todos os lados. Todos celebraram com grande alegria quando a frota de *bikes* mergulhou no leito do rio.

Duas iniciativas idênticas. Uma, um sucesso, outra, um fracasso. Quem apenas avaliou o programa Green Bikes [Bicicletas Verdes] certamente não desperdiçaria seu tempo para replicá-lo em seu *campus*. A ideia estava fadada ao fracasso. Quem só avaliou o programa das Yellow Bikes [Bicicletas Amarelas] começaria a usar o *spray* para divulgá-lo. A ideia estava destinada ao sucesso.

Seres humanos estão presos à falsa noção de que há uma linha reta e previsível entre causa e efeito quando as decisões são tomadas. As bicicletas verdes acabaram no rio *porque* foram uma ideia estúpida. As bicicletas amarelas funcionaram *porque* foram uma ideia inteligente. Não é assim que funciona. O mundo real é assustadoramente complexo. Pequenas variações e acasos podem mudar de forma drástica os resultados. Isso nos faz cometer o erro de atribuir o fracasso a certas ideias excelentes e ficar acumulando elogios a ideias terríveis que de modo improvável tiveram êxito. A lição é simples: nem sempre se concentre nos desfechos e resultados. Em vez disso, submeta a um escrutínio, com muito mais cuidado, o *processo* de tomada de decisões.

Isso é particularmente importante por três razões quando se trata de avaliar pessoas no poder. Primeiro, se recompensarmos alguém por um trabalho benfeito – quando seu sucesso foi devido à sorte – é mais provável que terminemos arcando com um dispendioso fracasso de um líder ruim, mas sortudo. Em segundo lugar, pessoas que são boas para alcançar o poder também são boas para criar narrativas que as colocam sob uma luz melhor que a realidade. Elas são hábeis em nos fazer acreditar que fizeram um bom trabalho, mesmo quando foram um desastre. Um melhor escrutínio dos processos de tomada de decisão pode neutralizar isso. E terceiro, bons líderes às vezes não aparecem bem em instantâneos selecionados ao longo do tempo, embora estejam fazendo tudo certo. Isso pode nos fazer descartar os bons líderes de maneira errada e nos agarrar aos maus.

Atraindo o incorruptível

Um exemplo instrutivo vem do beisebol. Em 1989, o Minnesota Twins era um time medíocre, vencendo menos da metade de seus jogos. Os torcedores estavam furiosos com a liderança da equipe, incluindo o técnico Tom Kelly. O clube havia acabado de negociar Frank Viola, ganhador do Prêmio Cy Young da Liga Americana, por três outros lançadores. Um ano depois, o recorde de vitórias e derrotas dos Twins havia piorado. Eles terminaram a temporada de 1990 como o pior time da divisão, ganhando apenas 74 de seus 162 jogos. O técnico, Kelly, se viu em posição defensiva. Torcedores e cronistas esportivos começaram a reclamar que estava na hora de entrar gente nova. O proprietário da equipe decidiu ignorar as críticas. Deu mais uma chance a Kelly. Mas em meados de abril da temporada de 1991, os Twins nunca pareceram estar tão ruins. Começaram com duas vitórias e nove derrotas, incluindo um período terrível de sete derrotas consecutivas. Parecia que Kelly logo estaria procurando trabalho em uma liga secundária de beisebol.

Então, em junho, algo extraordinário aconteceu. Os Twins ganharam 15 jogos consecutivos, uma das mais longas sequências de vitórias na história do beisebol. Os lançadores que eles haviam adquirido naquela aparente burrada de uma troca em 1989 começavam a surpreender. As vitórias continuaram chegando. No final da temporada, os Twins estavam em primeiro lugar. Até aquele momento, no decorrer da história do beisebol profissional, 245 equipes tinham concluído uma temporada no último lugar de sua divisão. Zero tinham terminado a temporada seguinte em primeiro lugar. Isto é, até 1991 com os Minnesota Twins. Em outubro, os Twins completaram sua reviravolta, ganhando uma World Series de roer as unhas no sétimo e último jogo contra o Atlanta Braves.

O que teria acontecido se os proprietários da equipe tivessem cedido à pressão e chutado Kelly como resultado de duas temporadas perdidas? Mesmo que não se possa dizer com certeza, tudo indica que o desempenho de Kelly como técnico foi sem dúvida um fator-chave na marcha dos Twins para o campeonato de 1991. Se o proprietário da equipe tivesse se limitado a olhar para o registro de vitórias-derrotas da equipe em um instantâneo, ele poderia ter feito algo que fazemos com frequência: nos livrarmos de bons líderes por más razões.

Para compreender por que a demissão de Kelly teria sido um erro, vale a pena dar uma olhada no contexto do registro dos Twins. As equipes de beisebol têm folhas de pagamento extremamente diferentes. Em 2019, por exemplo, o Boston Red Sox pagou a seus jogadores um total de US$ 222 milhões, comparados com apenas os US$ 60 milhões dos Tampa Bay Rays. Em outras palavras, Boston tinha 3,70 dólares para gastar por cada dólar dos Tampa Bay. Como mais dinheiro pode comprar melhores jogadores, qualquer comparação entre dois técnicos de futebol tem de levar em conta as folhas de pagamento. Além disso, como mesmo os times absolutamente piores da história costumam vencer pelo menos um terço de seus jogos, há um piso para o desempenho ruim. É provável que a pior equipe na história da Liga Principal de Beisebol, com o pior técnico do mundo, ainda venha a vencer cerca de 54 dos 162 jogos programados. Graças a isso, os estatísticos têm chegado a uma métrica muito melhor para avaliar o desempenho: quanto dinheiro você teve de gastar por vitória além das 54 vitórias que mesmo o pior time terá? Por exemplo, se uma equipe ganhou 104 jogos e gastou US$ 100 milhões, seriam $100 milhões por 50 vitórias "extras" (104 – 54 = 50). Neste exemplo, o time pagou $2 milhões por cada vitória extra.

Tanto em 1989 quanto em 1990, quando o emprego de Tom Kelly estava em risco, o Minnesota Twins estava gastando muito menos por cada vitória extra que muitos outros times. O New York Yankees, por exemplo, estava gastando duas vezes mais dinheiro por vitória. Kelly estava fazendo um trabalho razoavelmente bom com uma magra folha de pagamento, mas isso não aparecia na classificação da liga. A reconstrução que Kelly fez da equipe em 1989 e 1990 também precisava de tempo para funcionar, pois dependia do desenvolvimento de jogadores mais jovens

Atraindo o incorruptível

como talentos de primeira linha.[3] Como os proprietários foram pacientes, os frutos de tudo isso se revelaram em grande estilo com a vitória em um campeonato mundial, em 1991. Mas muitos proprietários teriam chutado Kelly depois de 1990.

O beisebol, portanto, ensina uma lição imprevista para a liderança: muitas vezes olhamos para as perdas e ganhos em vez de avaliar as decisões que os produziram. Essa visão de túnel nos faz confundir de maneira errada bons resultados com boa liderança e maus resultados com má liderança. A realidade tem mais nuances.

Esse ponto aparentemente sutil é importante porque muitos líderes evasivos, irritantes, que governam domínios com mais consequências do que os diamantes do beisebol são *realmente* habilidosos em fazer seus resultados parecerem impressionantes. Está lembrado de Steve Raucci, o zelador psicopata de Schenectady? Para conseguir uma promoção, ele fez as coisas mais terríveis para tornar a economia de energia de seu antecessor parecer pior do que era. Raucci usava, inclusive, a intimidação violenta para obscurecer o caráter precário de seu pobre desempenho. Os técnicos de beisebol não podem ornamentar seus registros de vitórias e derrotas, mas políticos, CEOs, policiais e outros em postos de autoridade costumam distorcer as estatísticas ou manipular dados para criar uma impressão cor-de-rosa, mas enganosa. Alguns maus líderes são excepcionalmente bons em tirar proveito dos momentos mais oportunos. Os piores líderes se mostram todos demasiado dispostos a sobrecarregar seus sucessores com desafios impossíveis, que eles próprios demoraram a encarar, criando a ilusão, *até* o novo líder assumir o comando, de que tudo pode ser encaminhado de um modo tranquilo. Essas manipulações

---

3 Desenvolvendo um pouco este ponto, os técnicos de beisebol têm apenas um poder limitado para dizer que jogadores fazem parte da equipe. Essas decisões são muitas vezes deixadas para um funcionário fora do campo: o supervisor técnico da equipe. Como resultado, costumamos censurar os técnicos em campo por desempenhos precários quando eles estão trabalhando com decisões tomadas por um líder muito menos visível da linha de frente da equipe.

tornam ainda mais provável que acabemos por recompensar aqueles que fizeram a coisa errada, mas conseguiram se safar por meio de subterfúgios, tramoias ou trapaceando o sistema. Para evitar essa armadilha, devemos avaliar a tomada de decisão em si e esquadrinhar com cuidado os resultados no devido contexto.

A história está repleta de líderes que receberam louvores não merecidos graças a uma boa campanha de relações públicas. Vejamos, por exemplo, Benito Mussolini. Embora Il Duce seja corretamente considerado um monstro fascista, um pouco de aclamação continuou presa a seu legado, como marca solitária de beleza despontando teimosamente de um tumor autoritário. Estou me referindo ao adágio: "Ele fez os trens correrem no horário". Há um problema com essa afirmação: ele realmente não fez isso.

As ferrovias da Itália ficaram em um estado lamentável após a Primeira Guerra Mundial. Mas a maioria dos investimentos feitos para seu reparo e reforma ocorreram antes de Mussolini tomar o poder. Depois de se tornar ditador, Mussolini se concentrou em uma infraestrutura fútil, criando estações ferroviárias ornamentadas para a elite do país, enquanto ignorava os trens de subúrbio que serviam às massas. Centenas de pessoas morreram em projetos de construção na época de Mussolini – e a maior parte dos trens continuava descumprindo os horários. No caso dos trens que de fato corriam na hora, as decisões tomadas pelo antecessor de Mussolini desempenharam um papel muito mais importante para que isso fosse possível. Não obstante, o fascista italiano fez o que tanta gente no poder costuma fazer de maneira magistral: assumiu o crédito por decisões tomadas por outros. Se nos concentrarmos apenas nos resultados superficiais sem examinar o contexto subjacente ou as tomadas de decisão em si, acabaremos reforçando o mau comportamento em vez de desencorajá-lo.

O problema é que ninguém investiga como uma decisão foi tomada quando tudo está indo bem. Temos comissões para desastres, não para sucessos. Isso precisa mudar. Como o acaso desempenha um enorme papel no sucesso ou no fracasso, devíamos também investigar rotineiramente resultados bem-sucedidos que possam ter sido produzidos por procedimentos falhos.

Por exemplo, a explosão do ônibus espacial *Challenger*, em 1986, poderia ter sido evitada se mais atenção fosse dada aos anéis de vedação danificados durante lançamentos com tempo frio. Na realidade, os anéis foram ignorados por muitos que poderiam consertá-los pelo simples fato de o problema não ter resultado – ainda – numa explosão. Todos os sinais de alerta estavam lá. As revisões pós-lançamento foram um desastre de procedimento, com as bandeiras vermelhas sendo ignoradas e denunciantes ignorados ou silenciados. Mas como o ônibus espacial tinha retornado com segurança à Terra, ninguém deu muita atenção. Se a *Challenger*, por algum motivo, não tivesse explodido em 1986, teria provavelmente explodido mais tarde. Aprender com o sucesso acidental é tão importante quanto aprender com falhas catastróficas. Mas nós, como espécie, em geral não entendemos a coisa assim.

Já vimos como pessoas corruptíveis buscam o poder e com frequência são mais eficientes em consegui-lo. Essas quatro lições fornecem um mapa de itinerários para colocar pessoas melhores em posições de autoridade: recrutamento mais inteligente; seleção aleatória de pessoas para realizar a supervisão; maior rodízio do pessoal; e monitoramento dos processos de tomada de decisão, não apenas dos resultados. Implemente todas as quatro estratégias e você estará no caminho certo para ter gente melhor no poder. Até agora, só cumprimos parte do trajeto e sabemos que, não importa o que façamos, algumas pessoas corruptíveis continuarão se tornando poderosas. Mas será que poderíamos fazer alguma coisa para garantir que, uma vez no comando, as pessoas não sejam influenciadas pelos efeitos corrosivos, corruptores, de sua autoridade?

XI

O PESO DA RESPONSABILIDADE

Lição 5:
Crie Lembretes Frequentes, Potentes de Responsabilidade

Se você acha que já teve um primeiro dia estressante no trabalho, pense de novo.

Quando os primeiros-ministros britânicos assumem o cargo, eles geralmente estão cansados, mas eufóricos. Tendo passado a noite anterior comemorando a vitória, todos chegam ao número 10 da Downing Street sorrindo e otimistas. O trabalho de Robin Butler era remover esse sorriso do rosto deles.

"O primeiro-ministro chega e terá de assumir o cargo depois de não mais que duas ou três horas de sono", diz Butler. Uma vez no escritório, o novo líder se depara com uma enorme pilha de papéis – compromissos a cumprir, declarações oficiais a assinar, decisões que não podem ser adiadas. Entre esses papéis, Butler colocaria um conjunto de documentos que ia parecer inócuo. Era, no entanto, uma mina terrestre moral, incluindo a pior decisão que um ser humano poderia ter de enfrentar. Butler tinha a tarefa nada invejável de explicá-la.

O peso da responsabilidade

Sua explicação seria mais ou menos assim: o Reino Unido tem quatro submarinos nucleares, conhecidos, em termos coloquiais, como Trident – que era o nome dos mísseis nucleares que eles traziam a bordo. Enquanto lemos isto, um dos quatro está patrulhando os oceanos do mundo; um gigante escondido com inimaginável poder destrutivo, espreitando nas profundezas. A carga útil que leva a bordo compreende 6,4 megatons de poder explosivo, o equivalente a cerca de 430 bombas de Hiroshima. Se o engenheiro de armas puxar o gatilho – um gatilho que é o punho modificado de um revólver Colt 45 vermelho – países inteiros podem ser varridos do mapa em uma questão de minutos. Assim que um míssil é lançado, não há como trazê-lo de volta.

O submarino de patrulha Trident fica meses sem transmitir nem irradiar mensagens. Avança em silêncio, balançando uma antena comprida na parte de trás para receber as ordens que chegam. O sigilo é crucial porque ninguém pode ser autorizado a conhecer a localização do submarino. A razão é simples: o submarino é o meio de dissuasão nuclear da Grã-Bretanha. Se sua localização fosse conhecida, um ataque de surpresa ao submarino poderia nocauteá-lo de modo instantâneo, deixando o país vulnerável. Enquanto sua posição for desconhecida, um inimigo saberá que qualquer ataque nuclear à Grã-Bretanha provocará ordens para uma rápida retaliação, um medo que é conhecido como destruição mutuamente assegurada. Detone o Reino Unido e você terá bons motivos para acreditar que será detonado de volta.

Mas o que aconteceria se um ataque nuclear de surpresa atingisse Londres, eliminando com rapidez o governo britânico com uma única e horrível nuvem de fumaça e radiação? Quem daria a ordem para retaliar? Essa pergunta sinistra tem sido respondida por um protocolo engenhoso – mas perturbador – conhecido como Cartas de Último Recurso. Para vários primeiros-ministros, esse protocolo começava com Robin Butler entregando-lhes quatro folhas de papel e quatro envelopes, uma folha para cada um dos submarinos nucleares Trident.

"Eu então explicava esse terrível problema moral", Butler me diz enquanto tomamos chá em seu apartamento de Westminster. Butler, que agora é tanto cavaleiro quanto lorde, é alto e imponente, resquício dos dias que passou jogando rúgbi competitivo em sua juventude. Apesar de estar no início da faixa dos 80, é muito mais ativo que poderia ser sugerido pelo cabelo branco como neve. Quando, no entanto, fornecia as instruções sobre as cartas, era o rosto do novo primeiro-ministro que ficava branco.

A orientação de Butler era passada sem rodeios, mas a escolha enfrentada pelo novo líder não era simples. O líder devia escrever à mão instruções para o que fazer se a Grã-Bretanha fosse atacada com uma bomba nuclear e o governo deixasse de existir. Não existem regras formais para o que o primeiro-ministro deve escrever, mas quatro opções principais são sugeridas: retaliar, não retaliar, pôr o submarino sob controle da marinha dos EUA ou deixar que o comandante do submarino decida o que fazer. O problema é que a dissuasão nuclear só funciona se os adversários da Grã-Bretanha *acreditarem* que as cartas contêm ordens de retaliação. Se soubessem que as cartas diziam para *não* retaliar, um inimigo poderia então atacar sem medo de ser atingido por armas nucleares britânicas.

Butler explicaria aos primeiros-ministros que suas ordens de além-túmulo deveriam ser escritas com antecedência, sem conhecimento de quem atacou a Grã-Bretanha ou por quê. A retaliação poderia desencadear uma reação em cadeia que daria fim à vida no planeta, já que o olho por olho tinha armas suficientemente poderosas para produzir o inverno nuclear, levando os seres humanos à extinção. Sem conhecer o contexto, o primeiro-ministro teria de decidir: devo dar ordens que, se obedecidas, podem eliminar nossa espécie? Coloque-se na posição do primeiro-ministro. O que você faria?

"É um choque para o primeiro-ministro", lembra Butler. "Mas deve ser, acima de tudo, a coisa que deixa claro para eles qual é o peso de sua responsabilidade."

Parece que o governo britânico, inteiramente por acaso, projetou o sistema de ultimato para lembrar aqueles em altos cargos dos fardos do poder. Desde o primeiro dia, o novo primeiro-ministro tem de compreender até que ponto as decisões dele ou dela podem destruir vidas – e mesmo acabar por completo com a vida humana. Mas como isso realmente afeta os primeiros-ministros? Para descobrir, eu precisei chamar o ex-primeiro Tony Blair no Zoom.

Ele apareceu na minha tela segurando uma caneca – provavelmente de chá – e usando um suéter aconchegante.

"Desculpe, estou vestido casualmente... Boa para o *lockdown* e tudo o mais," ele explica.

Pergunto como foi ter a experiência de ganhar a eleição, mudar-se para o número 10 da Downing Street e depois ser atropelado pelo bombástico *briefing* de Butler.

"Realmente, ao contrário de todo mundo, eu não estava eufórico", diz Blair. "Estava oprimido pelo peso da responsabilidade que descia sobre mim e bem consciente dela... Bem consciente do fato de que a campanha para o cargo e o trabalho de governo no cargo são duas coisas muito diferentes."

Mas, diz ele, as Cartas de Último Recurso não chegavam a ser tão pesadas quanto ele poderia ter esperado. "Sinceramente, achei que a possibilidade de uma conflagração nuclear era tão remota que... Sim, é claro que prestei muita atenção decidindo como ia redigir as cartas", diz Blair, fazendo uma pausa para refletir. "Mas como aquilo não parecia ser outra coisa senão uma possibilidade extraordinariamente remota, não posso dizer que tenha ocupado meus pensamentos em excesso." Blair diz que sentiu o mesmo "peso de responsabilidade" que sentira com outros *briefings* que martelavam a dimensão de seu dever. Ele insiste que sempre esteve ciente de que, quando se está tomando decisões por milhões, precisamos pensar sempre naqueles que são afetados como indivíduos, não nas estatísticas.

"Fui sempre muito consciente dessa distinção", diz Blair. "Em um de seus livros, o escritor francês Georges Duhamel tem um personagem que ama a humanidade em geral, mas odeia em particular os que a compõem." Blair diz que estava determinado a não se comportar como esse personagem.

"Muitas de minhas mudanças e reformas vêm de visitas à linha de frente", recorda Blair. "Eu fazia um evento público e depois passaria várias horas com trabalhadores da linha de frente da saúde ou com policiais, por exemplo. Isso tende a nos manter com os pés no chão... A coisa mais importante para um político é: não entre em política a menos que as pessoas o interessem. Pessoas reais. Indivíduos."

Na política britânica, Blair é agora um para-raios de controvérsias, basicamente por causa de suas decisões relativas à Guerra do Iraque. Mas sejam quais forem suas opiniões políticas, suas ideias sobre *como é* estar no poder são dignas de consideração. É provável que, para os primeiros-ministros da era da Guerra Fria, as Cartas de Último Recurso fossem mais sóbrias porque o conflito nuclear parecia uma possibilidade real. Para Blair, eram os encontros na linha de frente com pessoas comuns que lhe davam pausa. Essa é uma lição crucial: para a maioria das pessoas, lembretes constantes de como suas decisões podem afetar outros podem criar mais reflexão e, portanto, melhorar o comportamento. Não é um elixir mágico. Mas ajuda.

Onde quer que possa haver abuso de poder, é crucial lembrar aqueles que o exercem da responsabilidade que lhes cabe. Às vezes, esses lembretes são criados por um projeto, como acontece com as Cartas de Último Recurso. Outras vezes, nada precisa ser projetado. Os lembretes angustiantes estão embutidos. Cirurgiões, por exemplo, são assombrados por pacientes que morreram em suas mesas de cirurgia. Por mais terríveis que sejam essas experiências, muitos cirurgiões dirão que controlam de forma produtiva o foco de sua mente. Não há como escapar do fato de que todo movimento do bisturi é importante.

Outros são empurrados para funções em que os desafios são tão óbvios quanto implacáveis. Cornell William Brooks, por exemplo, sentiu essa responsabilidade quando foi presidente da National Association for the Advancement of Colored People [Associação Nacional para a Promoção das Pessoas de Cor – NAACP]. Estava claro para ele que suas ações não seriam julgadas como atos de um executivo comum, mas como estandarte de um grupo inteiro de pessoas – pessoas negras – nos Estados Unidos. "Você se dá conta de que está falando não apenas em seu nome", ele me disse quando o encontrei em sua sala na Harvard Kennedy School. "Você está falando em nome de pessoas que não têm chance de falar. É uma coisa altruísta."

Kim Campbell, a primeira mulher primeira-ministra do Canadá, me disse algo semelhante: "Ninguém que se parecesse ou soasse como eu jamais fizera aquele trabalho. Como você administra o desafio de ser vista como adequadamente feminina, mas, ao mesmo tempo, ser adequadamente forte, impositiva e confiável em termos de lidar com crises ou situações difíceis?" Campbell tinha sempre em mente que estava sendo vista como um teste – não de seu partido ou dela mesma – mas o teste de haver uma mulher responsável pelo país. "Nunca vi ninguém dizer que Kim Campbell é uma lição prática da razão de não querermos uma mulher como primeira-ministra", diz ela. "Isso teria me preocupado."

Para pioneiros que são os primeiros a ocupar uma posição de autoridade ou para os que carregam uma bandeira oficial em nome de um grupo que tem historicamente enfrentado discriminação, o peso da responsabilidade não vem como um lembrete ocasional. É uma constante. Embora seja difícil obter dados precisos, é provável que o peso dessas cargas faça pessoas como Kim Campbell e Cornell William Brooks insistir ainda mais na liderança limpa e virtuosa. Sabem que não se trata apenas deles.

Ter, no entanto, uma compreensão intelectual da responsabilidade não garantirá uma tradução mágica em bom comportamento. Considere, por exemplo, um dos estudos mais divertidamente deprimentes já realizados. Em 1973, alunos que estavam estudando para se tornarem padres na Universidade de Princeton foram convidados a se reunir com pesquisadores para falar sobre suas motivações para vestir a batina. Depois mandaram que os alunos do seminário preparassem uma breve comunicação sobre a parábola bíblica do Bom Samaritano, em que duas pessoas insensíveis passam por uma vítima aflita de roubo sem ajudá-la antes que um samaritano pare para socorrê-la. Depois de terem preparado suas falas sobre o Bom Samaritano, os estudantes foram instruídos a ir para um prédio adjacente e fazer sua exposição.

É aqui que fica interessante. Um terço dos alunos foi informado de que tinha bastante tempo para chegar ao outro prédio. Um terço foi informado de que chegariam a tempo se fossem de imediato. E disseram a um terceiro grupo que eles estavam atrasados e precisavam correr para o prédio.

Os pesquisadores estavam sendo maliciosos. No caminho para fazerem suas palestras sobre o Bom Samaritano, cada um dos estudantes encontrava um estranho se contorcendo de dor na passagem entre os prédios. A passagem era tão estreita que os estudantes teriam de passar por cima do homem que sofria. O estranho em agonia fazia parte do experimento, mas os futuros padres não sabiam disso. Sessenta por cento dos estudantes que corriam na frente parou para ajudar. Metade dos que estavam na hora parou. Mas só 10% dos seminaristas que corriam com atraso ajudou o estranho. Isto foi particularmente irônico porque eram futuros padres correndo para dar uma palestra sobre a parábola bíblica que os mandava parar se encontrassem um estranho em agonia. Lembretes de responsabilidade podem funcionar, mas outros fatores podem desconsiderá-los.

Então, para criar um comportamento melhor, você tem de combinar lembretes de responsabilidade com outro ajuste psicológico: mostrar às pessoas em posições de autoridade os custos e consequências de suas ações. Se aqueles em cargos de autoridade não se sentirem, vez por outra, profundamente questionados por rostos humanos que veem bem à sua frente, é provável que não estejam fazendo seu trabalho direito.

Lição 6:
Não Deixe Quem Está no Poder Ver As Pessoas como Abstrações

Ken Feinberg é a imagem exata de um advogado bem pago e poderoso: camisas brancas imaculadamente passadas, abotoaduras de prata brilhante, óculos de casco de tartaruga. Aos 76 anos, parece jovem para sua idade, mas a cabeça calva mostra rugas na testa, como se as angustiantes decisões com as quais se engalfinhou durante décadas tivessem ficado entalhadas no seu rosto. Fala com uma voz estrondosa, cada palavra brotando como uma caricatura meio exagerada de um sotaque de Boston. Quando está disposto a enfatizar um ponto, sua voz aumenta até fazê-lo gritar, como em uma personificação humana de letras maiúsculas. A gritaria, contudo, não substitui a exatidão. Feinberg emprega as palavras como em um ajuste de mira de armas do século XXI. Essa habilidade se mostrou crucial em uma carreira construída em torno da necessidade de falar com famílias que tinham enfrentado um sofrimento horrível.

Nos últimos 35 anos, Feinberg supervisionou todos os principais fundos de reparação de danos nos Estados Unidos. No massacre da escola Sandy Hook. No derramamento de óleo da BP. No ataque a bomba na Maratona de Boston. Se um evento terrível com uma longa lista de vítimas ocorre nos Estados Unidos, o telefone de Ken Feinberg toca. Mas a tarefa mais difícil que ele recebeu foi, sem dúvida, trabalhar com o Fundo de Compensação de Vítimas do 11 de setembro. Depois que 2.977 pessoas foram assassinadas em Nova York, Pensilvânia e Washington, DC, Feinberg teve de responder a uma pergunta impossível: quanto valia cada uma de suas vidas?

Como o fundo era enorme, Feinberg tinha margem de manobra. Em certo sentido, isso tornava o trabalho mais difícil – porque nem todos seriam contemplados da mesma maneira. Ele apresentou uma solução pragmática: tentar descobrir quanto dinheiro a pessoa teria ganho ao longo dos anos restantes de vida se ele ou ela não tivessem sido vítimas dos ataques terroristas de 11 de setembro. Foi um método incômodo, reduzindo o valor dos indivíduos a seus ganhos financeiros e embutindo enormes disparidades nas decisões de compensação. Mas isso poderia resolver um problema importante: como as vítimas que ganhavam mais tinham com frequência mais obrigações financeiras que as vítimas que ganhavam menos, talvez fosse possível minimizar os contratempos de famílias que já tinham passado por muita coisa. Ninguém queria que uma viúva ou viúvo deixasse de pagar uma hipoteca assinada sob a expectativa de um salário estável nos próximos anos. O modelo de Feinberg garantiria que o esperado contracheque – ou uma estimativa aproximada dele – continuasse chegando indefinidamente.

Caso a oferta financeira inicial para uma família fosse contestada, Feinberg estabeleceu um sistema para permitir um recurso pessoal. Ele se encontrava pessoalmente com a família, ouvia sobre seu ente querido e então decidia se a situação justificava um ajuste. "Oitocentas e cinquenta vítimas distintas e suas famílias vieram falar pessoalmente comigo", disse-me Feinberg. "O trauma e horror do 11 de setembro – e a perda de entes queridos transformados em pó, sem que nem mesmo houvesse um corpo – sem dúvida me fizeram perceber como tudo aquilo era enervante." Encontrar essas pessoas cara a cara era de partir o coração.

Feinberg não conseguiu trazer ninguém de volta dos mortos. Mas podia ressuscitar as finanças de uma família em luto. Então, dia após dia, mês após mês, Feinberg ouviu. Perguntei se ficou insensível às histórias de horror, uma vez que elas se tornaram parte de sua rotina. De imediato, ele objetou: "Por mais que se escute, perdemos a capacidade de nos livrar da carga emocional da tragédia. Nunca se supera isso".

Os cálculos financeiros também não eram simples. Jovens trabalhando em empregos mal pagos, como os baristas do World Trade Center que se tornaram deficientes físicos depois dos ataques, podiam, de forma muito razoável, ter esperado ganhar mais dinheiro mais tarde na vida. "'Dr. Feinberg', ele se recorda de muitos lhe falando. 'Eu estava nesse emprego mal pago, mas tinha um contrato em que ia ganhar cinco vezes mais no próximo ano.' Mostre-me o contrato. Mostre-me a prova documental. 'Dr. Feinberg, só estou ganhando X, mas acabei de ser admitido na Faculdade de Direito de Harvard.' Mostre-me que foi admitido." Se considerava as suposições razoáveis, Feinberg ajustaria a compensação para cima. Se elas não fossem razoáveis, não atenderia as pessoas.

Imagine ter de dizer à mãe enlutada que a vida do filho simplesmente não valia tanto quanto ela disse que valia, pelo menos em termos financeiros. Imagine ter de olhar as famílias nos olhos e dizer-lhes que os sonhos e aspirações de carreira, os planos de progressão para uma carreira futura e o salário que isso acarretaria para seus entes queridos simplesmente não eram dignos de crédito. Era esse o dia padrão de Feinberg no escritório.

Feinberg foi até mesmo obrigado a tomar decisões que poderiam destruir famílias, agravando os horrores da vitimização. Uma mulher veio consultá-lo não para pedir mais dinheiro, mas apenas para falar com alguém sobre o marido. Ele era um bombeiro que morreu tentando resgatar pessoas das Torres Gêmeas. Ela disse a Feinberg que o marido era o centro de seu universo, um marido modelo e um pai perfeito. Chamou-o de "Sr. Mamãe". Quando ele não estava no corpo de bombeiros, estava ensinando o filho de 6 anos a jogar beisebol, o de 4 anos a ler ou lendo na hora de dormir uma história para o caçula de 2 anos.

"A única razão pela qual não subi ao telhado do nosso prédio e me atirei para me juntar a ele foram nossos três filhos", ela contou, por entre lágrimas, a Feinberg. "Mas sem o Sr. Mamãe minha vida está acabada. Não me importa quanto dinheiro o senhor me dê." Depois ela foi embora. No dia seguinte, toca o telefone de Feinberg. Era um advogado.

"Dr. Feinberg, o senhor se encontrou ontem com uma mulher que tinha três filhos, com 6, 4 e 2 anos? Que chamavam o pai de Sr. Mamãe?"

"Sim. Terrível."

"Dr. Feinberg, quero lhe dizer uma coisa. Não invejo o que o senhor tem de fazer. Seu trabalho é difícil. Mas ela não sabe que o Sr. Mamãe teve *outros* dois filhos, agora com 5 e 3 anos, de uma namorada e amante no Queens, em Nova York. Eu represento a amante e os dois garotos. E só quero que o senhor saiba disso, porque quando calcular seu cheque do 11 de setembro, não haverá três crianças sobreviventes, haverá *cinco* crianças sobreviventes. Mas tenho certeza de que fará a coisa certa."

Clique. O advogado desligou.

Você conta para a viúva? Ou fica de boca fechada?

O peso da responsabilidade

"Acabei decidindo", lembra Feinberg, "que nunca contaria a eles. Fiz dois cálculos. Separei um cheque para a esposa como guardiã das três crianças e, sem o conhecimento dela, separei outro cheque para a namorada, como guardiã dos dois garotos. Foi isso."

Após décadas lidando com dilemas desse tipo, Feinberg diz que aprendeu duas lições. A primeira é que a vida pode mudar num instante, de forma inesperada, por isso é melhor tratá-la com cuidado. Mas a segunda lição – aquela em que vamos nos concentrar – é algo que normalmente não associamos com o frio distanciamento de advogados.

"É melhor você ser um déspota benevolente", Feinberg insiste. "É melhor ser empático. É melhor acrescentar a seu poder político e substantivo uma dose saudável de empatia e sensibilidade. Porque sem essas características, sem a percepção de que você é empático e compreende a situação da vítima, você está condenado."

Essa percepção tinha um lado estratégico. Sem empatia pelas vítimas, era menos provável que as pessoas a receber compensações aceitassem o valor acordado; e elas poderiam se envolver durante anos em batalhas judiciais. Mas Feinberg também reconheceu um lado humano crucial para ele próprio. Tinha se sentado cara a cara com 850 vítimas e suas famílias. Tinha visto em primeira mão a dor de cada família. Quanto aos sobreviventes, teve de encarar as desfigurações e cicatrizes a que estavam presos para sempre.

"A não ser que tenha um coração de pedra, você será atingido pela vulnerabilidade emocional e as expressões dessas pessoas em encontros confidenciais cara a cara", Feinberg me diz. "Há um certo grau de humanidade que me impede de pensar que sou Júlio César ou Alexandre, o Grande. E nisso estou submetendo a teste qualquer egoísta exaltação que pudesse fazer de mim mesmo."

No total, mais de US$ 7 bilhões foram concedidos a cerca de 30 mil vítimas e suas famílias, na maioria das vezes com base em decisões tomadas por Feinberg. Ele reconheceu que controlava o destino financeiro delas. Em função disso, fez tudo que pôde para garantir que as pessoas que estava afetando não fossem abstrações amorfas. Queria imaginá-las, ouvir suas vozes falhadas, angustiar-se com elas *antes* de tomar uma decisão. Se ia dizer não a alguém, ia fazer isso após encarar a pessoa nos olhos.

Infelizmente, a insistência de Feinberg em eliminar a natureza abstrata da tomada de decisão é rara no mundo de hoje. É mais fácil do que nunca ser um monstro da escrivaninha – alguém que causa prejuízos, destrói ou até mesmo acaba com vidas sem deixar o conforto de uma poltrona de escritório ou ver, em primeira mão, o sofrimento imposto. Existem indústrias inteiras para separar decisões desconfortáveis dos campos visuais daqueles que as tomam. Essas atividades têm com frequência nomes eufemísticos, como *especialistas em downsizing corporativo* ou *consultores de rescisão*. Elas podem poupar seu chefe do incômodo de sentir um certo desconforto emocional ao chutar um funcionário antigo, terceirizando-o para outra pessoa. Mas por que isso importa? O que acontece quando um sério dano é higienizado como um eufemismo e as pessoas que estão decidindo infligir sofrimento a outras jamais vão assisti-lo em primeira mão?

Em um dia frio e ensolarado de janeiro em Berkeley, na Califórnia, passo por estudantes segurando garrafas de água mineral Nalgene. Um deles tem uma mochila adornada com *slogans* de oposição à guerra e pedindo justiça para as vítimas de abusos de direitos humanos. Passo pela multidão de estudantes, avanço pelos corredores do prédio da faculdade de direito e bato na porta do membro mais polêmico da faculdade de Berkeley: John Yoo. Ele está usando terno e gravata escuros, em nítido contraste com outros membros da faculdade, que estão digitando em seus escritórios com *jeans* e camisas polo. Yoo me saúda calorosamente com um sorriso. Aperto a mão dele, bem ciente de que muita gente vê o homem parado na minha frente não como um professor de direito, mas como criminoso de guerra.

Vinte anos atrás, logo após os ataques de 11 de setembro, Yoo, como assistente do procurador-geral dos Estados Unidos, foi encarregado de ajudar o presidente George W. Bush a determinar que conduta era ou não legal. Yoo era jovem e ambicioso, um advogado de 30 e poucos anos que já estava assessorando o presidente. Despertara a atenção da administração Bush após escrever uma série de pareceres legais defendendo uma autoridade presidencial ampliada durante períodos de crise. Era, como disse mais tarde um professor de direito, "um verdadeiro crente".[*]

Em 9 de janeiro de 2002, Yoo escreveu um memorando, agora infame, argumentando que as proteções da Convenção de Genebra – proteções que proibiam a tortura de detidos durante conflitos – não se aplicavam a combatentes que fossem capturados no Afeganistão. O objetivo do memorando era, em parte, assegurar que oficiais e soldados americanos não fossem acusados de crimes de guerra mesmo que praticassem abusos contra prisioneiros durante interrogatórios. Yoo, juntamente com um pequeno grupo de outros advogados e funcionários do governo que se autodenominaram Conselho de Guerra, estavam determinados a encontrar uma justificativa legal para o que mais tarde, de modo eufemístico, chamariam de "interrogatório intensificado". Em consequência disso, afastaram outros advogados do governo da tomada de decisões, muito provavelmente porque esses advogados tinham a compreensível visão de que o direito internacional se aplicava, sem dúvida, aos Estados Unidos. Muitos estudiosos do direito e procuradores do governo posteriormente argumentaram que as opiniões jurídicas de Yoo estão muito longe do

---

[*] Isto é, tinha devoção pelo sistema. (N. do T.)

consenso dominante sobre autoridade executiva e direito internacional. Mas certas ou erradas, sem dúvida as opiniões de Yoo eram convenientes para a Casa Branca.

Em agosto de 2002, Yoo escreveu outro memorando. Dava sinal verde para técnicas de interrogatório que a maioria das pessoas consideraria tortura. Em especial, o memorando de Yoo proporcionava justificativa legal para o afogamento (em que o detido é submetido a uma prolongada sensação de afogamento e sufocamento), o confinamento de prisioneiros em uma pequena caixa onde são despejados insetos vivos para fazê-los entrar em pânico e a manutenção dos prisioneiros acordados por até onze dias seguidos. Alguns, como Yoo, argumentam que essas técnicas eram necessárias para evitar ataques futuros. Mas análises subsequentes também mostraram que alguns detidos que foram torturados pelo governo dos EUA depois de 11 de setembro eram inocentes.

Quando você conhece alguém que se engalfinhou com um sério problema moral com profundas consequências para o sofrimento humano, é inevitável que você se coloque no lugar da pessoa. Como seria ter isso remoendo na consciência? Então, eu lhe fiz a pergunta óbvia: Como aquilo o tinha afetado em termos pessoais? Não o fizera perder o sono?

Sua resposta mostrou indiferença: "Não, não acho que tive qualquer tipo de insônia... porque, como estudioso, já penso o tempo todo nessas coisas. Pessoalmente, não me sinto muito estressado ao tomar decisões".

Com base nessa resposta, eu o pressionei. Disse a Yoo que tinha participado de muitas discussões acadêmicas, mas que sentiria uma grande diferença entre declarar minha opinião em um debate intelectual e emitir uma opinião legal que pudesse levar pessoas a serem deliberadamente submetidas à situação de acharem que estavam se afogando. Yoo assentiu meneando a cabeça. "É diferente, claro. E há pessoas com quem trabalhei no governo que acho que estariam mais ou menos relutantes a enfrentar essas questões." Mas quanto às lutas internas que perseguiam seus colegas de trabalho, Yoo diz que não as compartilhava.

"Minha visão era a seguinte...", Yoo me diz. "Sobre métodos de interrogatório, podíamos discutir um ou até 12 ou mais deles. Ou podíamos nos deter em quatro. Talvez fosse muito pouco. As pessoas podiam nos criticar mais tarde por sermos demasiado relutantes ao tentar proteger a segurança nacional. Se chegarmos a 12, as pessoas vão dizer que fomos longe demais. Tudo é uma troca. Podemos escolher a linha que quisermos em termos de métodos de interrogatório. Vai haver benefício, bem como custos em cada ponto que pararmos.

Alguns vão ficar ao lado de Yoo e aplaudir uma dura decisão que tinha por objetivo salvar vidas. Outros vão achar que ele é um criminoso de guerra. O que, no entanto, mais me impressionou não foi se ele estava certo ou errado. Foi o modo como construía seus argumentos. Por mais que pressionasse Yoo, eu obtinha as mesmas respostas distanciadas, analíticas. Ele foi afável, educado e atencioso nessas respostas – mesmo quando tentei pressioná-lo. Com calma metódica, delineava a lógica de cada decisão. Sem dúvida tinha pensado de modo profundo sobre essas questões. Mas em nenhum momento detectei qualquer indício de emoção ou pausa por hesitação.

Quando me despedi e voltei para o sol de Berkely, ocorreu-me que a tortura provavelmente continuava sendo uma abstração para Yoo. As respostas que ele procurava estavam em livros e relatórios, não em distantes celas de prisão. Podemos presumir que nunca olhara nos olhos de um homem levado a crer que estava se afogando. Mas talvez as firmes opiniões legais de Yoo não fossem alteradas por essas experiências. Afinal se supõe que a lei seja desapaixonada, fria, não tocada pela emoção. E as opiniões de Yoo eram de impressionante consistência. Pode ser que uma viagem perturbadora a um local sombrio que empregasse tortura não tivesse qualquer efeito em seu pensamento.

Talvez, no entanto, uma dose saudável de desconforto seja precisamente o que é necessário para pessoas que estão tomando decisões moralmente desconfortáveis. Tanto Feinberg quanto Yoo estavam lutando com os limites da lei após o 11 de setembro. Feinberg nunca deixava de olhar nos olhos daqueles que eram prejudicados por suas decisões. Yoo nunca os viu.

Isso não são apenas narrativas. Sem dúvida, há boas razões para acreditar que teríamos uma sociedade com menos abusos cruéis se pudéssemos garantir que mais CEOs, policiais e políticos seguissem a rota de Feinberg em vez da rota de Yoo.

Bambi, Desumanização e Inteligência Artificial

As relações humanas são mediadas por um conceito chamado distância psicológica. Nossa vida social é um pouco como uma cebola. No centro estão os membros imediatos da nossa família – nosso cônjuge, nossos filhos, nossos pais e irmãos. Uma camada além está nossa família mais afastada, depois talvez nossos amigos, nossos colegas de trabalho e assim por diante. Como uma cebola, todas essas camadas podem fazê-lo chorar se algo acontece com eles (admitindo a inclusão de seus colegas de trabalho), mas, por fim, depois de adicionar um determinado número de camadas, você começa a chegar à casca... aos pedaços que são descartáveis. Aí você vai praticamente ignorar as perdas. Uma camada a mais e a coisa já nem será parte da cebola. Agora as pessoas não chegarão sequer a entrar em seus pensamentos.

O peso da responsabilidade

Claro que nossas cebolas não são todas iguais. Tipos sentimentais podem ter uma cebola maior. Outros chegam à casca muito mais depressa, só conseguindo se preocupar com seus mais próximos relacionamentos pessoais.

Mas não está predefinido se uma determinada camada é ou não importante para nós. Ela pode mudar com o tempo. Como escreveu o filósofo da moral Peter Singer, a história dos seres humanos e da humanidade é a história de um "círculo em expansão". Quando bebês, nosso universo moral é pequeno, limitado a nossos pais e talvez a um irmão ciumento. Mas à medida que nos desenvolvemos, passamos a nos importar com mais e mais pessoas. Singer argumenta que também a história de nossa espécie tem sido definida por um círculo moral em expansão. As pessoas costumavam se preocupar apenas com as pessoas imediatamente ao seu redor. Hoje, podemos ficar profundamente comovidos por notícias de um *tsunami* ou de um ataque terrorista do outro lado do mundo envolvendo pessoas que nunca chegaremos a encontrar ou conhecer. Podemos então, de forma deliberada, expandir nosso círculo moral ou fazer crescer nossa cebola moral?

O modo como alguém é retratado ou emoldurado em nossa mente pode mudar de forma radical nossa visão dessa pessoa ou grupo de pessoas. Os norte-americanos, por exemplo, pensam com frequência nos iranianos como inimigos. Mas cristãos norte-americanos podem se sentir solidários com cristãos iranianos perseguidos. Os diretores de Hollywood compreenderam há muito tempo a força dessa estrutura ao manipular nosso senso de distância psicológica. Quando um personagem morre na tela, ninguém acha que nossa reação será muito forte se mal chegamos a conhecer alguma coisa sobre a pessoa. O anonimato não nos move. Os personagens anônimos que são ceifados em uma cena de guerra têm efeito limitado sobre a maioria das pessoas, embora implicitamente se compreenda que, com certeza, eles tinham famílias e aspirações. Fora de vista, fora da mente. Mas quando morre um protagonista – um personagem que sentimos que entendemos, por quem estamos torcendo e com quem nos identificamos – bem, esses são os momentos mais sentimentais do cinema. Esse efeito pode ser tão poderoso que a morte de um cervo, como a mãe de Bambi, por exemplo, nos traumatiza mais que as mortes na tela de quase todas as vítimas humanas não identificadas em um filme de ação.

A especificidade é importante. Podemos ver os "*nerds* de computador" de um modo em geral diferente da visão que temos de Vanessa, a violinista de *It – A Coisa* [IT], que toda segunda-feira leva um *sourdough*** para o escritório. Ou podemos ter opiniões sobre "migrantes" diferentes da que temos sobre o José, que joga no time de futebol da nossa empresa e é um imigrante de primeira geração (na verdade, há sólida evidência de que os lugares que mais se opõem à imigração tendem a ter o menor número de imigrantes). Quanto mais encontramos uma pessoa, menos a pessoa se torna uma categoria. À medida que descascamos as camadas da personalidade e da vida interior das pessoas, elas se movem para mais perto do centro de nossa cebola social e psicológica. O oposto também é verdade. Se alguém continua sendo uma abstração, é muito mais fácil não nos importarmos com ela.

Esse entendimento fornece um esquema que pode ser usado para o bem ou para o mal.

Segundo Yaacov Trope, psicólogo da Universidade de Nova York, a distância psicológica tem quatro dimensões que determinam se uma decisão está dentro da cebola com a qual nos preocupamos. Primeiro, temos a distância social (não, não a temida variedade pandêmica). Distância social se refere a quanto você se identifica com a pessoa que será afetada por seu comportamento. Demitir um vizinho que é pai do melhor

---

**   Pão de fermentação natural. (N. do T.)

amigo de sua filha é mais difícil do que despedir alguém que você nunca conheceu. Em segundo lugar, existe uma distância temporal ou de tempo. Quanto tempo se passa entre o momento em que você toma uma decisão e os efeitos que ela provavelmente terá? O CEO de uma empresa química achará mais fácil deixar substâncias tóxicas escorrerem lentamente para águas subterrâneas do que envenenar o copo d'água de alguém em um restaurante. Em terceiro lugar, temos a distância espacial. É mais fácil prejudicar pessoas que estão fisicamente distantes do que aquelas que estão no mesmo aposento que nós. E em quarto e último lugar, há uma distância experiencial. É mais fácil infligir dano ou abusar de outras pessoas, se você tiver apenas de imaginar a situação, como fez Yoo, em vez de senti-la, vivenciá-la ou observá-la de modo visceral.

A guerra fornece um exemplo particularmente instrutivo de como a distância psicológica determina o comportamento humano. Do início ao fim da maior parte da história humana, a guerra tem sido definida com relação a três das quatro dimensões. Fossem os espartanos ou Guilherme, o Conquistador, na Batalha de Hastings, matar no campo de batalha era coisa próxima, imediata e visceral. Espete uma lança no estômago de alguém e não há como escapar da falta extrema de distância temporal, espacial ou experiencial. Essa falta de distância psicológica é, por uma simples razão, problemática para generais que tentam vencer batalhas: muitos humanos têm aversão instintiva a matar.

No século XIX, o oficial militar francês Ardant du Picq encontrou evidências de que um porcentual significativo de soldados franceses na década de 1860 estavam deliberadamente disparando suas armas para o alto em vez de atirar nos seres humanos vivos, que respiravam pelo campo de batalha. O livro de Dave Grossman *On Killing* (Matar! – Um Estudo sobre o Ato de Matar) proporciona uma visão geral deste fenômeno ao longo da história, mostrando impressionantes indícios de que um número surpreendente de soldados de fato não usava suas armas durante o combate. Depois da Batalha de Gettysburg, 90% dos 27.574 mosquetes coletados ainda estavam carregados ou tinham sido carregados duas vezes sem disparar. E quando usam suas armas, alguns soldados parecem relutar em realmente atirar em alguém. Na Guerra do Vietnã, estimou-se que foram disparadas até 50 mil balas para cada pessoa morta. O trabalho de Grossman aponta para o treinamento de policiais e soldados que agora usam alvos de aparência mais humana que o *bull's-eyes* [olhos de touro] de papel para tentar preparar melhores atiradores para disparos contra uma pessoa no mundo real. Tem sido demonstrado que esses pequenos ajustes aumentam as taxas de disparo durante um conflito armado.

No entanto, é muito mais fácil superar quaisquer hesitações do dedo no gatilho que possamos ter com um truque perturbador: não pensar na pessoa que se está matando como um ser humano. Em vez disso, transforme mentalmente a pessoa em uma abstração subumana descartável. As piores atrocidades da história são em geral precedidas por uma linguagem que equipara seres humanos a insetos, vermes e até mesmo objetos. Os escravos eram mencionados como gado. Nativos norte-americanos eram chamados de selvagens. Os autores do genocídio de Ruanda descreviam os tutsis como baratas.[1] Os nazistas se referiam aos judeus como ratos e os representavam em pôsteres como piolhos.

Mas mesmo em regimes assassinos, lembretes visíveis de que grupos perseguidos são, de fato, humanos podem ter um poderoso efeito. Um dos raros atos bem-sucedidos de resistência à deportação de judeus sob Hitler foi o *Rosenstrasse* [Rua da Rosa], em que mulheres alemãs não judias protestaram contra a detenção de seus maridos judeus. Como os detidos eram oficialmente ligados a alemãs não judeus, que eram encarados como plenamente humanos, o protesto funcionou. Os detidos

---

1 O caso de Ruanda é a exceção que confirma a regra. O genocídio foi extremamente cruel, com pessoas comuns matando seus vizinhos com facões. Essa extrema proximidade física e psicológica é mais uma prova de que a desumanização pode ser poderosa o bastante para superá-la.

judeus acabaram sendo soltos e poupados. Mas na maior parte dos piores atos de crueldade e abusos contra seres humanos, os perpetradores tentaram criar distância social entre eles e suas vítimas. Incapaz de alterar os aspectos temporais, espaciais ou experienciais de matar, o foco continuou sendo a desvalorização das vidas do "inimigo". Isso ajudava a superar o instinto humano dos perpetradores, nossa aversão a matar.

Hoje em dia, superar essa aversão é ainda mais fácil. Inovações na guerra moderna expandiram a distância psicológica. Ataques de drones, por exemplo, criam maior distância espacial e experiencial, fazendo com que um piloto com um *joystick* possa matar um grande número de pessoas que aparecem em uma tela de vídeo a milhares de quilômetros de distância. Os sons, cheiros e visões da guerra foram removidos. Por exemplo, pilotos de drones que viajam para a base da Força Aérea de Creech, no deserto de Nevada, têm uma experiência radicalmente diferente de pilotos que pousam seus caças em porta-aviões no Golfo Pérsico. Depois de lançar um míssil mortal contra combatentes inimigos, alguns pilotos de drones de Nevada pegam seus carros, compram algum leite e sentam-se para um jantar em família com os filhos. Matar, para eles, pode ficar muito parecido com *vídeo game*. Mesmo quando a desumanização não é proposital, é mais difícil pensar nas pessoas como parte de sua amada cebola moral se elas não passam de pontinhos distantes em uma tela de vídeo.

Felizmente, poucas pessoas vão algum dia matar alguém. Mas a compreensão dos conceitos por trás desses exemplos extremos de distância psicológica pode ajudar a garantir que gente poderosa se comporte melhor. Sejam gerentes monstruosos, executivos fraudulentos ou mesquinhos funcionários da imigração, ajustar como as pessoas que estão no comando vivenciam a distância psicológica é a chave para criar uma sociedade melhor.

Para entender como isso acontece, vamos nos concentrar por um momento na distância espacial. No passado, empresas como a Companhia Holandesa das Índias Orientais – enormes gigantes que se espalhavam pelo globo – eram os *outliers*. Agora empresas pequenas, de propriedade local e localmente operadas são os *outliers*. Tornou-se rotina para executivos das capitais ocidentais tomar decisões que despejam lodo tóxico a meio mundo de distância ou elevam o preço de medicamentos que salvam vidas nos países mais pobres sem nunca ter colocado lá os pés. É cada vez mais comum sermos demitidos por pessoas que trabalham em sedes corporativas que nunca visitamos. Isso devia nos dar motivos para preocupação porque nossas inibições morais são enfraquecidas quando aumenta o espaço entre nós. Solicitaram que os participantes de um experimento de 2017 operassem uma máquina que matava joaninhas. Uma turma estava fisicamente na mesma sala que a máquina e podia vê-la, embora a controlassem de modo remoto. Outra turma recebia as mesmas instruções, mas não podia ver a máquina, que estava em outro local. Os que se encontravam espacialmente distantes da máquina estavam dispostos a matar mais joaninhas que aqueles que se encontravam na mesma sala que ela. (Aqueles que têm cebolas morais de tamanho grande ficarão aliviados em saber que nenhuma joaninha realmente morreu nos experimentos. A máquina era uma convincente *fake*.)

A capacidade de sentir distância social das pessoas que prejudicamos também se expandiu de forma radical na era moderna. Na Idade da Pedra, se roubássemos alguns frutinhos do nosso vizinho, quase sempre veríamos a vítima e a vítima nos veria. Se fôssemos apanhados, teríamos de enfrentar as consequências ou conviver com o estigma em nossa comunidade. Hoje em dia, no entanto, roubar pode ser feito por um saque de dinheiro de contas sem rosto em planilhas de Excel. Eugene Soltes, em seu livro sobre os crimes de colarinho branco, *Why They Do It* [Por que Eles Fazem Isso], aponta para uma série de estelionatários que não hesitavam em mentir no papel ou em planilhas, mas que confessavam quase de imediato quando confrontados com outro ser humano.

Parece, portanto, evidente que o melhor meio de estabelecer sistemas de responsabilização é diminuir a distância psicológica entre governantes e governados. Não depressa demais. Provavelmente não queremos CEOs de empresas da Fortune 500 dedicando cada momento do dia para conhecer cada empregado, assim como não achamos que despedir pessoas seja o melhor uso do tempo para eles. E será que queremos policiais jogando pôquer nos fins de semana com membros das quadrilhas que eles deveriam prender pela prática de algum crime? Certamente não. Isso é uma receita para a corrupção e o favoritismo.

Da mesma forma, provavelmente não é uma boa ideia os cirurgiões ficarem tão emocionados pela humanidade de seus pacientes a ponto de se tornarem incapazes de cortarem seus corpos com precisão fria e metódica. Os pesquisadores descobriram que o cérebro dos médicos é muito mais capaz de ficar impassível diante do sofrimento alheio. Há também evidências de que enfermeiros que humanizam demais seus pacientes acabam com taxas mais altas de estresse e exaustão no trabalho. Uma leve desumanização nos cuidados de saúde pode atuar como um mecanismo necessário de proteção. No primeiro dia do curso de medicina de meu irmão, ele teve de dissecar um cadáver em uma aula adequadamente intitulada Anatomia Básica. Como muitos aspirantes a médicos, ele achou a experiência profundamente incômoda. Perguntou ao professor se deveria tentar pensar na pessoa na mesa de dissecação como um pedaço de carne ou como o avô de alguém. "Ambos", o professor respondeu.

A distância psicológica é, portanto, um dilema que pode ser resolvido pelo que os cientistas sociais chamam de solução Goldilocks. Qualquer um tomando decisões difíceis, potencialmente prejudiciais ou mortais precisa ter *apenas a soma correta* de proximidade emocional. Fique perto demais em termos psicológicos e seu julgamento ficará prejudicado por um inescapável sentimentalismo. Afaste-se demais e sua dose saudável de preocupação e cautela voará pela janela. Em muitas esferas do mundo moderno, o pêndulo oscilou demais para uma distância nada saudável. Precisamos de mais CEOs que tenham interesse por seus funcionários, mais advogados do governo que vejam a face humana de seus relatórios e mais policiamento comunitário.

Na realidade, o mundo está se movendo na direção oposta. Computadores que usam algoritmos opacos acionados por aprendizado de máquina estão substituindo humanos psicologicamente distantes, gente que tinha ela própria substituído humanos psicologicamente próximos. Embora o aprendizado de máquina e a IA tenham um enorme potencial para melhorar os padrões de vida e criar uma sociedade mais justa, eles também podem criar controle sem responsabilidade.

Já tratamos de como colocar pessoas melhores no poder e como garantir que gente poderosa se comporte melhor. Podemos avançar um longo trecho de caminho no sentido de tornar o mundo um lugar mais justo lembrando pessoas poderosas de suas responsabilidades, garantindo que vejam os outros como indivíduos, não como abstrações. O problema, como qualquer cientista social vai dizer, é que as pessoas são apenas parte da equação. Podemos dar uma séria lição a um primeiro-ministro com as Cartas de Último Recurso, assim como podemos mostrar a gerentes de nível médio os custos humanos de um comportamento imprudente ou insensível. Sempre vale a pena fazer isso, porque compaixão humana e empatia podem ser forças poderosas para o bem. Mas se os sistemas subjacentes nos quais as pessoas trabalham estão quebrados, mesmo os bem-intencionados estarão propensos a se comportar mal. Boas pessoas em sistemas mal projetados podem ceder a impulsos sombrios.

E temos outra verdade incômoda: muita gente em posição de autoridade simplesmente não será movida por lembretes de responsabilidade ou por esforços para garantir que as pessoas nunca se tornem abstrações. Psicopatas, por exemplo, não seriam muito afetados pelas Cartas de Último Recurso nem se importariam de ver o rosto de suas vítimas. Alguns iriam inclusive saborear a oportunidade de causar sofrimento. Mas não é apenas com os psicopatas que temos de nos preocupar. Como vimos, muita gente medíocre, corrupta e corruptível termina no poder – pessoas nefastas que não estão sequer, primeiro que tudo, *tentando* fazer coisas boas, mas são motivadas pelo interesse próprio, pela ganância ou narcisismo.

Então, se sistemas ruins ainda são um problema e pessoas corruptíveis no poder são ainda uma ameaça, como podemos melhorar os sistemas para impedir que pessoas corruptíveis se comportem mal?

XII

OBSERVADO

"Se Deus não existisse, seria preciso inventá-lo."
— *Voltaire*

Lição 7:
Pessoas Observadas São Boas Pessoas

Se você fosse um viajante do tempo decidindo quando e onde cometer uma série de crimes, um lugar que não deveria escolher era a Inglaterra do século IX. As punições e os métodos de execução não eram exatamente agradáveis (para dizer o mínimo). Mas o julgamento em si também podia ser mortal. Nos casos em que não havia provas suficientes para determinar se o acusado era inocente ou culpado, o julgamento seria decidido por um processo conhecido como provação. Seus rituais se baseavam em uma crença no *judicium Dei* ou julgamento de Deus. O acusado seria forçado a suportar algo que iria normalmente produzir um sofrimento terrível. Por exemplo, em provações de "água quente", o suposto criminoso seria obrigado a recuperar um anel ou uma pedra em um caldeirão cheio de água fervente. Se isso queimasse sua carne, tínhamos a prova divina de que o acusado era culpado. Se um milagre ocorresse e a carne ficasse ilesa, Deus havia falado de forma clara: a pessoa era inocente. A provação do "ferro quente", como seu nome de forma conveniente sugere, também não era agradável. O suposto criminoso era forçado a carregar um pedaço de ferro em brasa por exatamente nove passos e então as queimaduras (ou a falta delas) determinavam o veredito.

Tais provações não foram exclusivas da Inglaterra medieval. Em certas comunidades beduínas, é usada a Bisha'a para determinar se a pessoa está mentindo. Pedem que o suposto mentiroso lamba um objeto de metal quente, muitas vezes uma colher. Se sua língua se queima, ele é considerado mentiroso. Na Alemanha, na Polônia e na Escócia medievais era usada a cruentação, onde se acreditava que o cadáver de uma vítima de assassinato sangrava de forma espontânea se o assassino se aproximasse dele. Em Madagascar, os suspeitos de crimes eram convidados a comer três pedaços de pele de frango misturada a um veneno mortal produzido pelas nozes da árvore nativa *tangena*. Se eles morressem, seriam declarados feiticeiros e enterrados de forma desonrosa. Durante o reinado da rainha Ranavalona I, no século XIX, uma estimativa sugere que um em cada 50 habitantes do país morria *a cada ano* como resultado dessas provações.

Quem acha que esses sistemas são um pouco insanos não está sozinho. Nozes tóxicas, mãos fervidas e colheres escaldantes não parecem – pelo menos à primeira vista – servir de base ideal para um sistema de justiça criminal. Mas Peter Leeson, um economista da Universidade George Mason, discorda. Para ele, as provações eram uma forma bizarra, mas perfeitamente racional, de descobrir a culpa do acusado sempre que não conseguissem reunir todos os fatos e não tivessem o equivalente anglo-saxão de Hercule Poirot ou Sherlock Holmes andando pela aldeia. A lógica dessas provações pode nos ajudar a compreender como impedir que pessoas com autoridade abusem de seu poder.

Leeson não sugere que Deus interviesse para salvar os membros dos inocentes da água fervente. Na realidade, ele diz que as provações funcionavam porque o acusado *acreditava* que elas funcionariam. Mais precisamente, elas proporcionavam um mecanismo para separar de forma efetiva os culpados dos inocentes por uma simples razão: todos acreditavam que Deus estava *sempre* vigiando.

Leeson nos pede que imaginemos Frithogar, um fazendeiro anglo-saxão acusado de roubar um animal de seu vizinho. Se não houver provas suficientes para uma conclusão ou outra, podem perguntar a Frithogar se ele estaria disposto a passar por uma provação de água quente para demonstrar sua inocência. Se Frithogar for culpado, ele acreditará que Deus saberá de sua culpa e que vai puni-lo de acordo. Ele, portanto, vai esperar ser escaldado pela água fervente. Como resultado, Frithogar vai insistir em pagar uma multa e evitar a todo custo a provação. Ao resistir à provação, ele está denunciando a si próprio. Mas se for inocente, Frithogar vai aceitar de bom grado a provação, acreditando que Deus também saberá de sua inocência e há de poupá-lo por meio de um milagre. De certa forma, é um pouco como Salomão e o bebê, em que a mulher ao se dispor a desistir do bebê em vez de deixar que o cortem pela metade mostra ser a verdadeira mãe. Diante de consequências terríveis, a verdade com frequência vem à tona.

Notavelmente, os Frithogar inocentes da Inglaterra medieval muitas vezes obtinham um milagre. Sendo a crença na intervenção divina tão difundida, quando alguém aceitava com avidez o julgamento por provação, o padre (provavelmente de forma acertada) acreditaria que a pessoa era inocente. Como Leeson explica: "Sabendo disso, o padre pode conseguir que a provação revele o resultado correto. Por exemplo, se Frithogar escolher passar pela provação, o padre que administra o ritual pode baixar a temperatura da água para um nível que não chegue a queimar. Frithogar mergulha o braço no caldeirão esperando sair ileso. Sua expectativa é cumprida – não por Deus, mas pelo sacerdote recém-informado". Há evidências de que precisamente esta manipulação do julgamento por provação aconteça quando a disposição de um suspeito de se sujeitar ao escrutínio divino fazia com que um padre poupasse o réu. Isso retirava a culpa do inocente melhor do que a água fervente conseguiria fazer.

As provações proporcionam uma conclusão fundamental: comportamo-nos melhor quando acreditamos estar sendo vigiados por uma força que pode nos punir. Somos também mais honestos, pois há um risco maior de que nossas mentiras sejam desmascaradas. De modo crucial, a simples ameaça de punição é muitas vezes suficiente para induzir um comportamento melhor. Mas parece bastante distópico imaginar que a vigilância em massa seja a solução para as mazelas da sociedade. Há um modo melhor? E o que provações ou religiosidade têm a ver com impedir policiais de usarem violência excessiva ou dissuadir os políticos de encher os bolsos enquanto depenam o país? Para descobrir, precisamos pensar de maneira um pouco mais profunda sobre o papel da religião nas sociedades humanas.

Durante milhares de anos, nosso diabo interior foi parcialmente subjugado quando os seres humanos passaram a temer o olhar vigilante de uma divindade que nos observava de cima. Hoje, bilhões de pessoas acreditam em um Deus que nos punirá por nossos pecados. Essa crença é tão comum que parece ser um impulso humano natural. Mas não é. Na Idade da Pedra, as pessoas provavelmente não viam os deuses como executores da lei moral. Como Ara Norenzayan, professor de psicologia na Universidade da Colúmbia Britânica, explica em seu livro *Big Gods* [Grandes Deuses], os deuses dos caçadores-coletores "normalmente não se preocupam com transgressões morais como roubo e exploração... Muitos deuses e espíritos não são sequer plenamente oniscientes para atuarem como bons monitores de comportamento moral – eles percebem as coisas dentro das aldeias, mas não além; eles podem ser enganados ou manipulados por outros deuses rivais. As primeiras raízes da religião não tinham um amplo escopo moral". Voltando o suficiente no tempo, provavelmente veríamos que nossos ancestrais não tinham tanto medo da ira divina. Tudo isso mudou com a chegada do que Norenzayan chama de Grandes Deuses – os deuses das principais fés modernas que estariam cientes de tudo que fazemos e dispostos a nos punir por nossos pecados.

As principais religiões do mundo estão repletas de lembretes de que Deus está de olho. As religiões abraâmicas (judaísmo, cristianismo e islamismo) deixam claro que nada pode ser escondido Dele. Mesmo que nenhum ser humano jamais descubra o que você roubou da "bacia das almas" da igreja ou os pensamentos impuros que teve sobre alguém da vizinhança, Deus sabe. Outras religiões mandam mensagens similares aos crentes. No Tibete e no Nepal, os Olhos de Buda estão salpicados pelas aldeias. E isso não é uma inovação recente. Os incas tiveram de se preocupar com o olhar de Viracocha, um deus que supervisionava o império. Como aponta Norenzayan, tal monitoramento divino recua ainda mais no tempo, quando "uma das divindades mais antigas e mais importantes do Antigo Egito era Hórus, o deus do céu, também conhecido como 'Hórus de Dois Olhos'".

Norenzayan argumenta que o espectro da vigilância divina serviu como um propósito útil para a sociedade. Como acreditavam que estavam sendo observadas, as pessoas se comportavam de maneira mais virtuosa do que se comportariam em outras circunstâncias. Grandes deuses faziam as pessoas temerem ser apanhadas bem antes de existirem detetives ou jornalistas investigativos. Além disso, como a sociedade compartilhava uma crença no mesmo Deus ou deuses, Norenzayan diz que a religiosidade construiu a confiança social. Se todos acreditam na punição divina, um lojista pode ter mais fé de que não deixaremos de pagar uma dívida. Nós dois sabemos que pagaremos inevitavelmente por ela – nesta vida ou na próxima. Assim como armas nucleares agem como meios de dissuasão devido à "destruição mutuamente assegurada", a religião indica outra forma de loucura: danação mutuamente assegurada. Crença compartilhada produz coesão social.

Na estimativa de Norenzayan, os Grandes Deuses preenchiam um vácuo de poder que existia porque os governos pré-modernos eram de notória fraqueza. O policiamento não existia. Em especial nas áreas rurais, a presença de qualquer governo era efetivamente invisível. Quanto mais longe do palácio estivesse a pessoa, menos provável seria ela se sentir observada por mortais. Isso é muito bem captado por uma cena de *Monty Python em Busca do Cálice Sagrado* (*Monty Python and the Holy Grail*), que apresenta uma conversa entre o rei Arthur, uma camponesa não identificada e um camponês dissidente chamado Dennis:

REI ARTHUR: Sou Arthur, rei dos britânicos. De quem é esse castelo?

CAMPONÊS: Rei de quem?

REI ARTHUR: Dos britânicos.

CAMPONÊS: Quem são os "britânicos"?

REI ARTHUR: Bem, todos nós somos. Somos todos britânicos e eu sou seu rei.

CAMPONÊS: Tudo bem, mas como você se tornou rei?

REI ARTHUR: A Senhora do Lago, com o braço envolto no mais puro e cintilante estofo de seda, tirou do seio das águas e ergueu no ar Excalibur. Indicava que eu, Arthur, pela divina providência tomaria Excalibur. É por isso que sou o vosso rei.

DENNIS: Escute bem. Mulheres estranhas que a gente encontra em lagos distribuindo espadas não servem de base para um sistema de governo. O supremo poder executivo se deriva de um mandato das massas, não de uma ridícula cerimônia aquática.

Dennis tinha razão. Nem ele nem a camponesa teriam muito a temer do governo de Arthur em suas vidas diárias. Os Cavaleiros da Távola Redonda não andavam vagando por aí em busca de criminosos comuns ou camponeses desleais. Sem vigilância do governo, alguma outra coisa tinha de preencher o vazio. Norenzayan argumenta que os Grandes Deuses cumpriam esse papel – e diz que, sem eles, muitas dessas sociedades teriam mergulhado em um caos e desordem muito piores. Quem precisa do Big Brother quando se tem Hórus e Viracocha?

Mas o argumento dos Grandes Deuses de Norenzayan leva essa ideia um pouco mais longe. Além de ser útil para criar uma sociedade mais pacífica, a crença em uma constante vigilância divina também criava vencedores e perdedores *entre* sociedades. A crença religiosa podia estabelecer se uma determinada sociedade morria, sobrevivia ou prosperava.

De modo específico, Norenzayan argumenta que as sociedades que ficaram com as amorais divindades caçadoras-coletoras – divindades que não podiam ficar de olho nas pessoas que as cultuavam – tendiam a se sair pior que as sociedades que se sentiam vigiadas. Sem qualquer impedimento celestial, as pessoas cooperavam menos. Sem uma divindade onisciente compartilhada, elas confiavam menos umas nas outras. Intermináveis conflitos internos destruíam o progresso. Essas sociedades foram extintas – ou foram conquistadas e submetidas por outras mais cooperativas. (Existe até uma teoria acadêmica, chamada hipótese de punição sobrenatural, de que a crença na retribuição divina fornecia uma vantagem evolutiva ao nível individual. A teoria sugere ser menos provável que aqueles que acreditavam em uma punição de cima levassem o comportamento agressivo a ponto de correr risco de morte ou prisão, o que lhes dava uma chance melhor de ter filhos. Em termos darwinistas, chamaríamos isso de hipótese da "sobrevivência do mais sagrado".)

Norenzayan não foi o primeiro a afirmar que crenças sobrenaturais podem criar sucesso social. Argumentos semelhantes foram apresentados pelo pai da sociologia, Max Weber, que sugeriu que a devoção protestante à virtude piedosa do trabalho árduo criava uma prosperidade que se autoperpetuava.

Mas se o argumento dos Grandes Deuses estiver certo, não é por acaso que a esmagadora maioria da população mundial acredita em deuses oniscientes e moralizantes. A crença nesses deuses ajudou a criar sociedades de sucesso, levando à difusão de religiões desse tipo enquanto outras morriam. A explicação alternativa trazida por crentes é que as religiões prosperam ou fracassam em função de serem ou não verdadeiras. Os cristãos acreditam que o cristianismo prosperou porque é a verdadeira fé, que é a mesma posição dos muçulmanos com relação ao islã e dos judeus frente ao judaísmo. Isso está em desacordo com a visão pragmática, mais funcional, de religião de Norenzayan, que talvez tenha sido mais bem captada por Voltaire, que disse: "Se Deus não existisse, seria preciso inventá-lo".

A hipótese dos Grandes Deuses tem falhas. Uma das notáveis é que o assassinato e o crime eram galopantes na Idade Média, apesar do medo quase universal do castigo de Deus. Mas há evidência significativa – também na era moderna – que corrobora a visão de Norenzayan de que "pessoas observadas são boas pessoas". Se ele estiver certo, trata-se de uma ideia crucial que pode ser usada para impedir abusos de poder por parte das autoridades.

O que, então, mostram as evidências? Nosso impulso de hesitar acerca do mau comportamento quando estamos sendo observados começa cedo. Jared Piazza, da Universidade de Kent, na Inglaterra, criou um experimento onde crianças eram deixadas em uma sala com uma caixa muito tentadora e disseram que não olhassem dentro dela. Algumas crianças foram deixadas sozinhas. Outras foram supervisionadas por um adulto que permaneceu na sala com elas. Mas um grupo de crianças que foram deixadas sozinhas também foi informado de que a força invisível da "Princesa Alice" estaria de olho para garantir que elas não abrissem a caixa. Perguntaram então às crianças desse grupo se elas acreditavam que Alice fosse real. Todas que disseram que acreditavam na princesa se abstiveram de espiar dentro da caixa proibida. A maioria das crianças descrentes abriram a caixa. Mas mesmo essas crianças correram os dedos pela cadeira de onde a princesa supostamente as espiava para se assegurarem, antes de quebrar as regras, de que ela, de fato, não existia. Seja como for, tomaram cuidado.

Foi incrível que, ao analisar os números, os pesquisadores tenham descoberto que as crianças que disseram acreditar na princesa Alice se comportaram tão bem quanto as que tinham convivido com a presença física de um adulto. Mas abstrações são menos eficazes do que lembretes físicos de um suserano vigilante. Isso explica por que pais que consideraram a ameaça do Papai Noel insuficiente para transformar filhos travessos em crianças boazinhas tiveram de inovar. Alguns, na época do Natal, colocam agora em uma prateleira um Elfo vigilante, capaz de extrair um comportamento ligeiramente melhor de filhos levados.

Infelizmente, o abuso do agente penitenciário não terminará se colocarem elfos nas prateleiras concretas das prisões, e o medo do castigo divino sem dúvida não é suficiente para evitar o mau comportamento de políticos e CEOs. Mas lembretes sutis de que estamos sendo observados podem, sem dúvida, ter efeitos poderosos. Em um estudo da Universidade de Newcastle, na Inglaterra, pessoas convivendo em um espaço de trabalho comum eram capazes de pegar sozinhas seus lanches, mas se esperava que pagassem por ele usando uma "caixa de honestidade". Em uma versão do experimento, a caixa de honestidade tinha um pôster sobre ela com a imagem de olhos voltados para baixo. Na outra versão, o pôster era apenas uma foto de flores. Quando os olhos estavam lá, as pessoas davam três vezes mais dinheiro do que quando eram os narcisos que supervisionavam a caixa. (Vários pesquisadores subsequentes, não sendo capazes de replicar algumas dessas descobertas, afirmaram que tinha havido exagero acerca dos efeitos – e provavelmente tinham razão.)

A pressão, no entanto, de ser vigiado *versus* a sensação de anonimato também pode ser mostrada se retornarmos ao jogo do ditador. Imagine que está em parceria com outra pessoa. Deram-lhe US$ 6 e disseram que pode ficar com todo o dinheiro ou pode repartir uma parte com ela. Será que sua decisão sobre quanto dar seria afetada, mesmo que remotamente, pelo que você estava usando no momento?

Pesquisadores da Universidade de Toronto montaram um experimento para testar essa questão. Alteravam de modo aleatório um pequeno detalhe do experimento: alguns participantes usavam óculos escuros; outros usavam óculos claros. Para nossa surpresa, os que usavam óculos claros doavam uma média de US$ 2,71, comparada a apenas US$ 1,81 daqueles de óculos escuros. Isso é uma diferença substancial, fazendo a repartição 55/45 passar para uma divisão 70/30 do montante em caixa. A explicação mais plausível era que usar óculos escuros induzia as pessoas a se sentirem mais anônimas, o que em termos subconscientes permitia que dessem vazão a seus impulsos mais sombrios. Muito obrigado, óculos *Ray-Ban*.

Esses experimentos apontam para a possibilidade de que a dissuasão do mau comportamento possa depender de diminutas mudanças. Talvez até mesmo de pistas sutis que lembrem as pessoas de que ser observado tem efeitos poderosos. Em um experimento em Marrocos, projetado de modo brilhante, pesquisadores abordavam lojistas e lhes davam uma opção: aceitar uma doação em dinheiro vivo ou rejeitá-la para que ela pudesse ser doada a uma instituição de caridade. A única variação no experimento ocorria *quando* eles estavam sendo consultados. Alguns lojistas foram consultados em momentos aleatórios no decorrer do dia. Um grupo específico foi abordado somente durante a chamada para a oração, que retumbava por toda a cidade – lembrete visceral de áudio de haver uma divindade acima de cada um. No grupo aleatório, 60% dos lojistas foram generosos (uma encorajadora descoberta sobre a natureza humana)! Mas no grupo que foi consultado durante a chamada para a oração, *todos* escolheram a opção caritativa. Esse estudo é particularmente intrigante porque lida ao mesmo tempo com a recompensa e a punição: a chamada para a oração deve funcionar como um lembrete do peso da responsabilidade para fazer o bem, mas ao mesmo tempo estimula as pessoas a levar em conta a punição divina quando satisfazem seu lado mau.

Essas descobertas, no entanto, têm limites. A crença na punição divina dos Grandes Deuses pode ser o fator decisivo guiando o comportamento de algumas pessoas na sociedade moderna, mas certamente não é o que motiva todas elas. A maior parte das pessoas não é devota o bastante para estar a todo momento se preocupando com Deus ao refletir sobre cada detalhe de um comportamento potencialmente diabólico que possam manifestar, como não hesitar ante a possibilidade de roubar material de escritório durante o trabalho (a pessoa sabe quem ela é). E mesmo que os lembretes funcionem, não seria exatamente uma opção viável bombear a chamada da prece ou dos hinos bíblicos para os escritórios de esquina nas instalações das 500 companhias da *Fortune* ou para a Casa Branca. Além disso, mesmo que imagens de olhos em gesso em escritórios e delegacias tivessem um efeito de dissuasão, isto só ia dar certo por um breve período, pois logo as pessoas se acostumariam a eles.

Felizmente, essas coisas impraticáveis não têm tanta importância porque governos e empregadores modernos proporcionam agora a vigilância e as ameaças de punição que foram previamente estabelecidas pelo castigo divino e pelo espectro das provações. A encarnação atual de Dennis (o camponês medieval de *Monty Python*, com uma boa e suspeita educação) conheceria – e temeria – a intervenção da polícia, da Receita Federal ou dos departamentos de RH. Isso não afeta o fascínio fundamental da religião em geral, que permanece forte para bilhões de pessoas. Mas significa que, para muita gente, o benefício de dissuasão social de um olhar divino foi substituído por um olhar mortal.

Há indícios de ser mais provável que pessoas observadas se comportem melhor. É claro que não precisamos mais confiar exclusivamente em deuses para fazer as pessoas temerem ser apanhadas e punidas por mau comportamento. Mas todas essas discussões ainda são um pouco abstratas demais. Como podemos garantir que a vigilância reduzirá os abusos de poder no mundo real?

Lição 8:
Focar a Vigilância nos Controladores, Não nos Controlados

Todos os dias, quando estou indo para o escritório, passo por um cadáver. Não estou falando em sentido figurado. Em uma caixa de vidro da University College London se encontra o esqueleto de 189 anos de Jeremy Bentham, o moderno fundador do utilitarismo – a filosofia de que a opção mais ética é aquela que produzirá o maior bem para o maior número de pessoas. O corpo de Bentham, ou o que restou dele, está vestido com suas próprias roupas. Bentham pretendia ter a cabeça preservada juntamente com o resto do corpo. Alguns relatos chegam a sugerir que, nos últimos dez anos de sua vida, ele levava um par de olhos no bolso. Assim, estaria convenientemente pronto para ir quando expirasse. Contudo, quando a dessecação teve lugar para cumprir seus desejos e preservar sua cabeça, a coisa saiu "desastrosamente errada, despojando a cabeça da maior parte de sua expressão facial e deixando-a decididamente sem atrativos". Essa carranca enrugada está no museu da universidade, enquanto na caixa de vidro se encontra uma cabeça de cera muito mais agradável. (A história frequentemente repetida de que o corpo de Bentham tem rodas para comparecer a reuniões do Conselho da Universidade é, infelizmente, um mito, assim como a fábula de que sua cabeça foi roubada por universidades rivais e usada em uma partida de futebol.) É, no entanto, adequado que o cadáver de Bentham agora se encontre em uma caixa toda de vidro no Centro Estudantil da University College London, sendo visível de todos os lados. Seu lugar de descanso final acabou muito parecido com um sistema de vigilância que ele projetou quando vivo: o panóptico.

Em 1785, Bentham projetou um novo tipo de prisão, com o objetivo de garantir que os prisioneiros cumprissem as regras do encarceramento com o mínimo de supervisão. A ideia era simples, sinistra e elegante. A prisão seria circular, com as celas ocupando a circunferência. No centro haveria uma única torre de vigilância, projetada para permitir que os guardas vissem os prisioneiros sem que os prisioneiros fossem capazes de ver os guardas. Como resultado, o panóptico criaria o que Bentham chamou "uma onipresença invisível", dando a impressão de que o guarda *poderia* estar vigiando a qualquer momento. Para o prisioneiro, no entanto, seria impossível saber com precisão quando o guarda estava olhando, o que o obrigava a ter permanentemente um bom comportamento. Com o tempo, argumentou Bentham, os prisioneiros acabariam se conformando com aquilo – mesmo sem muita intervenção dos guardas. Na versão idealizada do panóptico, isso levaria à autorreforma, a uma transformação iluminada dos prisioneiros sem que fosse preciso berrar com eles ou espancá-los. (O filósofo francês Michel Foucault detalha as implicações potencialmente sinistras desse exercício de poder em seu livro *Discipline and Punish* (Vigiar e Punir). A ideia de Bentham foi adotada por todo o globo, da Prisão Stateville em Illinois à Casa Redonda na Austrália e ao Panóptico da Colômbia. Várias prisões ainda hoje usadas foram projetadas com base nos princípios de Bentham.

Mas isso também pode ter acontecido com nosso escritório.

Bentham acreditava que sua ideia era "aplicável, eu acho que sem exceção, a quaisquer estabelecimentos onde, num espaço não muito grande a ser coberto ou comandado por construções, um determinado número de pessoas deva ser mantido sob observação. Não importa que o objetivo seja muito diferente ou mesmo contrário ao da prisão". Um bom número de empresas concordou com Bentham. Construíram suas instalações em versões do século XXI de suas prisões panópticas – embora sem a torre de vigia no meio.

Segundo um estudo de 2014, quase três quartos dos escritórios norte-americanos são agora projetados para serem de "plano aberto", com paredes baixas ou nenhuma parede separando os espaços de trabalho. Se você passar parte de seu dia de trabalho no Twitter ou batendo papo no telefone com familiares ou amigos, todo mundo vai saber – e você vai saber que todo mundo vai saber. Esses projetos de escritório continuam sendo extremamente populares a despeito de evidências consistentes de que tenham efeitos prejudiciais aos empregados. Uma resenha de 2011 de uma centena de diferentes estudos sobre escritórios de plano aberto descobriu que eles alienam funcionários, aumentam o estresse e diminuem a satisfação no trabalho. Além disso, todo o sentido do escritório de plano aberto era encorajar a colaboração, mas dados do mundo real mostram resultados opostos: há 70% menos interação social em escritórios de plano aberto. Locais de trabalho no estilo panóptico são ótimos para vigilância, mas terríveis para as pessoas que os ocupam.

Além disso, com o surgimento da tecnologia digital, as empresas têm uma capacidade sem precedentes de monitorar *tudo* acerca dos trabalhadores. A perturbadora cornucópia da tecnologia de vigilância no local de trabalho continua a crescer: microfones de lapela sempre ligados, crachás de identificação com *microchip*, sensores de cadeira para determinar quando você está em sua mesa, monitoramento de toques de tecla no computador, *software* que tira fotos de você em sua mesa a intervalos regulares e tecnologia que rotineiramente faz capturas da tela do seu computador para garantir que você não está olhando receitas quando deveria estar tentando matar a hidra em constante regeneração que é a moderna caixa de entrada do *e-mail*. Bentham assobiaria com apreço por todos esses métodos – se sua boca recém-descoberta não fosse feita de cera.

Estes sistemas distópicos são ainda piores em países autoritários. Na China, por exemplo, o "sistema de crédito social" visa monitorar continuamente os cidadãos e puni-los por comportamentos "inadequados". O sistema, que hoje existe como uma série de projetos-piloto, já é sinistro. Treze milhões de pessoas foram postas na lista negra, tornando impossível para elas fazer reserva de voos ou comprar passagens de trem. Em algumas cidades, se você atravessa fora da faixa, o *software* de reconhecimento facial o identifica de forma automática. Logo seu rosto será exibido em um gigantesco *outdoor* para envergonhá-lo. Em outras áreas, qualquer um que quebre as regras estabelecidas pelo Partido Comunista é relegado ao ostracismo digital, ficando seus rostos brilhantes como fotos de presidiários para quem estiver usando as mídias sociais. No aplicativo chinês de mensagens WeChat, pessoas da cidade de Shijiazhuang que estão na lista negra são exibidas em um mapa. As "teletelas" do imaginário Estado de vigilância em *1984*, de George Orwell, parecem pitorescas e reconfortantes em comparação com isso.

O problema está aqui: tudo é rudimentar em nossos modernos sistemas de vigilância. Eles devem ser invertidos. Estamos observando as pessoas erradas. O panóptico do século XXI deve ser virado do avesso, para que as pessoas no poder se sintam como se *elas estivessem* sendo continuamente observadas. Quando a Enron implodiu ou o esquema de pirâmide de Bernie Madoff entrou em colapso, isso não aconteceu porque um empregado novo tenha roubado alguns clipes de papel ou passado 20 minutos durante o horário de trabalho assistindo a vídeos de gatos no YouTube. Aconteceu porque aqueles que controlavam esses novos empregados estavam eles próprios se comportando mal – e jogando com coisas muito mais altas.

De acordo com várias estimativas, os crimes de colarinho branco são responsáveis por algo entre US$ 250 bilhões e US$ 400 bilhões em perdas ou danos a cada ano apenas nos Estados Unidos. Some todos os crimes contra a propriedade cometidos nas ruas americanas – assaltos, roubos, furtos, incêndios criminosos – e estará olhando para um pouco mais de 17 bilhões em danos, tornando os crimes de colarinho branco aproximadamente 15 a 25 vezes mais caros. Estimativas conservadoras sugerem de modo similar que cerca de 300 mil norte-americanos morrem todo ano por má conduta empresarial, principalmente pelo uso de produtos químicos tóxicos, produtos defeituosos, exposição a resíduos mortais ou poluentes nocivos e substâncias viciantes fornecidas sem controles rigorosos. Isto é cerca de 20 vezes mais elevado que o número anual de homicídios nos Estados Unidos.

Contudo, as pessoas mais vigiadas em sedes empresariais são com demasiada frequência aquelas que têm menos probabilidade de causar danos graves. Os escritórios e salas de reunião com as melhores vistas permanecem opacos. As salas de reunião não são grampeadas para áudio, membros do conselho não são rastreados com *software* GPS. CEOs que exaltam as virtudes do *design* de plano aberto costumam se deslocar atrás de portas fechadas para suas salas privilegiadas. Podemos ter certeza de que o pressionamento das teclas dos executivos de alto nível não estão sendo registrados nem submetidos a escrutínio para garantir que eles estejam usando seu tempo "produtivamente".

Não é que devamos começar a implementar esse monitoramento draconiano, mas sim que qualquer supervisão deve começar pelo topo. O corrupto Partido Comunista da China, que não é um mero pedestre imprudente, merece muito mais escrutínio. Os que controlam – não os que estão *sendo* controlados – são aqueles com quem precisamos nos preocupar. (O Japão proporciona um interessante exemplo de reorientação do espaço físico do trabalhador com base em quem pode realmente causar danos em uma companhia. Trabalhadores incompetentes não são demitidos na cultura empresarial japonesa, mas ficam conhecidos como *madogiwa-zoku*, "observadores de janelas". É por isso que são deslocados para a periferia do escritório. Como são rebaixados para trabalhar em projetos insignificantes, podem olhar pela janela, pois ninguém precisa sequer se preocupar em vigiá-los.)

Na era moderna, substituímos amplamente a onisciência imortal pela vigilância mortal. Mas os observadores de hoje são as mesmas pessoas que *deveriam* se sentir observadas. Diz-se pelo menos que os Grandes Deuses vigiam todos por igual. O mundo seria um lugar melhor se as pessoas no poder se preocupassem mais com a possibilidade de terem cada movimento corrupto observado por alguém escondido atrás de cada pedra e árvore – ou pelo menos de cada pedra.

Essa é uma lição que Anas Aremeyaw Anas interpretou de forma literal. Como pioneiro do "jornalismo secreto" em Gana, Anas tem levado as coisas um pouco mais longe que a maioria das pessoas em sua profissão. É um mestre do disfarce que usa fantasias elaboradas para garantir que as pessoas no poder lhe contem segredos que nunca revelariam a um jornalista. Em alguns casos, chegou a usar um disfarce para se misturar ao ambiente – vestindo-se como uma rocha. (O traje é um tanto amadorista e o deixa parecido com um torrão de arenito de tamanho humano, com dois cômicos buracos para os olhos, mas ele diz que o disfarce tem sido eficaz como camuflagem.) Além do traje de rocha, ele usou faces protéticas para se passar por padre em uma prisão tailandesa, como oficial de polícia, como presidiário em uma prisão, como paciente em um hospital psiquiátrico e, em várias ocasiões, como uma mulher. Seu sucesso profissional depende de não conseguirem reconhecê-lo, pois embora o nome Anas seja famoso em todo o ocidente da África, ninguém sabe como é sua aparência. Alguns o chamam de James Bond do jornalismo.

"Meu jornalismo tem três objetivos: identificar, envergonhar e prender os caras maus", Anas me diz quando falo com ele pelo Skype. Temos nossas câmeras ligadas, mas não consigo ver grande coisa. Ele está usando um chapéu *bucket* e contas roxas e douradas cobrem seu rosto, escondendo tudo, com exceção de uma orelha. Ele me diz que tem problemas com o que chama de jornalismo paraquedas, em que jornalistas ocidentais vão a Gana para um fim de semana prolongado, entrevistam pessoas que estão no poder, escrevem suas matérias e decolam. Um trabalho desses, argumenta Anas, não acrescenta nada. Tudo em Gana é muito opaco. A corrupção nunca é descoberta dessa forma. "Você não pode se limitar a voar de Londres ou dos Estados Unidos, passar uma semana aqui e achar que pode desvendar a verdade melhor do que nós", diz ele, com as contas balançando ligeiramente no sopro de sua respiração.

Usando vários disfarces, Anas expôs pessoas poderosas de toda a África. Em Gana, revelou um grande escândalo de futebol envolvendo propinas e corrupção em massa. Também circulou disfarçado durante anos dentro do sistema judicial e conseguiu imagens de mais de 30 juízes pedindo propinas. Eles recebiam dinheiro, cabras e ovelhas. Em troca, permitiam que criminosos reincidentes – incluindo assassinos, estupradores e traficantes de drogas – fossem libertados. Isso explodiu em um dos maiores escândalos da história do país e desencadeou uma reforma em massa do judiciário.

Esse trabalho teve um custo. Um membro do Parlamento pediu que Anas fosse identificado e enforcado por suas denúncias secretas. Esse parlamentar conseguiu identificar um dos colaboradores de Anas, Ahmed Hussein-Suale. O parlamentar publicou o nome e a foto de Hussein-Suale, juntamente com informações sobre onde ele vivia. Em 16 de janeiro de 2019, Hussein-Suale estava dirigindo em um subúrbio de Accra, capital de Gana. Quando diminuiu a marcha num cruzamento, dois homens que há uma semana vinham perambulando pelas vizinhanças se aproximaram de seu carro. Atiraram nele à queima-roupa. A primeira bala acertou o pescoço, a segunda e terceira acertaram o peito. Enquanto ele sangrava até a morte, os pistoleiros se viraram para testemunhas chocadas, encostaram um dedo nos lábios, sorriram e foram embora.

Esse horrendo assassinato apenas fortaleceu a determinação de Anas. Antes de suas investigações, os juízes simplesmente imaginavam que poderiam escapar impunes de uma corrupção flagrante. Os políticos pareciam invencíveis. Subornos eram apenas parte da vida pública em Gana. Uma cultura de impunidade permitia que a má conduta florescesse. Todo mundo estava sendo vigiado, acreditavam os detentores do poder, mas a eles ninguém vigiava. Sozinho, Anas inverteu essa expectativa. Ganenses no poder começaram a desconfiar que alguém ao seu redor – até mesmo rochas em que nem reparavam – podia estar vigiando. Como Anas nunca deixou ninguém ver seu verdadeiro rosto, *qualquer um* poderia ser ele. Por isso a coisa era tão poderosa.

O trabalho de Anas visando funcionários corruptos de alto escalão é importante porque derrubar figurões desonestos é uma das poucas áreas onde o "gotejar" de uma aplicação de princípios parece realmente ocorrer. Adam Salisbury – um de meus ex-alunos – conduziu uma pesquisa na Universidade de Oxford sobre a corrupção na África Ocidental. Descobriu que, quando um funcionário desonesto que liderava a união aduaneira foi retirado do poder em Burkina Faso, as pessoas que ele anteriormente controlava alteraram com rapidez seu modo de agir. Assim que pararam de receber dicas corruptas vindas de cima, elas se modificaram. Decapitar a cabeça parece funcionar (uma boa notícia para Jeremy Bentham). Mas a descoberta de Salisbury dá mais força à noção de que, se vamos colocar as pessoas sob o microscópio, devemos concentrar nossa lente sobre os que estão no comando. Seus abusos são muito mais cheios de consequências e é provável que limpar o modo como se age no topo faça mais pessoas limparem seu modo de agir na base. É difícil imaginar o inverso acontecendo: juízes e CEOs corruptos não vão de repente se tornar imaculados se atendentes ou secretárias de baixo escalão se comportarem melhor. No entanto, como os poderosos se posicionaram como os Grandes Deuses de nossos dias, tendemos a concentrar nosso olhar precisamente nas pessoas erradas. Como expõe o famoso dito de Juvenal, poeta romano: "Quem vai tomar conta dos guardas?"

O tipo de jornalismo secreto de Anas é bastante raro nas sociedades ocidentais, onde é considerado questionável do ponto de vista ético. É uma pena, porque pode ser uma forma vigorosa não só de expor irregularidades, como também de instilar um pouco de preocupação saudável naqueles que estão no poder e que estão pensando em se comportar mal. Mais importante ainda, o jornalismo está em declínio em quase todos os lugares. As mídias sociais e a queda nas receitas de publicidade *on-line* têm roubado um bom pedaço do espaço dos veículos menores. Como resultado, a mídia tem muito menos paladinos de guarda lá fora. Grandes jornais, como *Washington Post*, *Guardian*, *New York Times* e *Le Monde*, continuam a prosperar. Mas a tendência para a elite dos jornais nacionais, enquanto o jornalismo local e regional se enfraquece, é provavelmente assegurar que menos pessoas temam a declinante supervisão de uma imprensa livre. E quanto mais a imprensa for aspirada por poderosos conglomerados de mídia, menos seu olhar será direcionado para os lugares certos.

O que acontece sem jornalismo? Uganda proporciona uma lição instrutiva. Uma auditoria de gastos com educação nessa nação da África Oriental descobriu que até 8 de cada 10 dólares alocados às escolas estavam sendo roubados. O dinheiro estava financiando corrupção, não crianças. Jornalistas transformaram a história em matéria de primeira página. Expuseram a lacuna entre quanto dinheiro tinha sido originalmente alocado... e quanto foi realmente gasto nas escolas. Suas reportagens tiveram um enorme efeito. Não demorou para que apenas 2 dólares de cada 10 estivesse sendo roubado. Mas aqui está a ponto crucial: a maior diminuição do desfalque se deu nos lugares que ficavam próximos dos distribuidores de jornais. Quando funcionários corruptos estavam sendo expostos, isso só importava se as pessoas pudessem realmente ler sobre o assunto. Se ninguém escrever as histórias ou se ninguém as ler, o poderoso desenvolverá um senso de impunidade e se tornará ainda pior. A vigilância precisa ser combinada com o ato de as pessoas certas *verem* a coisa.

A tecnologia também pode ajudar. A Índia, por exemplo, desenvolveu um inteligente sistema de combate à corrupção. Na Índia, pessoas comuns podem comunicar uma extorsão através de um *site* chamado *Ipaidabribe* (Eu Paguei Propina). Sempre que um novo informe é encaminhado de maneira anônima, um novo alfinete digital aparece num mapa. Com o tempo, rapidamente se torna claro onde estão os pontos com maiores problemas – o que permite que os reformadores se concentrem nessas áreas piores.

Em Bangalore, um reformador notou algo peculiar: muitos e muitos pequenos alfinetes digitais no mapa do centro dos exames de direção. Ele é imediatamente clicado: funcionários que realizavam exames de direção permitiam que maus motoristas fossem aprovados em troca de subornos. O que era não apenas corrupto, mas também perigoso. Garantia que mais pessoas que não deveriam estar nas estradas saíssem com a carteira de motorista desde que estivessem dispostas a deixar um pouco mais leve a carteira de dinheiro. Pesquisadores descobriram um problema similar em Nova Délhi quando ofereceram uma recompensa em dinheiro para quaisquer motoristas que conseguissem passar com rapidez no exame de direção. A maioria passou quase de imediato e reclamou a recompensa. Mas quando aqueles que passaram foram submetidos de surpresa a um exame de direção aplicado por um instrutor totalmente íntegro, que recusava subornos, 74% admitiram que não tinham se preocupado em aprender a dirigir. A maioria fracassou no teste de integridade. Eles haviam pago para entrar nas estradas. Todo o sistema estava corrompido.

Para dar fim a essas propinas mortais, o governo local de Bangalore mudou o exame de direção, deixando-o abarrotado de sensores eletrônicos. Todo o exame seria também gravado em vídeo. Da noite para o dia, os subornos nos centros de exames automotivos de Bangalore despencaram. E não foi preciso fazer o registro de pressionamento de teclas nem o monitoramento do GPS dos instrutores de direção. O problema foi identificado e corrigido com a menos invasiva supervisão necessária para ser eficaz. Funcionou. Nem todos nós havemos de nos deparar com examinadores corruptos em testes de direção, mas as lições do sucesso dessa intervenção são universais.

Do jornalismo secreto de Anas e dos exames de direção na Índia às prisões do panóptico, algo fica claro: não precisamos estar continuamente observando as pessoas. Na realidade, observar continuamente as pessoas – em especial, aquelas que não estão no poder – é ótima receita para uma distopia. Mas se quiséssemos avançar devagar no rumo de uma utopia, devíamos fazer as pessoas em postos de autoridade acharem que *poderiam* ser vigiadas a qualquer momento. Isso fornece um meio-termo que nos permite evitar constantes invasões de privacidade e, ao mesmo tempo, faz os responsáveis pensarem duas vezes antes de abusar do poder que têm.

Lição 9:
Explorar o Aleatório para Maximizar a Dissuasão Minimizando Invasões de Privacidade

É dezembro de 2013, alguns dias antes do Natal, e os paralelepípedos assados pelo Sol da capital de Madagascar irradiam calor, intensificando os cheiros de comida de rua e esgoto. Nosso comboio de veículos com tração nas quatro rodas atravessa as ruas deterioradas da cidade, buzinando sempre que um zebu ou uma vaca corcunda caminham em nossa direção. Com motores barulhentos, não somos exatamente um grupo sutil. Para garantir que não nos misturemos, nossos amassados coletes de lona azul têm estampado OBSERVADOR ELEITORAL em brilhantes letras brancas nas costas. Somos os observadores – mobilizados para assegurar que não haja trapaça. É dia de eleição.

Quando chegamos, examinamos nossas listas de itens a serem verificados. Urna eleitoral lacrada com o zíper original de seu fecho? Nenhum soldado intimidando eleitores? Eleitores sendo solicitados a apresentar prova de registro? Marcamos as caixas.

Tudo parece em ordem. Afinal, talvez a eleição seja limpa. Ou talvez, apenas talvez, os aplicadores da pesquisa tenham sido avisados de que estávamos chegando. De qualquer maneira, com o trabalho feito, voltamos a nos empilhar em nosso comboio e partimos estrada abaixo. É uma reta que se estende até o próximo local de votação, a 800 metros de distância. Não há nada que impeça os que trabalham na votação do último posto telefonarem para as pessoas do próximo, avisando-as de que estamos a caminho, uma advertência que lhes dá minutos preciosos para esconder qualquer fraude.

Às vezes, a supervisão não acaba com o mau comportamento, apenas o desloca.

Observado

O monitoramento eleitoral é como um jogo de Whac-A-Mole. Quando suprimimos a fraude eleitoral em um lugar, é bem provável que ela pipoque em outra parte. Capangas raramente são estúpidos o bastante para colocar punhados de cédulas nas urnas de votação quando estrangeiros usando coletes oficiais estão assistindo. Mas os pesquisadores têm descoberto que, quando são mobilizados observadores da eleição, a manipulação costuma aumentar de maneira vertiginosa nos distritos que não estão monitorados. Se não tivermos cuidado, a observação eleitoral pode ser perda de tempo, servindo apenas para criar uma pequena inconveniência para os que estão manipulando as urnas. Dessa forma, o monitoramento mal projetado não detém a fraude, ele simplesmente força a inovação. Felizmente, há uma solução simples, elegante: aleatoriedade. Capangas e vigaristas terão mais dificuldade em consumar a fraude se nunca souberam onde ou quando estaremos vigiando.

O NYPD [Departamento de Polícia da Cidade de Nova York] pode nos mostrar como isso é feito.

É uma operação de rotina de apreensão de drogas no noroeste de Manhattan. The Drug Enforcement Administration (DEA) [Administração do Controle de Drogas] encontrou o covil de um traficante. Ao que tudo indica ele é peixe pequeno, no máximo um chefe local. Mas há um problema: o mandado para levar a cabo uma busca completa em seu apartamento está sendo retido. Típica ação de escreventes da burocracia. Então, os agentes da DEA ligam para o NYPD e pedem um policial de Washington Heights – um lugar que costumava ser conhecido como a "capital americana do *crack*" – para cuidar do local. Garantir que ninguém entre ou saia. Provavelmente há muitas drogas e bastante dinheiro lá dentro, dizem ao policial. Não podem se expor ao risco de que alguém do bando descubra que o traficante foi preso e tente limpar a bagunça.

O policial da NYPD concorda em tomar conta do local. Ele chega ao prédio, sobe as escadas para o apartamento e entra. Como não podia deixar de ser, há pacotes de heroína espalhados por toda parte. Então ele vê: US$ 20 mil em dinheiro vivo, muito bem arrumado em rolos grossos. Está sozinho no apartamento. É dinheiro da droga. Ninguém da polícia esteve lá. Quem sabe quanto dinheiro ainda existe por ali? Quem vai dar pela falta dele? Se o criminoso reclamar que alguns rolos sumiram, vai ser a palavra de alguém com um distintivo contra alguém com ficha criminal. Todo mundo sabe como essa história termina. O policial tira US$ 6 mil, deixando o suficiente para que ainda tudo pareça em ordem. Ele enfia o maço de dinheiro atrás do colete protetor e espera a chegada da DEA com o mandado.

Quando chegam, agradecem a ele pela ajuda. Ele vaza e cumpre o dia de trabalho como se nada tivesse acontecido. O turno termina. Mas quando tenta ir para casa com sua pontuação ilícita, ele é preso.

Os "agentes da DEA" eram policiais disfarçados da Corregedoria do Departamento de Polícia de Nova York. Os pacotes de "heroína" estavam na verdade cheios de mistura para panquecas. O "covil da droga" era um apartamento alugado pelo departamento de polícia da cidade. O lugar tinha tantos dispositivos quanto Fort Knox, com grampos e câmeras capturando cada movimento. O policial, que já era suspeito de corrupção e atividade ilegal, acabara de falhar em um teste de integridade.

"Esses testes tornaram muito mais difícil – não impossível – mas muito mais difícil roubar", Charles Campisi me diz. Campisi foi o chefe do gabinete da Corregedoria do NYPD de 1996 a 2014 e conseguiu quase sozinho limpar o departamento. Tudo começou pequeno. "Pela política que tivemos aqui você não podia entrar numa loja e pegar um café de graça", diz Campisi. "Isso era o que menos importava no nível da corrupção. Mas a ideia era: se não começarmos de baixo, nunca vamos chegar ao topo." Essas políticas foram reforçadas por testes de integridade ou armações – praticadas por policiais, para policiais.

Às vezes, os testes eram direcionados. Quando a Corregedoria recebia uma dica de um policial ou alguém do público, o agente suspeito era posto sob vigilância e lhe davam uma boa oportunidade de se comportar mal. Nunca pressionaram ninguém de uniforme a cometer um crime, mas muitas vezes simulavam uma situação em que havia uma recompensa fácil de pegar e aparentemente indetectável, como uma carteira aberta abarrotada de dinheiro. Outras vezes, policiais disfarçados se faziam passar por vigaristas. Durante um interrogatório ou prisão, os falsos criminosos insultariam seus colegas policiais para ver se eles ficariam agressivos e usariam de violência. Se colocava o dinheiro no bolso ou dava um soco, o policial era algemado.

Mas a inovação mais eficaz de Campisi foi randomizar os testes de integridade. Depois de anos sob sua supervisão, o NYPD já tinha melhorado consideravelmente. Em 2012, por exemplo, Campisi ajudou a organizar 530 testes de integridade. Houve dezenas de falhas de procedimento. Mas apenas seis policiais levaram o dinheiro ou roubaram as drogas que haviam sido plantadas. E aqui está a percepção crucial que atingiu Campisi. Se fizermos 500 testes de integridade aleatórios por ano, *milhares* de policiais vão achar que estão sendo testados. Afinal, membros do público *deixam* cair carteiras e apreensões de drogas costumam envolver dinheiro nas mesas. Vai haver muitos falsos positivos, situações reais que os agentes incorretamente acreditam estar montadas para testá-los.

Sem dúvida, no final dos anos 1990, um pesquisador entrevistou oficiais do NYPD e perguntou se pessoalmente eles tinham sido alvo, no ano anterior, de alguma operação da Corregedoria. Com base nas respostas, o pesquisador previu que cerca de 6 mil testes de integridade estavam sendo realizados a cada ano – 12 vezes mais que a realidade. E além dos policiais que pessoalmente achavam que tinham sido testados, o restante da força sabia que *podia* estar a qualquer momento sob vigilância. Qualquer apreensão de drogas ou tráfico de rotina podia ser um teste preparado. Com essa saudável dose de medo, menos policiais roubaram dinheiro, pegaram drogas ou espancaram criminosos insolentes.

A lição aqui não é começar a atrair funcionários plantando pedaços de bolo no frigobar da sala de descanso com câmeras suficientemente escondidas para captar a pessoa que os pega. Ninguém quer viver em uma sociedade como essa, onde todos estão sob suspeita e a confiança social está ausente. Na realidade, deveríamos nos certificar de que só pessoas que estão em posições singularmente significativas de autoridade se preocupam em ser observadas. A vigilância contínua de alguém não é saudável. Vigilância contínua de trabalhadores comuns é totalmente inaceitável. Mas testes de integridade aleatórios para aqueles que têm suficiente oportunidade de causar danos graves são, em geral, justificados. Isso, combinado com uma supervisão mais robusta de jornalistas intrometidos como Anas, pode representar um grande passo para desencorajar os piores, mas evitáveis abusos, em nossas sociedades. Um escrutínio cuidadoso pode desempenhar o papel que os Grandes Deuses desempenhavam antes de desenvolvermos tão robusta e mortal supervisão. Mas para que não acabemos criando o *1984*, de Orwell, qualquer vigilância humana deveria ser o mais limitada possível, visando principalmente os que estão no poder e, quando viável, usando randomização em vez de monitoramento constante. Não devemos sacrificar nossa liberdade no altar da dissuasão.

Por fim, às vezes podem ser mais brandas as providências que precisamos tomar. Sistemas randomizados bem projetados também devem encorajar o bom comportamento. Na Suécia, por exemplo, um processo contra o excesso de velocidade recorreu a um procedimento em duas camadas. Como era de se esperar, aqueles que estavam em alta velocidade foram multados. Mas aqueles que estavam dirigindo *abaixo* do limite de velocidade foram inseridos aleatoriamente em uma loteria. As multas pagas pelos corredores foram usadas como prêmio para os vencedores da loteria dos motoristas cumpridores da lei. Ela puniu o mau comportamento ao mesmo tempo que criou incentivos ao bom comportamento. Assim como a aleatoriedade – o sorteio – pode ser útil para selecionar pessoas para o poder, ela também pode ser uma ferramenta útil para estimular as pessoas no poder a serem responsáveis por suas ações. O poder da aleatoriedade deve ser usado com mais frequência na luta contra as pessoas corruptíveis que, com demasiada frequência, acabam no comando.

Sejam quais forem os métodos que usamos, devemos empurrar o pêndulo para o outro lado e observar quem está no poder, em vez de trabalhadores ou cidadãos comuns. E isso por causa da verdade simples de Norenzayan, presente do Antigo Egito até hoje: gente observada é gente boa.

XIII

ESPERANDO CINCINATO

Lição 10:
Pare de Esperar por Salvadores com Princípios.
Procure Forjá-los

Em 458 a.C., os équos, uma tribo das montanhas dos Apeninos a leste de Roma, sitiaram um exército romano. Como Tito Lívio conta, apenas "cinco homens montados conseguiram passar pelos postos avançados dos inimigos e levar à Roma a notícia de que o cônsul e seu exército estavam cercados". No "pânico e confusão" que se seguiram, os romanos cederam aos seus cérebros da Idade da Pedra: buscaram um forte líder para dar-lhes confiança diante da crise. Concordaram em recorrer a Lúcio Quíncio Cincinato.

Quando os romanos abordaram Cincinato, ele estava arando seu campo, totalmente "concentrado em sua faina agrícola". Muito longe das lutas pelo poder na cidade, ficou surpreso ao descobrir que havia sido nomeado ditador. Mas foi com relutância que concordou em assumir a responsabilidade e liderar os romanos. Era seu dever. Seu mandato era para durar pelo menos seis meses. Em vez disso, depois de comandar um exército e derrotar os équos em uma batalha, Cincinato "renunciou no décimo sexto dia [de] sua ditadura". E retornou à sua fazenda.

Duas décadas depois, os romanos convocaram de novo Cincinato. Desta vez, pediram que os livrasse da ameaça de um rico populista chamado Spurius Maelius, que estava tentando tomar o poder comprando o apoio da população. Era um exemplo clássico não apenas de um usurpador intrigante, faminto pelo poder, mas também de massas sendo tentadas por um aspirante a demagogo. Cincinato afugentou a ameaça. Depois, de novo, renunciou ao poder. Só havia passado 21 dias no comando.

A lenda de Cincinato (e alguns historiadores sugerem que é mais lenda que história) nos traz uma parábola crucial e complexa para a humanidade. Cincinato foi reverenciado como um exemplo de liderança, um homem que não buscou o poder, mas, de má vontade, acabou por aceitá-lo para servir os outros. Talvez tenha sido pelo fato de não ter ambições de poder que ele foi capaz de exercê-lo com justiça. O historiador grego Dionísio de Halicarnasso mostrou admiração por Cincinato e outros que seguiram seu exemplo porque "eles trabalhavam com suas próprias mãos, tinham vidas frugais, não simulavam uma honorável pobreza e, longe de almejar posições de régio poder, chegaram a recusá-las quando elas lhes foram oferecidas." Dionísio lamentava como essa forma de liderança tinha se tornado inabitual, já que seus contemporâneos "seguiam práticas exatamente opostas em tudo". Podemos compreender.

Mais de dois mil anos após Cincinato derrotar os équos, George Washington tornou-se conhecido como o Cincinato americano. O paralelismo parece impressionante: outro fazendeiro patriota que serviu a seu país, ele foi convidado a se tornar monarca e se recusou depois de cumprir dois mandatos como presidente. Ao que parece, foram duas exceções que comprovam a regra: o poder atrai as piores pessoas e o poder corrompe mesmo as pessoas melhores, mas Cincinato e George Washington foram de alguma forma imunes a ambos os efeitos. Nem buscaram o poder nem foram piorados por sua sedutora atração. Eles não eram corruptíveis.

Para homenagear os dois homens, a Sociedade dos Cincinatos foi fundada na América de George Washington. Seu lema destacava o espírito de serviço público: *Omia reliquit servare rempublicam* – "Ele renunciou a tudo para salvar a República". George Washington foi designado como primeiro presidente honorário da sociedade. Mas logo a sociedade enfrentou críticas. Benjamin Franklin achava que ela poderia criar uma nobreza americana, uma "Ordem de Cavaleiros hereditários". Franklin se preocupava com as regras de filiação à sociedade, que operavam com base no princípio da primogenitura – ou seja, a elite se replicaria, passando a filiação à sociedade de pai para filho. O poder fluiria não por mérito, mas pelas veias. Washington, sempre o revolucionário com princípios, ameaçou renunciar ao cargo se a cláusula hereditária não fosse removida. A sociedade concordou. Mas quando ninguém estava olhando, tornaram a restaurá-la. Até hoje, a filiação aos Cincinatos está ligada às linhagens de sangue. Era uma ironia chocante: uma sociedade dedicada ao legado de renunciar escrupulosamente ao *status* para servir aos outros comportava-se de modo inescrupuloso para se agarrar ao *status* e servir a si própria. Invocavam o nome de Cincinato, mas não viviam de acordo com isso, o que sem dúvida ocorre com demasiada frequência.

A lição está aqui: precisamos de uma estratégia melhor do que esperar que um Cincinato dos dias atuais venha nos salvar. Na maior parte do tempo, essa espera acabará em desapontamento, com nossas esperanças frustradas. O fato é que muitos de nossos atuais sistemas atraem de modo desproporcional pessoas corruptíveis e depois as direcionam para o poder. Uma vez lá, o poder as transforma... para pior. Haverá exceções importantes. O mundo está cheio de pessoas boas, decentes. Muitas são nossos *coaches*, nossos patrões, policiais da nossa vizinhança. Não obstante, um grupo pequeno, mas influente de pessoas mal-intencionadas têm causado enorme prejuízo pelo poder que exercem. Em vez, então, de esperar que nossos generosos salvadores deixem suas fazendas, um objetivo mais realista é transformar nossos sistemas para fazer um maior número de pessoas comuns *se comportarem* como Cincinato – atendendo à chamada para o poder em vez de buscá-lo e abrindo mão do controle em vez de desfrutarem seus efeitos intoxicantes, aqueles que corrompem.

Percorremos um longo caminho. De chimpanzés a CEOs, nossa evolução – do despotismo primata aos bandos de caçadores-coletores e às hierarquias mais sofisticadas já criadas – levou centenas de milhares de anos. Mas num espaço de tempo relativamente curto, transformamos as coisas num caos. Apesar do enorme progresso que tornou o mundo incomensuravelmente melhor nos últimos séculos, continuamos sendo decepcionados de forma contínua pelos que estão no comando. É por isso que o aforismo de Lord Acton – que o poder corrompe – é amplamente aceito não apenas como verdadeiro, mas como óbvio. Há muita gente terrível em posições de autoridade. Não precisa ser assim. Mas para resolver um problema, temos primeiro de compreendê-lo.

Um zelador psicopata nos mostrou que as pessoas mais atraídas pelo poder são em geral as menos indicadas para obtê-lo. A loucura militarista nos departamentos de polícia locais nos ensinou que más estratégias de recrutamento aumentam o problema, atraindo para nosso meio os mais famintos pelo poder. Um autocrata do Arizona que governava mais de 99 casas como seu feudo pessoal deixou claro que a competição é fundamental para manter a distância essas figuras corruptíveis. Mas mesmo com a competição, caras brancos de gravata, crianças escolhendo comandantes de navios, cães espirrando e a obsessão de um rei prussiano por soldados altos demonstraram que os cérebros de nossa Idade da Pedra continuam a nos induzir a escolher os líderes errados pelos motivos errados. Mesmo se já superamos certos vieses cognitivos, solitários tomadores de café na Starbucks, diplomatas estacionando em fila dupla e o vice-rei de Vermont ainda chamam nossa atenção para o quanto ainda precisamos reformar os sistemas se queremos influir sobre o comportamento dos que estão no comando. Um primeiro-ministro tailandês que sujou as mãos, um ladrão que foi um eterno aprendiz e uma médica que matou pessoas quando as águas de uma enchente subiram ajudam a explicar por que o poder talvez não corrompa tanto quanto pensamos. Mas para que não sejamos demasiado otimistas, a líder de um culto bioterrorista e motoristas malcomportados de BMW revelaram que a máxima de Lord Acton, infelizmente, é precisa. Macacos chapados, babuínos atingidos por dardos e executivos em rápido envelhecimento provaram como o poder, sem o sentimento de termos o controle das coisas, pode causar um estresse fisiológico que terá um custo muito grande para nós.

Nenhuma dessas dinâmicas, porém, está gravada em pedra. Podemos ser liderados por gente melhor. Podemos recrutar de forma mais inteligente, usar o sorteio para tentar evitar a manobra de gente poderosa e melhorar a supervisão. Podemos lembrar os líderes do peso de sua responsabilidade. Podemos fazê-los ver as pessoas como seres humanos, não como abstrações, antes que os poderosos as transformem em vítimas. Podemos colocar o pessoal em rodízio para desencorajar e detectar abusos. Podemos usar testes de integridade aleatórios para pegar as maçãs podres. E, se formos observar as pessoas, podemos nos concentrar naquelas do topo que causam o dano *real*, não nos soldados rasos.

Sim, *há* um caminho melhor. E *podemos* construir um mundo melhor. Com esforço combinado e as reformas certas, podemos tocar o pêndulo, afastando pessoas corruptíveis que buscam e abusam do poder e convidando outras para tomar seu lugar. Por fim, então, poderemos experimentar como é viver em uma sociedade em que o poderoso e o incorruptível são a mesma pessoa.

AGRADECIMENTOS

Levando o distanciamento social a extremos absurdos durante uma pandemia global, escrevi grande parte deste livro sentado na cadeira portátil de acampamento que carreguei, num cesto de minha bicicleta, por uma grande extensão de praia deserta na costa sul da Inglaterra. Mas um livro – e em especial um livro como este – é o oposto intelectual do distanciamento social. É o culminar de anos e anos de um cérebro de escritor sendo aguçado por ideias instigantes propostas por outros – encontros que parecem triviais, mas que permanecem durante anos no pensamento – e por pequenos apartes feitos por gente inteligente em conversas casuais. Estou em dívida com muitas dessas pessoas inteligentes que foram gentis o bastante para compartilhar suas ideias sobre as enlouquecedoras complexidades de poder, hierarquia e *status* – e com muitas pessoas horríveis que me contaram como conseguiram subir até o topo e por que derrubaram outras.

Também estou em dívida com Anthony Mattero, meu agente, que sempre exerce seu poder com justiça e que acreditou na ideia desde o início. Se ele fosse um suricato, sua "chamada para se mover" sempre valeria a pena ser seguida. Rick Horgan, meu editor nos Estados Unidos, é um verdadeiro guru da publicação. Como Bhagwan Shree Rajneesh, ele tem um culto dedicado… de autores agradecidos, que se beneficiaram de sua sabedoria. Felizmente me juntei a ele. Mas estou convencido de que nunca abusará de sua autoridade para envenenar saladas de lanchonetes com salmonela. Joe Zigmond, meu editor no Reino Unido, me afastou de ideias chatas e deixou o livro muito melhor. Estou muito feliz por ter escolhido a ele – e a Caspian Dennis, meu agente no Reino Unido – para comandar este navio em águas britânicas (uma seleção baseada mais em suas orientações inteligentes que em ver seus rostos numa simulação de computador). Devo também agradecer a atenção cuidadosa de Beckett Rueda, Dan Cuddy e Steve Boldt.

Este livro não poderia ter sido escrito sem a hospitalidade e a gentileza de gente que me ajudou a compreender pessoas exaustas e sistemas de poder exaustos enquanto eu conduzia uma pesquisa por todo o globo, incluindo Madagascar, Tailândia, Zâmbia, Belarus, Costa do Marfim, Tunísia, França, Letônia, Reino Unido, Índia, Suíça, Estados Unidos e Togo. E obrigado, de certa forma, às inúmeras pessoas que não admiro – rebeldes violentos na África Ocidental, generais golpistas no sudeste asiático, CEOs corruptos na Europa Oriental, torturadores no Norte da África – mas que me ajudaram a compreender como eles chegaram onde estão hoje. Espero que este livro ajude a bloquear esses caminhos para outras pessoas igualmente corruptíveis no futuro.

Muito obrigado também a um pequeno grupo de entusiásticos estudantes da University College London, que abriram mão de parte do verão que passaram em *lockdown* para me ajudar a ler sobre hienas, hierarquias e associações de moradores: Antoni Mikocki, Daniella Sims, Edu Kenedi, Emilie Cunning, Hannah White, Maria Kareeva e Tara De Klerk. Considerem isto minha entusiástica carta de recomendação. Basta anexar esta seção de agradecimentos em inscrições para a pós-graduação ou mostrá-la a possíveis empregadores. Se você está lendo isto por essa razão, admita-os ou contrate-os. Eles são fenomenais.

Também sou grato a várias pessoas que entrevistei, mas que não incluí diretamente no texto. Suas ideias se filtraram para meu pensamento enquanto eu escrevia cada capítulo. Para citar algumas: embaixadora

AGRADECIMENTOS

Samantha Power, Shane Bauer, Erica Chenoweth, Marco Villafaña, Laura Kray, Bernardo Zacka, Danni Wang, David Skarbek, Leigh Goodmark, Lord Peter Mandelson, Zoe Billingham, John Tully, primeiro-ministro Anand Panyarachun, Dane Morriseau, Omar McDoom, Simon Mann, Jean-François Bonnefon, Dennis Tourish e Kristof Titeca.

Por fim, o maior agradecimento vai para minha família. Eles me ensinaram tudo que sei de importante – inclusive que o maior de todos os poderes é ser capaz de passar um bom tempo com pessoas maravilhosas que amam você.

NOTAS

Capítulo I: Introdução

12   **fortuna em moedas de prata**: Roger W. Byard, "The Brutal Events on Houtman Abrolhos following the Wreck of the *Batavia* in 1620", *Forensic Science, Medicine, and Pathology*, 2020.

12   **"espartanas à medida que a pessoa avançava em direção à proa"**: Mike Dash, *Batavia's Graveyard* (Nova York: Crown, 2002), p. 82.

12   **calamidades pessoais**: *Ibid*.

13   **"escapar com vida do *Batavia*"**: *Ibid.*, p. 150. Ver também E. D. Drake-Brockman, *Voyage to Disaster: The Life of Francisco Pelsaert* (Sydney: Angus & Robertson, 1963).

14   "e essa sociedade **sobreviveu na ilha**": Mike Dash, autor de Batavia's Graveyard, entrevista pessoal, 25 de maio de 2020.

14   **"ornamentos do tipo"**: The *Batavia* journals, como citado em Dash, *Batavia's Graveyard*, 216.

15   **passar a noite descansando**: "Six Tongan Castaways *in* 'Ata Island", Austrália, documentário do Canal 7, primeira exibição em 1966. Disponível em: https://www.youtube.com/watch?v=-qHO_RlJxnVI.

15   **beberam sangue das aves**: *Ibid*.

16   **coletar água da chuva**: *Ibid*. Ver também Rutger Bregman, *Humankind: A Hopeful History* (Londres: Bloomsbury, 2020).

16	**simplesmente se separarem**: Rutger Bregman, "The Real Lord of the Flies: What Happened When Six Boys Were Shipwrecked for 15 Months", *Guardian*, 9 de maio de 2020. Ver também Bregman, *Humankind*.
17	**"em uma atmosfera úmida"**: Peter Warner, pescador que resgatou os rapazes, entrevista pelo telefone, 3 de junho de 2020.
17	**"sem cabelos cortados"**: *Ibid*.
18	**"Será que elas vão se lembrar?"**: "Six Tongan Castaways em 'Ata Island."
21	**com um elevadíssimo crescimento econômico**: Dados do Banco Mundial, "Madagascar: GDP Growth (Annual %)", https://data.worldbank.org/indicator/NY.GDP.MKTP.KD.ZG?locations=MG.
21	**"tomar decisões importantes"**: Marc Ravalomanana, ex-presidente de Madagascar, entrevista pessoal, 9 de maio de 2016, Antananarivo, Madagascar.
23	**registrar sua candidatura**: Ver Brian Klaas, "A Cosmetic End to Madagascar's Crisis?", International Crisis Group, Africa Report nº 218, maio de 2014.
23	**Força Aérea Dois**: "Madagascar: Air Force Two s'envole vers les Etats-Unis", Radio France Internationale, 23 de novembro de 2012.
24	**poder o DJ do rádio**: Brian Klaas, "Bullets over Ballots: How Electoral Exclusion Increases the Risk of Coups d'État and Civil Wars" (DPhil thesis, University of Oxford, 2015).
25	**sombras remotas e antigas de seus antigos eus:** O experimento original da Prisão de Stanford está resumido em uma série de artigos, em especial Craig Haney, Curtis Banks e Philip Zimbardo, "Study of Prisoners and Guards in a Simulated Prison", *Naval Research Reviews* 9:1-17 (Washington, DC: Office of Naval Research). Ver também Craig Haney e Philip Zimbardo, "Social Roles and Role-Playing: Observations from the Stanford Prison Study", em *Current Perspectives in Social Psychology*, 4ª

ed., ed. E. P. Hollander e R. G. Hunt (Nova York: Oxford University Press, 1976), pp. 266-74.

26 **estavam apenas representando**: Ben Blum, "The Lifespan of a Lie", Medium, 7 de junho de 2018.

26 **gravação de áudio recentemente descoberta da fase preliminar do experimento**: Brian Resnick, "The Stanford Prison Experiment Is Based on Lies. Hear Them for Yourself", Vox, 14 de junho de 2018.

27 **pesquisadores na Western Kentucky University**: Thomas Carnahan e Sam McFarland, "Revisiting the Stanford Prison Experiment: Could Participant Self-Selection Have Led to the Cruelty?", *Personality and Social Psychology Bulletin* 33 (5) (2007): 603-14.

27 **"empatia disposicional e altruísmo"**: *Ibid.*, p. 608.

28 **pesquisadores realizaram na Suíça**: John Antonakis and Olaf Dalgas, "Predicting Elections: Child's Play!", Science 323 (5918): (2009): 1183.

29 **resultados quase idênticos**: *Ibid.*

30 **estudo realizado em Bangalore**: Rema Hanna e Shing-Yi Wang, "Dishonesty and Selection into Public Service: Evidence from India", *American Economic Journal: Economic Policy* 9 (3) (2017): 262-90.

31 **experimento semelhante na Dinamarca**: S. Barfort *et al.*, "Sustaining Honesty in Public Service: The Role of Selection", *American Economic Journal: Economic Policy* 11 (4) (2019): 96-123. Ver também Ray Fisman e Miriam A. Golden, *Corruption: What Everyone Needs to Know* (Oxford: Oxford University Press, 2017).

Capítulo II: A Evolução do Poder

34 **Último Ancestral Comum Universal**: Ver M. C. Weiss *et al.*, "The Physiology and Habitat of the Last Universal Common Ancestor", *Nature Microbiology* 1 (9) (2016): 1-8

34 **Último Ancestral Comum Chimpanzé-Humano**: Ver P. Duda e J. Zrzavý, "Evolution of Life History and Behavior in Hominidae: Towards Phylogenetic Reconstruction of the Chimpanzee-Human Last Common Ancestor", *Journal of Human Evolution* 65 (4) (2013): 424-46.

35 **DNA com os chimpanzés**: R. Waterson, E. Lander e R. Wilson, "Initial Sequence of the Chimpanzee Genome and Comparison with the Human Genome," Nature 437 (2005): 69-87.

35 ***Chimpanzee Politics* [Políticas do Chimpanzé]**: Frans de Waal, *Chimpanzee Politics:Power and Sex among Apes* (Nova York: Harper & Row, 1982).

36 **"são muito ligados ao poder"**: Frans de Waal, primatologista da Emory University, entrevista pelo telefone, 25 de março de 2020.

36 **"posição número três"**: *Ibid.*

37 **estudo de 1964**: E. W. Menzel, "Patterns of Responsiveness in Chimpanzees Reared through Infancy under Conditions of Environmental Restriction", *Psychologische Forschung* 27 (4) (1964): 337-65. Ver também W. A. Mason, "Sociability and Social Organization in Monkeys and Apes", em *Advances in Experimental Social Psychology*, org. L. Berkowitz (Nova York: Academic Press, 1964), 1:277-305.

38 **evoluído de nossos ancestrais primatas**: Katherine S. Pollard, "What Makes Us Different?", *Scientific American*, 1º de novembro de 2012.

38 **a região acelerada humana**: *Ibid.*

38 **criança "sortuda" ou uma criança "azarada"**: K. Hamann *et al.*, "Collaboration Encourages Equal Sharing in Children but Not in Chimpanzees" *Nature* 476 (7360) (2011): 328-31.

40	**"aprendida com os pais"**: Michael Tomasello, psicólogo de desenvolvimento na Duke University, entrevista por e-mail, 23 de maio de 2020.
40	**colaboração foi irrelevante**: Hamann *et al.*, "Collaboration Encourages Equal Sharing".
41	**modo de vida pré-histórico**: Ver J. D. Lewis-Williams e M. Biesele, "Eland Hunting Rituals among Northern and Southern San Groups: Striking Similarities", *Africa*, 1978, pp. 117-34.
41	**"insultando a carne"**: Ver R. B. Lee e I. DeVore, orgs., *Kalahari Hunter-Gatherers: Studies of the !Kung San and Their Neighbors* (Cambridge, MA: Harvard University Press, 1976).
41	**"pilha de ossos?"**: Richard B. Lee, "Eating Christmas in the Kalahari", *Natural History*, dezembro de 1969, 224. Ver também Christopher Boehm, *Hierarchy in the Forest: The Evolution of Egalitarian Behavior* (Cambridge, MA: Harvard University Press, 2009).
41	**"o tornamos gentil"**: Lee, "Eating Christmas", p. 225.
42	**dono da ponta da flecha**: Ver Polly Wiessner, "Leveling the Hunter", em *Food and the Status Quest: An Interdisciplinary Perspective*, org. P. Wiessner e W. Schiefenhövel (Oxford: Berghan Books, 1996).
42	**parte do nosso legado primata**: Mark van Vugt, psicólogo evolutivo, Vrije Universiteit Amsterdam, entrevista pelo telefone, 8 de maio de 2020.
43	**"Os humanos são a única espécie"**: Neil Thomas Roach, "The Evolution of High-Speed Throwing", sumário de pesquisa da Harvard University, https://scholar.harvard.edu/ntroach/evolution-throwing.
43	**cirurgia cosmética evolucionária**: Neil Thomas Roach, "The Biomechanics and Evolution of High-Speed Throwing" (PhD diss., Harvard University, 2012).
43	**Lança de Clacton**: L. Allington-Jones, "The Clacton Spear: The Last One Hundred Years", *Archaeological Journal* 172 (2)(2015): 273-96.

44	**Boina Verde chamado Richard Flaherty**: David Yuzuk, *The Giant Killer: American Hero, Mercenary, Spy . . . The Incredible True Story of the Smallest Man to Serve in the U.S. Military – Green Beret Captain Richard Flaherty* (Nova York: Mission Point Press, 2020).
44	**é baleado por uma criança**: Christopher Ingraham, "American Toddlers Are Still Shooting People on a Weekly Basis This Year", *Washington Post*, 29 de setembro de 2017.
44	**diferenças de tamanho físico entre machos e fêmeas**: Peter Turchin, *Ultrasociety: How 10,000 Years of War Made Humans the Greatest Cooperators on Earth* (Chaplin, CT: Beresta Books, 2016), p. 106.
46	***hierarquia de dominância reversa:*** Boehm, *Hierarchy in the Forest*.
46	**"Todos os homens procuram governar"**: *Ibid.*, p. 105.
47	**diferenciação no interior dos túmulos**: Ver E. A. Cashdan, "Egalitarianism among Hunters and Gatherers," American Anthropologist 82 (1) (1980): 116-20.
47	**muito mais diversidade na estrutura de sociedades pré-históricas**: "Human social organization during the Late Pleistocene: Challenging the nomadic-egalitarian model", por Manvir Singh e Luke Glowacki, 2021.
48	**com relação aos sexos**: uma pesquisa afirmou que sociedades de caçadores-coletores tratavam as mulheres como iguais aos homens; outra pesquisa sugere o oposto. Ver John D. Speth, "Seasonality, Resource Stress, and Food Sharing in So-Called 'Egalitarian' Foraging Societies", *Journal of Anthropological Archaeology* 9 (1990): 148-88.
48	**ostracismo significava morte social**: Boehm, *Hierarchy in the Forest*.
48	**estudo recente de pesquisadores espanhóis**: J. Gómez *et al.*, "The Phylogenetic Roots of Human Lethal Violence", *Nature* 538 (7624) (2016): 233-37.
49	**fofinhos lêmures de Madagascar**: *Ibid.*

49	**"As personalidades problemáticas eram masculinas"**: Boehm, *Hierarchy in the Forest*, 7-8; e entrevista pelo telefone com Christopher Boehm, 29 de maio de 2020.
50	**Valentin Turchin**: Peter Turchin, cientista/professor na Universidade de Connecticut, entrevista pelo telefone, 7 de abril de 2020.
54	**lógica matemática**: Esta relação matemática foi identificada por Frederick Lanchester, um engenheiro que foi também um pioneiro da indústria automobilística britânica no início dos anos 1900. A vantagem ampliada de exércitos maiores na guerra à distância foi chamada de lei quadrada de Lanchester.
54	**regra de ferro da história**: Turchin, entrevista pelo telefone.
55	**"se estabeleciam como chefes"**: *Ibid*.
55	**Revolução Neolítica**: Ver J. L. Weisdorf, "From Foraging to Farming: Explaining the Neolithic Revolution", *Journal of Economic Surveys* 19 (4) (2005): 561-86; e Jared Diamond, "The Worst Mistake in the History of the Human Race", *Discover*, 1º de maio de 1999.
56	**circunscrição ambiental**: R. L. Carneiro, "A Theory of the Origin of the State: Traditional Theories of State Origins Are Considered and Rejected in Favor of a New Ecological Hypothesis", Science 169 (3947) (1970): 733-38.
57	**dezenas de milhões**: Turchin, *Ultrasociety*.
58	**10% em algumas de nossas eras mais sombrias**: Gómez *et al.*, "Phylogenetic Roots".
58	**morrer nas mãos de outro ser humano:** *Ibid*.
58	**"cozinhar comida ou queimar pessoas"**: Turchin, entrevista pelo telefone.

Capítulo III: Mariposas em volta de uma Chama

60 **filho de um padeiro kosher**: Para uma discussão da vida de Wald, ver Jordan Ellenberg, *How Not to Be Wrong* (Nova York: Penguin, 2014).

61 **"com frequência coisas aconteciam"**: W. Allan Wallis, "The Statistical Research Group, 1942-1945", *Journal of the American Statistical Association 75* (370) (1980): 322.

64 **Montanhas Nilgiri**: Oskar Morgenstern, "Abraham Wald, 1902-1950", *Econometrica* 19 (4) (1951): 361-67.

67 **Usava óculos de grife e batom vermelho brilhante**: Marie-France Bokassa, entrevista, 30 de setembro de 2019, Paris, França.

67 **Ele foi coroado**: J. H. Crabb, "The Coronation of Emperor Bokassa", *Africa Today* 25 (3) (1978): 25-44. Ver também "The Coronation of Jean-Bedel Bokassa", BBC World Service, 4 de dezembro de 2018.

68 **estátua de bronze... também encomendada e com mais de 3 metros e meio de altura**: Brian Tetley, *Dark Age: The Political Odyssey of Emperor Bokassa* (Montreal: McGill-Queen's Press, 2002).

68 **crocodilos do Nilo**: *Ibid*. Ver também "In Pictures: Bokassa's Ruined Palace in CAR", BBC News, 8 de fevereiro de 2014.

69 **servia aos dignitários que vinham visitá-lo**: Scott Kraft, "Ex-Emperor's Reign of Terror Relived: Bokassa Trial: Lurid Tales of Cannibalism, Torture", *Los Angeles Times*, 15 de março de 1987.

69 **"mas comeu carne humana"**: "Nostalgia for a Nightmare", *Economist*, 25 de agosto de 2016.

69 **por fraude ou abuso de drogas**: Jeremy Luedi, "The Vietnamese Daughters of an African Emperor", Asia by Africa, 13 de maio 2018. Para mais sobre a família Bokassa, ver Jay Nordlinger, *Children of Monsters* (Nova York: Encounter Books, 2015).

70	**parte da marca Bokassa**: Bokassa, entrevista. Ver também Marie-France Bokassa, *Au château de l'ogre* (Paris: Flammarion, 2019).
72	**estudo dos Gêmeos de Minnesota**: R. D. Arvey *et al.*, "The Determinants of Leadership Role Occupancy: Genetic and Personality Factors", *Leadership Quarterly* 17 (1) (2006): 1-20.
73	**nascemos para liderar ou para sermos liderados?**: J.-E. De Neve *et al.*, "Born to Lead? A Twin Design and Genetic Association Study of Leadership Role Occupancy", *Leadership Quarterly* 24 (1) (2013): 45-60.
75	**bebê hiena... liderança da matilha**: M. L. East *et al.*, "Maternal Effects on Offspring Social Status in Spotted Hyenas", *Behavioral Ecology* 20 (3) (2009): 478-83; e K. E. Holekamp e L. Smale, "Dominance Acquisition during Mammalian Social Development: The 'Inheritance' of Maternal Rank", *American Zoologist 31* (2) (1991): 306-17.
75	**gene de interesse... SLC6A4**: M. A. van der Kooij e C. Sandi, "The Genetics of Social Hierarchies", *Current Opinion in Behavioral Sciences 2* (2015): 52-7.
75	**peixe-zebra...** *status* **social do pai**: S. Zajitschek *et al.*, "Paternal Personality and Social Status Influence Offspring Activity in Zebrafish", *BMC Evolutionary Biology* 17 (1) (2017): 1-10.
76	**7% queriam uma posição de liderança de alto nível**: Nicole Torres, "Most People Don't Want to Be Managers", *Harvard Business Review*, 18 de setembro de 2014.
76	**"necessidade de poder"**: D. C. McClelland, C. Alexander e. Marks, "The Need for Power, Stress, Immune Function, and Illness among Male Prisoners," *Journal of Abnormal Psychology* 91 (1) (1982): 61
76	*Orientação* à **Dominância** *Social*: F. Pratto *et al.*, "Social Dominance Orientation: A Personality Variable Predicting Social and Political Attitudes", *Journal of Personality and Social Psychology* 67 (4) (1994): 741.

78	**vídeo de recrutamento do *site* do departamento de polícia**: Radley Balko, "Tiny Georgia Police Department Posts Terrifying SWAT Video", *Washington Post*, 13 de agosto de 2014.
79	**equipamento militar excedente**: C. Delehanty *et al.*, "Militarization and Police Violence: The Case of the 1033 Program", *Research & Politics* 4 (2) (2017): 1-7.
79	**Thetford Township, município do Michigan**: Francis X. Donnelly, "Michigan Town's Feud over Military Gear Gets Ugly", *Detroit News*, 17 de abril 2018. Vale a pena observar que o chefe de polícia foi, em data recente, indiciado por fraude relacionada a equipamento militar excedente.
79	**barco de assalto anfíbio**: Radley Balko, "Overkill: The Rise of Paramilitary Police Raids in America", *CATO Institute*, 25 de março de 2014, p. 8.
80	**Lebanon, no Tennessee**: Lorenzo Franceschi-Bicchierai, "Small-Town Cops Pile Up on Useless Military Gear", *Wired*, 26 de junho 2012.
80	**"um valentão, um fanático ou um predador sexual"**: Helen King, ex-comissária assistente da Polícia Metropolitana de Londres, entrevista, 11 de fevereiro de 2020, Londres, Reino Unido.
81	**Projeto Marshall**: Simone Weichselbaum e Beth Schwartzapfel, "When Warriors Put on the Badge", Marshall Project, 30 de março de 2017.
81	***depois* da chegada do equipamento militar**: Delehanty *et al.*, "Militarization and Police Violence".
82	**"Você se importa o suficiente para ser um policial?"**: "Congela! O Mais Divertido Vídeo de Recrutamento da Polícia da Nova Zelândia, por enquanto!", NZPoliceRecruitment, 26 de novembro de 2017, https://www.youtube.com /watch?v=f9psILoYmCc.
83	**"Levamos o policiamento a sério"**: Kaye Ryan, vice-chefe executiva do departamento de pessoal da polícia da Nova Zelândia, entrevista pelo telefone, 12 de maio de 2020.

83	**"Hungry Boy" [Garoto Faminto]**: "Hungry Boy 45 Sec – 'Você se Importa o Suficiente para Ser um Policial?'" Recrutamento da polícia da Nova Zelândia, 30 de março de 2016, https://www.youtube.com/watch?v=6pz42UqcmzQ.
84	**"E de qualquer maneira eles vêm"**: Ryan, entrevista.
84	**inscrições é superior a 24%**: Dados para esta seção foram fornecidos, via *e-mail*, pela polícia da Nova Zelândia, 12 de junho de 2020.
85	**0,8 mortes por ano**: Solicitação de Liberdade de Informação ao governo da Nova Zelândia, 29/out/2015, https://fyi.org.nz/request/3174/response/10477/attach/html/3/rakete%20emma%2015%2017696%201%20signed%20reply.pdf.html.
85	**1.146 civis**: "The Counted", *Guardian*, dados de 2016, https://www.theguardian.com/us-news/ng-interactive/2015/jun/01/the-counted-police-killings-us-database.
86	**"Canhão porque eu batia forte"**: Roger Torres, ex-lutador de MMA, *e-mail*, 5 de setembro de 2020.
86	**40 milhões vivem nelas**: "National and State Statistical Review for 2017", Community Associations Institute, 2017, https://foundation.caionline.org/wp-content/uploads/2018/06/2017StatsReview.pdf.
87	**"A apatia era absurda"**: Roger Torres, entrevista por telefone, 13 de maio de 2020.

Capítulo IV: A Ilusão do Poder

92	**edição chinesa da revista *Cosmopolitan***: Mitch Moxley, *Apologies to My Censor* (Nova York: Harper Perennial, 2013).
93	**"algum tipo de cerimônia"**: Mitch Moxley, jornalista, entrevista pelo telefone, 27 de abril de 2020.
94	**"DOLOE & GOB8ANA"**: Moxley, *Apologies to My Censor*, p. 261.
94	**"parecia o mais velho"**: Moxley, entrevista pelo telefone.

95	**"banda de música *country* da América, chamada Traveller"**: Alice Yan, "Inside China's Booming 'Rent a Foreigner' Industry", *South China Morning Post*, 12 de junho de 2017.
95	**"não falava inglês"**: *Ibid*.
95	**468 são administradas por um homem**: Os dados nesta seção, de fontes publicamente disponíveis, foram compilados para mim por Maria Kareeva.
97	**Alexa e Siri**: Christopher Zara, "People Were Asked to Name Women Tech Leaders. They said 'Alexa' and 'Siri'", *Fast Company*, 20 de março de 2018.
97	**alto escalão branco e seus lacaios**: "Black bosses 'shut out' by 'vanilla boys' club' ", BBC News, 3 de fevereiro de 2021, https://www.bbc.co.uk/news/business-55910874.
97	**8% do total**: Isto vem de dados publicamente disponíveis, compilados para mim por Daniella Sims.
97	**um em cada quatro**: Os dados nesta seção são de "Women in Parliaments", Inter-Parliamentary Union, https://data.ipu.org/women-ranking?month=10&ano=2020.
98	**aprovaram sua agenda em uma carimbada**: Ver Brian Klaas, *The Despot's Accomplice: How the West Is Aiding & Abetting the Decline of Democracy* (Oxford: Oxford University Press, 2017).
98	**"não tiver seguidores"**: Frans de Waal, primatologista da Emory University, entrevista por telefone, 25 de março de 2020.
99	*stotting* **[mostra] ou** *pronking* **[exibição]**: C. D. FitzGibbon e J. H. Fanshawe, "Stotting in Thomson's Gazelles: An Honest Signal of Condition", *Behavioral Ecology and Sociobiology* 23 (2) (1988): 69-74.
100	**evoluíram para transmitir com rapidez informações**: Ver S. R. X. Dall *et al.*, "Information and Its Use by Animals in Evolutionary Ecology", *Trends in Ecology & Evolution* 20 (4) (2005): 187-93.
100	**caranguejo-violinista**: Simon P. Lailvaux, Leeann T. Reaney e Patricia R. Y. Backwell, "Dishonest Signalling of Fighting Ability

and Multiple Performance Traits in the Fiddler Crab, Ucamjoebergi", *Functional Ecology* 23 (2) (2009): 359-66.

102 **pose de poder**: D. R. Carney, A. J. Cuddy e A. J. Yap, "Power Posing: Brief Nonverbal Displays Affect Neuroendocrine Levels and Risk Tolerance", *Psychological Science* 21 (10) (2010): 1363-368.

102 **palestra TED**: Amy Cuddy, "Your Body Language May Shape Who You Are", https://www.ted.com/talks/amy_cuddy_your_body_language_may_shape_who_you_are? language = en.

102 **"os efeitos da 'pose de poder' fossem reais"**: Maquita Peters, "Power Poses Co-autor: 'I Do Not Believe the Effects Are Real'", *NPR Weekend Editon Saturday*, 1º de outubro de 2016.

102 **outra pesquisa**: Ver, por exemplo: L. ten Brinke, K. D. Vohs e D. R. Carney, "Can Ordinary People Detect Deception After All?", *Trends in Cognitive Sciences* 20 (8) (2016): 579-88.

103 **cerimônias "potlatch"**: R. Bliege Bird *et al.*, "Signaling Theory, Strategic Interaction, and Symbolic Capital", *Current Anthropology* 46 (2) (2005): 221-48.

103 **"consumo conspícuo"**: Thorstein Veblen, *The Theory of the Leisure Class* (Nova York: MacMillan, 1899).

104 **dinheiro em capital social:** A. B. Trigg, "Veblen, Bourdieu, and Conspicuous Consumption", *Journal of Economic Issues* 35 (1) (2001): 99-115.

104 **esvaziam seus bolsos**: M. Van Vugt e W. Iredale, "Men Behaving Nicely: Public Goods as Peacock Tails", *British Journal of Psychology* 104 (1) (2013): 3-13.

105 **a renda perde o sentido**: Ver, por exemplo, P. Blumberg, "The Decline and Fall of the Status Symbol: Some Thoughts on Status in a Post-Industrial Society", *Social Problems* 21 (4) (1974): 480-98.

105 **vida de lazer em ambientes fechados**: Amanda Riley-Jones, "The Evolution of Tanning", *Reader's Digest*, https://www.readersdigest.co.uk/health/health-conditions/the-evolution-of-tanning.

106 **permaneceu do mesmo tamanho**: R. I. Dunbar, "The Social Brain Hypothesis and Its Implications for Social Evolution", *Annals of Human Biology* 36 (5) (2009): 562-72. Ver também R. Giphart e M. van Vugt, Mismatch: *How Our Stone Age Brain Deceives Us Every Day (and What We Can Do about It)* (Londres: Hachette, 2018).

106 **"aloja uma mente da Idade da Pedra"**: Leda Cosmides e John Tooby, "Evolutionary Psychology: A Primer", UC – Santa Barbara Center for Evolutionary Psychology, 1997, https://www.cep.ucsb.edu/primer.html.

106 **doces como uma cenoura**: Daniel Lieberman, "Evolution's Sweet Tooth", *New York Times*, 5 de junho de 2012.

107 **"incompatibilidade evolutiva"**: N. P. Li, M. van Vugt e S. M. Colarelli, "The Evolutionary Mismatch Hypothesis: Implications for Psychological Science", *Current Directions in Psychological Science* 27 (1) (2018): 38-44.

107 **cobras e aranhas**: A. Ahuja e M. van Vugt, *Selected: Why Some People Lead, Why Others Follow, and Why It Matters* (Londres: Profile Books, 2010).

109 **"físico imponente"**: M. van Vugt e R. Ronay, "Tue Evolutionary Psychology of Leadership: Theory, Review, and Roadmap", *Organizational Psychology Review* 4 (1) (2014): 74-95.

109 **teoria da liderança evolutiva**: *Ibid.*

109 **"seguir carreiras científicas"**: Corinne Moss-Racusin, professora assistente de psicologia no Skidmore College, entrevista por telefone, 23 de abril de 2020.

110 **potencial salário inicial mais alto**: C. A. Moss-Racusin *et al.*, "Science Faculty's Subtle Gender Biases Favor Male Students", *Proceedings of the National Academy of Sciences* 109 (41) (2012): 16474-79.

111 ***Herland***: C. P. Gilman, *Herland* (1915; repr., Nova York: Pantheon, 2010).

111	**ávidas para governar por meios democráticos**: A. H. Eagly e B. T. Johnson, "Gender and Leadership Style: A Meta-Analysis", *Psychological Bulletin* 108 (2) (1990): 233.
113	**o efeito de masculinidade é ampliado**: M. van Vugt *et al.*, "Evolution and the Social Psychology of Leadership: The Mismatch Hypothesis," *Leadership at the Crossroads* 1 (2008):267--82. Ver também Ahuja and van Vugt, *Selected*.
113	**"em tempos de guerra"**: Ahuja and van Vugt, Selected, p. 164.
114	**o assistente mais alto fosse o rei**: J. M. O'Brien, *Alexander the Great: The Invisible Enemy, a Biography* (Londres: Routledge, 2003), p. 56.
114	**são minha fraqueza:** Stephen S. Hall, *Size Matters: How Height Affects the Health, Happiness, and Success of Boys – and the Men They Become* (Boston: Houghton Mifflin, 2006).
114-115	**gigante irlandês nas ruas de Londres**: Nancy Mitford, *Frederick the Great* (1970; repr., Londres: Vintage, 2011).
115	**o grande comprimento dos braços**: *Ibid.*
115	**homens de seu tempo**: G. Stulp *et al.*, "Tall Claims? Sense and Nonsense about the Importance of Height of US Presidents", *Leadership Quarterly* 24 (1) (2013): 159-71.
115	**oponentes mais baixos**: *Ibid.*
116	**percebidos como mais aptos para a liderança**: N. M. Blaker *et al.*, "The Height Leadership Advantage in Men and Women: Testing Evolutionary Psychology Predictions about the Perceptions of Tall Leaders", Group Processes & Intergroup Relations 16 (1) (2013): 17-27.
116	**Hajnal Ban**: Marissa Calligeros, "Queensland Councillor Has Legs Broken to Gain Height", *Sydney Morning Herald*, 29 de abril de 2009.
116	**Alemanha do século XVIII**: J. Komlos, "Height and Social Status in Eighteenth-Century Germany", *Journal of Interdisciplinary History* 20 (4) (1990): 607-21.
116	**ganhos adicionais durante a vida**: A. Case e C. Paxson, "Stature and Status: Height, Ability, and Labor Market Outcomes",

Journal of Political Economy 116 (3) (2008): 499-532. Ver também N. Persico, A. Postlewaite e D. Silverman, "The Effect of Adolescent Experience on Labor Market Outcomes: The Case of Height", *Journal of Political Economy* 112 (5) (2004): 1019-053.

118 **camiseta do Manchester United**: M. Levine *et al.*, "Identity and Emergency Intervention: How Social Group Membership and Inclusiveness of Group Boundaries Shape Helping Behavior", *Personality and Social Psychology Bulletin* 31 (4) (2005): 443-53.

119 **que era da mesma universidade que eles**: Ver Ahuja e van Vugt, *Selected*, "Chapter 6: The Mismatch Hypothesis."

119 **réus com cara de bebê**: Ver D. S. Berry e L. Zebrowitz-McArthur, "What's in a Face? Facial Maturity and the Attribution of Legal Responsibility", *Personality and Social Psychology Bulletin* 14 (1) (1988): 23-33; D. S. Berry e L. Z. McArthur, "Some Components and Consequences of a Babyface", *Journal of Personality and Social Psychology* 48 (1985): 312-23; e D. J. Shoemaker, P. R. South e J. Lowe, "Facial Stereotypes of Deviants and Judgments of Guilt or Innocence", *Social Forces* 51 (1973): 427-33.

120 **do que negros com menos cara de bebê**: R. W. Livingston e N. A. Pearce, "The Teddy-Bear Effect: Does Having a Baby Face Benefit Black Chief Executive Officers?", *Psychological Science* 20 (10) (2009): 1229-236.

Capítulo V: Pequenos Tiranos e Psicopatas

123 **"pequeno termômetro"**: Rich Agnello, professor de educação especial em Shenectady, entrevista por telefone, 18 de março de 2020.

124 **"crime contra a humanidade"**: *Ibid.*

124	**"veias latejando na cabeça"**: "Petty Tyrant", *This American Life*, 12 de novembro de 2010.
125	**Lou Semione:** Steven Cook, "Day 8: Workers Cite Raucci Abuse", *Schenectady Daily Gazette*, 11 de março de 2010.
125	**manipular secretamente o *software***: "Petty Tyrant", *This American Life*.
125	**"estávamos fodendo você"**: Steven Cook, "Day 7: Witnesses Recall Raucci's Drive for Power in School District", *Schenectady Daily Gazette*, 10 de março de 2010.
126	**"seu tipo"**: "Petty Tyrant", *This American Life*.
126	**"consertos serão feitos"**: Kathy Garrison, sob interrogatório, julgamento de Steve Raucci, 8 de março de 2010.
126	**carta anônima**: Carta anônima à presidente da CSEA Kathy Garrison, sem data.
127	**por toda a casa estava escrito em letras grandes:** Steve Cook, "Day 10: At Raucci Trial, Victim Tells of Threats, Damage", *Schenectady Daily Gazette*, 16 de março de 2010.
127	**horário de serviço**: "Petty Tyrant", *This American Life*.
127	**"bom caminhãozinho novo"**: Transcrição de gravações secretas de áudio de Steve Raucci apresentadas como evidência em seu julgamento.
127	***O Poderoso Chefão* (*The Godfather*)**: Kathleen Moore, "Emails Show How Raucci Complaints Went Nowhere", *Schenectady Daily Gazette*, 22 de julho de 2011.
128	**lhe fez um empréstimo**: Cook, "Dia 7".
128	**DNA no cigarro**: Steven Cook, "DNA Test Links Explosive to Raucci", *Schenectady Daily Gazette*, 12 de maio de 2009.
128	**o *Peter Pause* [Pausa de Peter]**: Steven Cook, "Friend-Turned-Informant Provided Crucial Evidence in Raucci Case", *Schenectady Daily Gazette*, 7 de junho de 2010.
128	**"narcisista mentiroso … "ego doentio"**: Ron Kriss, antigo funcionário do distrito de Schenectady, entrevista por *e-mail*, 10 de março de 2020.

129	**"o que Steve fez"**: Transcrição de gravações secretas de áudio de Steve Raucci apresentadas como evidência em seu julgamento.
129	**"porque tem um Steve"**: *Ibid.*
130	**a tríade sombria**: D. L. Paulhus e K. M. Williams, "The Dark Triad of Personality: Narcissism, Machiavellianism, and Psychopathy", *Journal of Research in Personality* 36 (6) (2002): 556-63.
131	***Dirty Dozen* [Dúzia Suja]**: P. K. Jonason e G. D. Webster, "The Dirty Dozen: A Concise Measure of the Dark Triad", *Psychological Assessment* 22 (2) (2010): 420.
131	**o indivíduo não está mentindo**: Caoimhe Mcanena, psicólogo clínico forense, entrevista por telefone, 24 de fevereiro de 2020.
131	***Myrmarachne melanotarsa***: Ed Yong, "Spiders Gather in Groups to Impersonate Ants", *National Geographic*, 3 de junho de 2009.
132	**"apartamentos de seda"**: Ed Yong, "Spider Mimics Ant to Eat Spiders and Avoid Being Eaten by Spiders", *National Geographic*, 1º de julho de 2009.
132	**"*performance* digna de um Oscar"**: Ximena Nelson, "The Spider's Charade", *Scientific American* 311 (6) (dezembro de 2014): 86-91.
132	**"possa comer aranhas"**: Yong, "Spider Mimics Ant".
133	**chutar um cachorro até a morte**: Kevin Dutton, *The Wisdom of Psychopaths* (Londres: Random House, 2012).
133	***manie sans delire***: Y. Trichet, "Genèse et évolution de la manie sans délire chez Philippe Pinel. Contribution à l'étude des fondements psychopathologiques de la notion de passage à l'acte", *L'Évolution psychiatrique* 79 (2) (2014): 207-24.
133	**teoria da mente**: M. Dolan e R. Fullam, "Theory of Mind and Mentalizing Ability in Antisocial Personality Disorders with and without Psychopathy", *Psychological Medicine* 34 (2004): 1093-102.

133 **"sistema de neurônios-espelho"**: G. Rizzolatti e L. Craighero, "The Mirror-Neuron System", *Annual Review of Neuroscience* 27 (2004): 169-92.

133 **cheirar algo horrível**: K. Jankowiak-Siuda, K. Rymarczyk e A. Grabowska, "How We Empathize with Others: A Neurobiological Perspective", *Medical Science Monitor* 17 (1) (2011): RA18.

134 **empatia que imitavam os das pessoas comuns**: H. Meffert *et al.*, "Reduced Spontaneous but Relatively Normal Deliberate Vicarious Representations in Psychopathy", *Brain* 136 (8) (2013): 2550-562.

135 **"estimulação cerebral não invasiva"**: Nicholas Cooper, psicólogo da Universidade de Essex, entrevista por telefone, 20 de maio de 2020. *Ver também* C. C. Yang, N. Khalifa e B. Völlm, "The Effects of Repetitive Transcranial Magnetic Stimulation on Empathy: A Systematic Review and Meta-Analysis", *Psychological Medicine* 48 (5) (2018): 737-50.

136 **"cobras de ternos"**: P. Babiak, R. D. Hare e T. McLaren, *Snakes in Suits: When Psychopaths Go to Work* (Nova York: Regan Books, 2006).

137 **"gerenciamentos de impressões"**: N. Roulin e J. S. Bourdage, "Once an Impression Manager, Always an Impression Manager? Antecedents of Honest and Deceptive Impression Management Use and Variability across Multiple Job Interviews", *Frontiers in Psychology* 8 (2017): 29.

138 **escalar a escada corporativa**: J. Volmer, I. K. Koch e A. S. Göritz, "The Bright and Dark Sides of Leaders' Dark Triad Traits: Effects on Subordinates' Career Success and Well-Being", *Personality and Individual Differences* 101 (2016): 413-18.

138 **profissionais de sete empresas**: P. Babiak, C. S. Neumann e R. D. Hare, "Corporate Psychopathy: Talking the Walk", *Behavioral Sciences & the Law* 28 (2) (2010): 174-93.

139 **uma em cada 100 pessoas é psicopata**: Ver G. Morse, "Executive Psychopaths", *Harvard Business Review* 82 (10) (2004): 20-1.

139	**"outra cargo de gestão"**: Babiak, Neumann e Hare, "Corporate Psychopathy".
140	**pesquisadores japoneses... jogo do ultimato**: T. Osumi e H. Ohira, "The Positive Side of Psychopathy: Emotional Detachment in Psychopathy and Rational Decision-Making in the Ultimatum Game", *Personality and Individual Differences* 49 (5) (2010): 451-56.
141	**o mundo *deveria* ser**: J. B. Vieira et *al.*, "Distinct Neural Activation Patterns Underlie Economic Decisions in High and Low Psychopathy Scorers", *Social Cognitive and Affective Neuroscience* 9 (8) (2014): 1099-107.
142	***chefs* e funcionários públicos**: Dutton, *Wisdom of Psychopaths*.
142	**região dos Estados Unidos**: Ryan Murphy, "Psychopathy by US State", SSRN, 26 de maio de 2018, https://ssrn.com/abstract=3185182.
143	**psicopatas são menos dilacerados**: M. Cima, F. Tonnaer e M. D. Hauser, "Psychopaths Know Right from Wrong but Don't Care", *Social Cognitive and Affective Neuroscience* 5 (1) (2010): 59-67.
144	**"menos traços psicopáticos"**: Leanne ten Brinke, psicóloga, Universidade da Colúmbia Britânica, entrevista por telefone, 12 de fevereiro de 2020.
144	**101 gestores de fundos de *hedge***: L. ten Brinke, A. Kish e D. Keltner, "Hedge Fund Managers with Psychopathic Tendencies Make for Worse Investors", *Personality and Social Psychology Bulletin* 44 (2) (2018): 214-23.
145	**apodrecem em uma cela de prisão ou são executados**: Ver Brian Klaas, *The Despot's Accomplice* (Oxford: Oxford University Press, 2017).
145	**"esquartejados"**: H. M. Lentz, org., *Heads of States and Governments since 1945* (Londres: Routledge, 2014).

146	**com base nas emoções irracionais**: J. J. Ray e J. A. B. Ray, "Some Apparent Advantages of Subclinical Psychopathy", *Journal of Social Psychology* 117 (1) (1982): 135-42.
146	**situações extremamente estressantes**: *Ibid*. Ver também Dutton, *Wisdom of Psychopaths*.
147	**"chamada de movimento"**: G. E. Gall *et al.*, "As Dusk Falls: Collective Decisions about the Return to Sleeping Sites in Meerkats", *Animal Behaviour* 132 (2017): 91-9. Ver também Elizabeth Preston, "Sneezing Dogs, Dancing Bees: How Animals Vote", *New York Times*, 2 de março de 2020.
148	**cães selvagens**: Preston, "Sneezing Dogs".
148	**ajudar os humanos a sobreviver**: D. D. Johnson e J. H. Fowler, "The Evolution of Overconfidence", *Nature* 477 (7364) (2011): 317-20.
149	**Fundação Bill & Melinda Gates**: J. Kolev, Y. Fuentes-Medel e F. Murray, "Is Blinded Review Enough? How Gendered Outcomes Arise Even under Anonymous Evaluation", National Bureau of Economic Research, 2019, https://www.nber.org/papers/w25759?utm_campaign=ntwh&utm_medium=email&utm_source=ntwg16.

Capítulo VI: Sistemas Ruins ou Pessoas Ruins?

151	**vários endereços da Starbucks**: T. Talhelm *et al.*, "Large-Scale Psychological Differences within China Explained by Rice versus Wheat Agriculture", *Science* 344 (6184) (2014): 603-08. Ver também Michaeleen Doucleff, "Rice Theory: Why Eastern Cultures Are More Cooperative", National Public Radio, 8 de maio de 2014.
152	**"teste da cadeira"**: T. Talhelm, X. Zhang e S. Oishi, "Moving Chairs in Starbucks: Observational Studies Find Rice-Wheat Cultural Differences in Daily Life in China", *Science Advances* 4 (4) (2018).

154 **pensador "holístico"**: David Biello, "Does Rice Farming Lead to Collectivist Thinking?", *Scientific American*, 12 de maio de 2014.

156 **"erro fundamental de atribuição de responsabilidades"**: Ver, por exemplo, S. Maruna e R. E. Mann, "A Fundamental Attribution Error? Rethinking Cognitive Distortions", *Legal e Criminological Psychology* 11 (2) (2006): 155-77.

156 **testado na Áustria**: S. Kaiser, G. Furian e C. Schlembach, "Aggressive Behaviour in Road Traffic – Findings from Austria", *Transportation Research Procedia*, 14 (2016): 4384-392.

157 **150 mil tíquetes de estacionamento:** R. Fisman e. Miguel, "Corruption, Norms, and Legal Enforcement: Evidence from Diplomatic Parking Tickets", *Journal of Political Economy* 115 (6) (2007): 1020-048.

160 **Andrea Ichino e Giovanni Maggi**: A. Ichino and G. Maggi, "Work Environment and Individual Background: Explaining Regional Shirking Differentials in a Large Italian Firm", *Quarterly Journal of Economics* 115 (3) (2000): 1057-090.

162 **o que é melhor para a colmeia**: Francis Ratnieks, professor of apicultura na University of Sussex, entrevista por telefone, 1º de abril de 2020.

162 **rainhas em excesso *diminuem* a produtividade**: F. L. Ratnieks e T. Wenseleers, "Policing Insect Societies", *Science* 307 (5706) (2005): 54-6.

163 **"favo de cria"**: *Ibid.*

163 **"em benefício próprio"**: Ratnieks, entrevista por telefone.

163 **abelhas meliponas**: Ver T. Wenseleers e F. L. Ratnieks, "Tragedy of the Commons in *Melipona* Bees", *Proceedings of the Royal Society of London. Series B: Biological Sciences* 271 (2004): S310-12; e T. Wenseleers, A. G. Hart e F. L. Ratnieks, "When Resistance Is Useless: Policing and the Evolution of Reproductive Acquiescence in Insect Societies", *American Naturalist* 164 (6) (2004): E154-67.

164 **policiamento é ineficaz**: Ratnieks, entrevista por telefone.

165	**Rei Construtor**: A maior parte da pesquisa desta seção vem de Adam Hochschild, *King Leopold's Ghost: A Story of Greed, Terror, and Heroism in Colonial Africa* (Londres: Houghton Mifflin Harcourt, 1999).
165	***"petit pays, petits gens"***: *Ibid.*, p. 36.
166	**"ensiná-la a fazer isso"**: N. Ascherson, *The King Incorporated: Leopold the Second and the Congo* (Londres: Granta Books, 1999).
166	**"bolo africano"**: Hochschild, *King Leopold's Ghost*. Ver também "Léopold II à Solvyns, 17 Novembre 1877", em P. van Zuylen, *L'échiquier congolais, ou le secret du Roi* (Bruxelas: Dessart, 1959), p. 43.
166	**enxofre na borracha derretida**: C. Guise-Richardson, "Redefining Vulcanization: Charles Goodyear, Patents, and Industrial Control, 1834-1865," *Technology and Culture* 51 (2) (2010): 357-87.
167	**uma dívida de pelo menos 200 mil dólares**: G. B. Kauffman, "Charles Goodyear (1800-1860), Inventor Americano, no Bicentenário de seu Nascimento", *Chemical Educator* 6 (1) (2001): 50-4.
167	**deslizar sobre os calombos da estrada**: "How Scot John Boyd Dunlop Gave the World the Pneumatic Tyre", *Scotsman*, 5 de fevereiro de 2016.
167	**"*boom* das bicicletas"**: G. A. Tobin, "The Bicycle Boom of the 1890's: The Development of Private Transportation and the Birth of the Modern Tourist", *Journal of Popular Culture* 7 (4) (1974): 838.
167	**E. D. Morel**: Hochschild, *King Leopold's Ghost*. Ver também C. A. Cline, "ED Morel and the Crusade against the Foreign Office", *Journal of Modern History* 39 (2) (1967): 126-37.
168	**retirado como uma casca**: Hochschild, *King Leopold's Ghost*.
168	**"um par de cabras a peça"**: *Ibid.*, p. 161.
168	**20 cabeças humanas**: B. B. de Mesquita, "Leopold II and the Selectorate: An Account in Contrast to a Racial Explanation",

Historical Social Research / Historische Sozialforschung, 2007, 203-21.

169 **OS NEGROS SÃO ALIMENTADOS PELO COMITÊ ORGANIZADOR**: Hochschild, *King Leopold's Ghost*. Ver também Joanna Kakissis, "Where 'Human Zoos' Once Stood, a Belgian Museum Now Faces Its Colonial Past", National Public Radio, 26 de setembro de 2018.

169 ***crimes contra a humanidade***: N. Geras, *Crimes against Humanity: Birth of a Concept* (Manchester, Reino Unido: Manchester University Press, 2013).

169 **US$ 1.1 bilhão em valores atuais**: Belgian scholar Jules Marchal, em correspondência com Hochschild, *King Leopold's Ghost*, p. 277.

169 **o pior experimento natural do mundo**: De Mesquita, "Leopold II and the Selectorate."

170 **"banco de parque e um instrutor de esqui"**: L. Paul Bremer III, diplomata, entrevista, 2 de fevereiro de 2020, Vermont.

171 **10 mil gramas de ouro**: "Bin Laden Said to Offer Gold to Killers", Associated Press, 7 de maio de 2004.

171 **baixas em massa está aumentando**: *Report of the National Commission on Terrorism*, 6 de junho de 2000, pursuant to Public Law 105-277.

172 **"um grande trabalho"**: Bremer, entrevista.

172 **botas marrons Timberland, estilo combate**: L. P. Bremer, *My Year in Iraq: The Struggle to Build a Future of Hope* (Nova York: Simon & Schuster, 2006).

172 **publicou uma matéria sobre isso**: Patrick E. Tyler, "New Policy in Iraq to Authorize GI's to Shoot Looters", *New York Times*, 14 de maio de 2003.

173 **Dia Jabar**: Valentinas Mite, "Disappointing Some Iraqis, U.S. Says It Won't Shoot Looters", Radio Free Europe / Radio Liberty, 16 de maio de 2003.

174 **"diferente do que se faz nos Estados Unidos"**: Bremer, entrevista.

174   **disse à PBS News**: "Closure of Shiite Newspaper in Baghdad Sparks Protests", PBS News, 29 de março de 2004.

175   **"que pudesse providenciar para que alguém o fizesse"**: Bremer, entrevista.

Capítulo VII: Por Que Parece Que o Poder Corrompe?

178   **"Nem eu mesmo li esses livros"**: J. J. Martin, "Tortured Testimonies", *Acta Histriae* 19 (2011): 375-92.

178   *strappado*: R. E. Hassner, "The Cost of Torture: Evidence from the Spanish Inquisition", *Security Studies* 29 (3) (2020): 1-36.

179   **Mandell Creighton**: F. E. de Janösi, "The Correspondence between Lord Acton and Bishop Creighton", *Cambridge Historical Journal* 6 (3) (1940): 307-21.

179   **"luvas brancas"**: Sydney E. Ahlstrom, "Lord Acton's Famous Remark", *New York Times*, 13 de março de 1974.

180   **"quase sempre homens maus"**: de Janösi, "Correspondence between Lord Acton".

181   **"Achei que fsse mais velho"**: Abhisit Vejjajiva, ex-primeiro-ministro da Tailândia, entrevista, 25 de março de 2016, Bangkok, Tailândia.

182   **"mudanças para o país"**: *Ibid.*

182   *Tasting, Grumbling* **[Degustação, Resmungo]**: Ian MacKinnon, "Court Rules Thai Prime Minister Must Resign over Cookery Show", *Guardian*, 9 de setembro de 2008.

183   **"Espero ter conseguido"**: Abhisit Vejjajiva, entrevista, 5 de novembro de 2019, Bangkok, Tailândia.

183   **outras mil foram feridas**: "Descent into Chaos: Thailand's 2010 Red Shirt Protests and the Government Crackdown", Human Rights Watch, 2 de maio de 2011.

184   **"três ou quatro horas de sono"**: Abhisit, entrevista, 5 de novembro de 2019.

184	**zonas de "fogo vivo"**: "Thailand PM Abhisit in Pledge to End Bangkok Protest", BBC News, 15 de maio de 2010.
185	**acusações de assassinato foram retiradas**: "Thailand Ex-PM Abhisit Murder Charge Dismissed", BBC News, 28 de agosto de 2014.
185	**"do período que fiquei no cargo"**: Abhisit, entrevista, 5 de novembro de 2019.
185	**"sangrenta guerra civil"**: Major General Werachon Sukondhapatipak, Forças Armadas da Tailândia, entrevista, 18 de dezembro de 2014, Bangkok, Tailândia.
186	**"governar de maneira inocente?"**: Ver M. Walzer, "Political Action: The Problem of Dirty Hands", *Philosophy & Public Affairs* 2 (2) (Inverno de 1973): 160-80.
187	**"muitas vezes é certo fazê-lo"**: *Ibid*.
188	**"a agir sem escrúpulos"**: R. Bellamy, "Dirty Hands and Clean Gloves: Liberal Ideals and Real Politics," *European Journal of Political Theory* 9 (4) (2010): 412-30.
189	**colocaria os navios em risco**: "Churchill's HMAS *Sydney* Mystery", *Daily Telegraph*, 17 de novembro de 2011.
189	**"homem mais puro da América"**: James Scovel, "Thaddeus Stevens", *Lippincott's Monthly Magazine*, abril de 1898, 548-50.
190	**"uma época em que não tenha roubado"**: Eric Allison, ex-ladrão, entrevista por telefone, 20 de maio de 2020. Todas as citações de Allison nesta seção vêm dessa entrevista.
194	**aprendizado autoritário**: S. G. Hall e T. Ambrosio, "Authoritarian Learning: A Conceptual Overview", *East European Politics* 33 (2) (2017): 143-61.
195	**Nikita Khrushchev em uma piscina**: Mike Dash, "Khrushchev in Water Wings: On Mao, Humiliation and the Sino-Soviet Split", *Smithsonian Magazine*, 4 de maio de 2012.
195	**tinta invisível**: Nic Cheeseman e Brian Klaas, *How to Rig an Election* (New Haven, CT: Yale University Press, 2018).
195	**"Você tem de acordar bem cedo para nos derrotar"**: *Ibid*.

197	**"pão duplo com carne"**: Zack Beauchamp, "Juche, the State Ideology That Makes North Koreans Revere Kim Jong Un, Explained", *Vox*, 18 de junho de 2018.
197	**efeito de catraca:** C. Crabtree, H. L. Kern e D. A. Siegel, "Cults of Personality, Preference Falsification, and the Dictator's Dilemma", *Journal of Theoretical Politics* 32 (3) (2020): 409-34.
199	**como eram tratados os ferimentos no campo de batalha**: I. Robertson-Steel, "Evolutionof Triage Systems", *Emergency Medicine Journal* 23 (2) (2006): 154-55.
200	**bombeamento manual do ar**: Sheri Fink, "The Deadly Choices at Memorial", *New York Times*, 25 de agosto de 2009.
200	**"prioridade na evacuação"**: *Ibid*.
201	**"havia um número excessivo de testemunhas"**: Ibid. Ver também Sheri Fink, *Five Days at Memorial: Life and Death in a Storm-Ravaged Hospital* (Nova York: Atlantic Books, 2013).
201	**"sedativo benzodiazepina"**: Fink, "Deadly Choices at Memorial".
202	***"rock and roll?"***: *Ibid*.
202	**"além da coincidência"**: Sheri Fink, "The Deadly Choices at Memorial", *New York Times Magazine*, 11 de setembro de 2009.
205	**desde os anos 1970**: Dominic Rushe, "Bernard Madoff Fraud 'Began 20 Years Earlier than Admitted' ", *Guardian*, 18 de novembro de 2011.
205	**"até minha sobrinha se casou com um deles"**: Brian Ross e Joseph Rhee, "SEC Official Married into Madoff Family", ABC News, 16 de dezembro de 2008, https://abcnews.go.com/Blotter/WallStreet/story?id=6471863&page=1.
205	**potencial conflito de interesses**: "Investigation of Failure of the SEC to Uncover Bernard Madoff's Ponzi Scheme", relatório público, US Securities and Exchange Commission, 31 de agosto de 2009, https://www.sec.gov/files/oig-509-exec-summary.pdf.
205	**"o maior esquema Ponzi já visto"**: *Ibid*.

205 **entre 2001 e 2005**: Ver Harry Markopolos, *No One Would Listen: A True Financial Thriller* (Hoboken, NJ: John Wiley & Sons, 2011).

206 **Sete milhões de pessoas desapareceram**: "The IRS' Case of Missing Children", *Los Angeles Times*, 11 de dezembro de 1989.

Capítulo VIII: O Poder Corrompe

209 **oportunidades que a maioria dos indianos não tinha**: Ver Manbeena Sandhu, *Nothing to Lose: The Authorized Biography of Ma Anand Sheela* (Nova Délhi: Harper Collins India, 2020).

209 **"artista de como viver a vida!"**: Sheela Birnstiel, também conhecida como Ma Anand Sheela, entrevista por *e-mail*, 7 de agosto de 2020.

209 **abuso sexual**: Win McCormack, "Bhagwan's Sexism", *New Republic*, 12 de abril de 2018. Ver também Win McCormack, *The Rajneesh Chronicles: The True Story of the Cult That Unleashed the First Act of Bioterrorism on US Soil* (Portland, OR: Tin House Books, 2010).

210 **"Eu não sabia o que estava fazendo"**: Ma Anand Sheela, entrevista, 6 de outubro de 2018, Suíça.

210 **Rancho Rajneesh**: Win McCormack, "Range War: The Disciples Come to Antelope", *Oregon Magazine*, novembro de 1981.

211 **assumiram o conselho da cidade de Antelope**: Ver Frances FitzGerald, "Rajneeshpuram", *New Yorker*, 15 de setembro de 1986.

211 **sanduíches de broto de alfafa**: *Ibid*.

211 **"DC-3 muito barato"**: Ma Anand Sheela, entrevista por telefone, 12 de fevereiro de 2020.

211 **fornecia 90% de sua alimentação**: FitzGerald, "Rajneeshpuram".

212 **"não aprenderam sua lição"**: FitzGerald, "Rajneeshpuram".

213	**"uma dor insuportável de estômago"**: Les Zaitz, "Rajneeshee Leaders Take Revenge on the Dalles' with Poison, Homeless", *Oregonian*, republicado em 14 de abril de 2011.
213	**"escolher o mestre iluminado"**: Frances FitzGerald, "Rajneeshpuram II", *New Yorker*, 29 de setembro de 1986.
214	**"amostras de pessoas doentes"**: Barry Sheldahl, ex-promotor, entrevista por telefone, 11 de outubro de 2018.
214	**purê de castores**: McCormack, *Rajneesh Chronicles*.
214	**usar o HIV como arma**: *Ibid*.
214	***The Perfect Crime***: *Ibid*.
216	**"você já lanchou?"**: Dacher Keltner, psicólogo na UC-Berkeley, entrevista, Berkeley, CA, 27 de janeiro de 2020.
217	**Teoria de Abordagem/Inibição**: D. Keltner, D. H. Gruenfeld e C. Anderson, "Power, Approach, and Inhibition", *Psychological Review* 110 (2) (2003): 265.
218	**"falo mais palavrões"**: Keltner, entrevista.
218	**"cruzaram a faixa de pedestres"**: "Who Gets Power – and Why It Can Corrupt Even the Best of Us", *The Hidden Brain*, National Public Radio, 29 de junho de 2018.
219	**"eram os piores"**: *Ibid*.
219	**"de maneira… e desrespeitosa"**: D. Keltner, *The Power Paradox: How We Gain and Lose Influence* (Nova York: Penguin, 2016).
220	**"influenciadas por nossas amostras"**: Keltner, entrevista.
222	**"fora do Ocidente"**: J. Henrich, S. J. Heine e A. Norenzayan, "The Weirdest People in the World?", *Behavioral and Brain Sciences* 33 (2–3) (2010): 61-83.
223	**um estudo de 2015**: S. Bendahan *et al.*, "Leader Corruption Depends on Power and Testosterone", *Leadership Quarterly* 26 (2) (2015): 101-22.
224	**abuso narcisista**: N. L. Mead *et al.*, "Power Increases the Socially Toxic Component of Narcissism among Individuals with High Baseline Testosterone", *Journal of Experimental Psychology: General* 147 (4) (2018): 591.

224   **macacos talapoin**: A. F. Dixson e J. Herbert, "Testosterone, Aggressive Behavior and Dominance Rank in Captive Adult Male Talapoin Monkeys (*Miopithecus talapoin*)", *Physiology & Behavior* 18 (3) (1977): 539-43.

225   **controle ilusório**: N. J. Fast et *al.*, "Illusory Control: A Generative Force behind Power's Far-Reaching Effects", *Psychological Science* 20 (4) (2009): 502-08.

226   **experimento de 2008**: G. A. Van Kleef et *al.*, "Power, Distress, and Compassion: Turning a Blind Eye to the Suffering of Others", *Psychological Science* 19 (12) (2008): 1315-322.

226   **amo e um escravo**: Ver N. Harding, "Reading Leadership through Hegel's Master/Slave Dialectic: Towards a Theory of the Powerlessness of the Powerful", *Leadership* 10 (4) (2014): 391-411.

226   **interrompe mais os outros**: Ver Keltner, *Power Paradox*, para um panorama da pesquisa sobre os efeitos corrosivos do poder.

Capítulo IX: Como o Poder Muda o Seu Corpo

229   **grandes batidas são queimadas**: Kelcie Grega, "What Happens to Drugs, Property and Other Assets Seized by Law Enforcement?", *Las Vegas Sun*, 14 de fevereiro de 2020.

230   **"licença II, de rotina"**: dr. Michael Nader, professor de fisiologia e farmacologia na Wake Forest University, entrevista por telefone, 14 de maio de 2020.

230   **trabalhar intimamente**: *Ibid.*

231   **número de receptores de dopamina**: Ver M. A. Nader et *al.*, "PET Imaging of Dopamine D2 Receptors during Chronic Cocaine Self-Administration in Monkeys", *Nature Neuroscience* 9 (8) (2006): 1050-056.

231-32 **não é tão reforçadora**: Nader, entrevista por telefone.

232   **macacos dominantes escolhiam comida**: D. Morgan et *al.*, "Social Dominance in Monkeys: Dopamine D-2 Receptors and

Cocaine Self-Administration", *Nature Neuroscience* 5 (2) (2002): 169-74.

232 **comida em vez da cocaína**: R. W. Gould *et al.*, "Social Status in Monkeys: Effects of Social Confrontation on Brain Function and Cocaine Self-Administration", *Neuropsychopharmacology* 42 (5) (2017): 1093-102.

233 **"são bem cuidados"**: Nader, entrevista por telefone.

234 **Estudo Whitehall II**: M. G. Marmot *et al.*, "Health Inequalities among British Civil Servants: The Whitehall II Study", *Lancet* 337 (8754) (1991): 1387-393.

235 **saindo melhor que a média ou pior**: Sir Michael Marmot, professor de epidemiologia na University College London, entrevista por telefone, 6 de maio de 2020.

235 **Síndrome do *Status***: Ver Michael Marmot, *The Status Syndrome: How Social Standing Affects Our Health and Longevity* (Nova York, Times Books, 2004).

236 **"explica tudo em nossos dados"**: Marmot, entrevista por telefone.

236 **ferramenta crucial para a sobrevivência**: Robert Sapolsky, *Why Zebras Don't Get Ulcers: The Acclaimed Guide to Stress, Stress-Related Diseases, and Coping* (Nova York: W. H. Freeman, 1998).

237 **quando estamos nervosos**: Robert Sapolsky, "The Physiology and Pathophysiology of Unhappiness", em *Well-Being: Foundations of Hedonic Psychology*, org. D. Kahneman, E. Diener e N. Schwarz (Nova York: Russell Sage Foundation, 1999).

237 **emergência de curto prazo**: Ver Marmot, *Status Syndrome*, "Chapter 5: Who's in Charge?"

239 **"Depois de um tempo você pega o jeito"**: Jordan Anderson, aluno de doutorado, Universidade Duke, entrevista por telefone, 21 de abril de 2020.

239 **caiam e durmam**: Jenny Tung, antropólogo e geneticista evolutivo na Universidade Duke, entrevista pelo telefone, 21 de abril de 2020.

239 **"pela metafísica humana do que Locke"**: D. L. Cheney e R. M. Seyfarth, *Baboon Metaphysics: The Evolution of a Social Mind* (Chicago: University of Chicago Press, 2008).
240 **"uma pequena marca química"**: Tung, entrevista por telefone.
240 **aniversários que comemoramos**: *Ibid.*
241 **envelhecem muito mais depressa**: J. Tung *et al.*, "The Costs of Competition: High Social Status Males Experience Accelerated Epigenetic Aging in Wild Baboons", *bioRxiv*, 2020, https://www.biorxiv.org/content/biorxiv/early/2020/02/24/2020.02.22.961052.full.pdf.
241 **Robert Sapolsky, da Stanford**: ver R. M. Sapolsky, "The Influence of Social Hierarchy on Primate Health", *Science* 308 (5722) (2005): 648-52.
242 **amparada por um estudo de 2011**: L. R. Gesquiere *et al.*, "Life at the Top: Rank and Stress in Wild Male Baboons", *Science* 333 (6040) (2011): 357-60.
242 **Conduzidos por Mark Borgschulte**: Mark Borgschulte *et al.*, "CEO Stress, Aging, and Death", documento de trabalho, 19 de julho de 2020, https://eml.berkeley.edu/~ulrike/Papers/CEO_Stress.pdf.
243 **"CEO dois anos mais jovem"**: *Ibid.*
244 **incluía 17 países**: A. R. Olenski, M. V. Abola e A. B. Jena, "Do Heads of Government Age More Quickly? Observational Study Comparing Mortality between Elected Leaders and Runners-Up in National Elections of 17 Countries", *British Medical Journal*, 2015, 351.
245 **envelhecido um ano mais rápido**: Borgschulte *et al.*, "CEO Stress and Life Expectancy: The Role of Corporate Governance and Financial Distress", 1º de setembro de 2019, https://eml.berkeley.edu/~ulrike/Papers/CEO_Stress_and_Life_Expectancy_20190901.pdf.
246 **injetado em suas narinas**: S. Cohen *et al.*, "Sociability and Susceptibility to the Common Cold", *Psychological Science* 14(5) (2003): 389-95.

247	**é uma mistura mortal**: *Ibid.*
248	**resposta imunológica estimulada**: N. Snyder-Mackler *et al.*, "Social Status Alters Immune Regulation and Response to Infection in Macaques", Science 354 (6315) (2016): 1041-045. Ver também J. Tung *et al.*, "Social Networks Predict Gut Microbiome Composition in Wild Baboons", *eLife* 4 (2015): e05224.
248	**frequência por uma limpeza dos pelos**: *Ibid.*

Capítulo X: Atraindo o Incorruptível

250	**abriu a porta para ver quem era**: Brent Hatch, depoimento juramentado de policial em função de queixa, AST Processo 10-988830, 17 de outubro de 2010. Fornecido por Kyle Hopkins, jornalista do *Anchorage Daily News*.
251	**tirar o *jeans***: *Ibid.*
251	**e roubar um carro**: Kyle Hopkins, "The Village Where Every Cop Has Been Convicted of Domestic Violence", *Anchorage Daily News*, 18 de julho de 2019.
251	**impediriam de ser policiais**: Kyle Hopkins, jornalista do *Anchorage Daily News*, entrevista por telefone, 16 de abril de 2020.
252	**agressão violenta e abuso sexual**: Kyle Hopkins, "Cops in One Village Have Been Convicted of 70 Crimes. Here's What They Had to Say about It", *Anchorage Daily News*, 19 de julho de 2019.
252	**"Não conseguimos encontrar mais ninguém"**: Hopkins, "Village Where Every Cop Has Been Convicted".
254	***Rebel Ideas* (Ideias Rebeldes)**: Matthew Syed, *Rebel Ideas: The Power of Diverse Thinking* (Londres: Hachette, 2019).
254	**"efeito de modelo de conduta"**: L. Beaman *et al.*, "Female Leadership Raises Aspirations and Educational Attainment for Girls: A Policy Experiment in India", *Science* 335 (6068) (2012): 582-86.

255	**Christopher Latham Sholes**: Arthur Toye Foulke, *Mr. Typewriter: A Biography of Christopher Latham Sholes* (Boston: Christopher Publishing House, 1961).
255	**superintendente escolar na Pensilvânia**: Charles Lekberg, "The Tyranny of Qwerty", *Saturday Review of Science* 55 (40) (30 de setembro de 1972): 37-40.
256	**rápido o bastante para travar as máquinas**: Isso é um tanto contestado. Ver Jimmy Stamp, "Fact or Fiction? The Legend of the QWERTY Keyboard", *Smithsonian Magazine*, 3 de maio de 2013.
257	**Universidade Carnegie Mellon**: A. Fisher e J. Margolis, *Unlocking the Clubhouse: Women in Computing* (Cambridge, MA: MIT Press, 2001).
259	**"Sempre que puder, conte"**: Martin Brookes, *Extreme Measures: The Dark Visions and Bright Ideas of Francis Galton* (Londres: Bloomsbury, 2004).
259	**"pedaço de papel em forma de cruz"**: Jim Holt, "Measure for Measure", *New Yorker*, 17 de janeiro de 2005.
259	**A estimativa média**: Kenneth F. Wallis, "Revisiting Francis Galton's Forecasting Competition", *Statistical Science* 29 (3) (2014): 420-24.
260	***The Wisdom of Crowds* [A Sabedoria das Multidões]**: J. Surowiecki, *The Wisdom of Crowds* (Nova York: Doubleday, 2004).
260	**Oxford ou Cambridge**: análise do próprio autor.
261	**ranhuras da máquina**: Ver P. J. Rhodes, "Kleroterion", *The Encyclopedia of Ancient History*, 26 de outubro de 2012, https://onlinelibrary.wiley.com/doi/abs/10.1002/9781444338386.wbeah04171.
264	**864 participantes em Zurique**: J. Berger *et al.*, "How to Prevent Leadership Hubris? Comparing Competitive Selections, Lotteries, and Their Combination", *Leadership Quarterly* 31 (5) (2020): 101388.

265	**"realmente produtivo e útil"**: Helen King, ex-comissária assistente da Polícia Metropolitana de Londres, entrevista, 11 de fevereiro de 2020, Londres, Inglaterra.
265	**cocaína em sua máquina de lavar**: Max Daly, "The Police Officers Who Sell the Drugs They Seize", *Vice News*, 23 de março de 2017.
266	**"muitos casos de corrupção vão desaparecer"**: King, entrevista.
267	**governo federal alemão:** K. Abbink, "Staff Rotation as an Anti-Corruption Policy: An Experimental Study", *European Journal of Political Economy* 20 (4) (2004): 887-906.
268	**oferecia pagamentos reais**: C. Bühren, "Staff Rotation as an Anti-Corruption Policy in China and in Germany: An Experimental Comparison", *Jahrbücher für Nationalökonomie und Statistik* 240 (1) (2020): 1-18.
271	**245 equipes**: "1991: From Worst to First", This Great Game, https://thisgreatgame.com/1991-baseball-history/.
272	**vitórias "extras"**: o comentarista de beiseball Doug Pappas apresentou uma fórmula inicial, que desde então foi aumentada, desafiada e amplamente comentada – em particular em resposta a Michael Lewis, *Moneyball: The Art of Winning an Unfair Game* (Nova York: W. W. Norton, 2004).
272	**gastando muito menos por cada vitória extra**: análise do próprio autor baseada em dados de "1991 MLB Payrolls", Baseball Cube, http://www.thebaseballcube.com/topics/payrolls/byYear.asp?Y=1991.
274	**antes de Mussolini tomar o poder**: David Dudley, "The Problem with Mussolini and His Trains", Bloomberg, 15 de novembro de 2016.
274	**estações ferroviárias ornamentadas**: Ver Simonetta Falasca-Zamponi, *Fascist Spectacle: The Aesthetics of Power in Mussolini's Italy* ((Berkeley, CA: Berkeley University Press, 1997).

275 **anéis de vedação danificados durante lançamentos com clima frio**: "Challenger: A Rush to Launch", WJXT, https://www.youtube.com/watch?v=EA3mLCmUD_4.

Capítulo XI: O Peso da Responsabilidade

276 **"duas ou três horas de sono"**: Lord Robin Butler, ex-secretário particular de cinco primeiros-ministros e membro da Casa dos Lordes, entrevista, 13 de junho de 2019, Londres, Inglaterra.

277 **6,4 megatons**: Kyle Mizokami, "Great Britain's Nuclear Weapons Could Easily Destroy Entire Countries", *National Interest*, 26 de agosto de 2017, https://nationalinterest.org/blog/the-buzz/great-britains-nuclear-weapons-could-easily-destroy-entire-22057.

277 **revólver Colt 45 vermelho**: Ben Farmer, "Trident: The Man with the Nuclear Button Who Would Fire Britain's Missiles", *Telegraph*, 21 de janeiro de 2016.

277 **Cartas de Último Recurso**: Peter Hennessy, *The Secret State: Preparing for the Worst, 1945–2010* (Londres: Penguin, 2014).

278 **"terrível problema moral"**: Butler, entrevista.

279 **"choque para o primeiro-ministro"**: *Ibid.*

279 **"*lockdown* e tudo o mais"**: Tony Blair, ex-primeiro-ministro do Reino Unido, entrevista, 2 de outubro de 2020.

279 **"coisas muito diferentes"**: *Ibid.*

280 **"odeiaem particular os que a compõem"**: *Ibid.*

281 **"É uma coisa altruísta"**: Cornell William Brooks, ex-presidente da NAACP e professor da Harvard Kennedy School, entrevista, 3 de fevereiro de 2020, Cambridge, MA.

281 **"crises ou situações difíceis?"**: Kim Campbell, ex-primeira-ministro do Canadá, entrevista por telefone, 6 de abril de 2020.

282 **estudos mais divertidamente deprimentes**: J. M. Darley e C. D. Batson, "From Jerusalem to Jericho: A Study of Situational

and Dispositional Variables in Helping Behavior", *Journal of Personality and Social Psychology* 27 (1) (1973): 100.
283 **ajudou o estranho**: *Ibid.*
284 **o telefone de Ken Feinberg toca:** Veja Ross Barkan, "Meet Ken Feinberg, the Master of Disasters", *Observer*, 9 de março de 2016.
285 **"vieram falar pessoalmente comigo"**: Ken Feinberg, advogado e czar do fundo de compensação, entrevista por telefone, 2 de abril de 2010.
286 **"Sr. Mamãe"**: *Ibid.*
286 **"tenho certeza de que você fará a coisa certa"**: *Ibid.*, como contada por Feinberg.
287 **você está condenado**: *Ibid.*
289 **"um verdadeiro crente"**: M. P. Scharf, "The Torture Lawyers", *Duke Journal of Comparative & International Law* 20 (2009): 389.
289 **não se aplicavam aos combatentes**: Andrew Cohen, "The Torture Memos: Ten Years Later", *Atlantic*, 6 de fevereiro de 2012.
289 **Conselho de Guerra**: J. C. Alexander, "Poderes de Guerra de John Yoo", *Law Review and the World. California Law Review* 100 (2) (2012): 331-64.
290 **despejados insetos vivos**: David Cole, "The Torture Memos: The Case against the Lawyers", *New York Review of Books*, 8 de outubro de 2009.
290 **"estressado ao tomar decisões"**: John Yoo, professor da faculdade de direito da UC – Berkeley e ex-advogado do governo Bush, entrevista, 28 de janeiro de 2020, Berkeley, CA.
291 **"custos para cada ponto que pararmos"**: *Ibid.*
293 **filósofo da moral Peter Singer**: Peter Singer, *The Expanding Circle* (Oxford: Clarendon Press, 1981).
294 **distância psicológica tem quatro dimensões**: Y. Trope e N. Liberman, "Construal-Level Theory of Psychological Distance", *Psychological Review* 117 (2) (2010): 440.

295 **Ardant du Picq**: Ardant du Picq, *Battle Studies: Ancient and Modern Battle*, Project Gutenberg, https://www.gutenberg.org/files/7294/7294-h/7294-h.htm.

295 ***On Killing* (Matar! – Um Estudo sobre o Ato de Matar)**: David Grossman, *On Killing: The Psychological Cost of Learning to Kill in War and Society* (1996; repr., Nova York: Back Bay Books, 2009).

296 **duas vezes sem disparar**: *Ibid*.

296 **foram disparadas 50 mil balas**: N. Sharkey, "Killing Made Easy: From Joysticks to Politics", em *Robot Ethics: The Ethical and Social Implications of Robotics*, org. Patrick Lin, Keith Abney e George A. Bekey (Cambridge, MA: MIT Press, 2012), 111-28.

297 **base da Força Aérea de Creech**: James Dao, "Drone Pilots Are Found to Get Stress Disorders Much as Those in Combat Do", *New York Times*, 22 de fevereiro de 2013.

297 **jantar em família com os filhos**: "The US Air Force's Commuter Drone Warriors", BBC News, 8 de janeiro de 2017.

298 **estavam dispostos a matar mais joaninhas**: A. M. Rutchick *et al.*, "Technologically Facilitated Remoteness Increases Killing Behavior", *Journal of Experimental Social Psychology* 73 (2017): 147-50.

299 **ficar impassível diante do sofrimento alheio**: J. Decety, C. Y. Yang e Y. Cheng, "Physicians Down-Regulate Their Pain Empathy Response: An Event-Related Brain Potential Study", *Neuroimage* 50 (4) (2010): 1676-682.

299 **estresse e exaustão no trabalho**: E. Trifiletti *et al.*, "Patients Are Not Fully Human: A Nurse's Coping Response to Stress", *Journal of Applied Social Psychology* 44 (12) (2014): 768-77.

Capítulo XII: Observado

302 **provações de "água quente"**: P. T. Leeson, "Ordeals", *Journal of Law and Economics* 55 (3) (2012): 691-714.

303 **muitas vezes uma colher**: Sonia Farid, "Licking Hot Metal Spoons to Expose Lies: Egypt's Oldest Tribal Judicial System", Al Arabiya, 24 de setembro de 2018.

303 **cruentação**: R. P. Brittain, "Cruentation: In Legal Medicine and in Literature", *Medical History* 9 (1) (1965): 82-88.

303 **árvore nativa *tangena***: G. L. Robb, "The Ordeal Poisons of Madagascar and Africa", *Botanical Museum Leaflets* (Harvard University) 17 (10) (1957): 265-316.

303 **morria *a cada ano***: Ver Gwyn Campbell, "The State and Precolonial Demographic History: The Case of Nineteenth Century Madagascar", *Journal of African History* 23 (3) (outubro de 1991): 415-45.

304 **nos pede que imaginemos Frithogar**: Leeson, "Ordeals".

305 **sacerdote recém-informado**: *Ibid.*

306 **"amplo escopo moral"**: Ara Norenzayan, *Big Gods: How Religion Transformed Cooperation and Conflict* (Princeton, NJ: Princeton University Press, 2013).

306 **"Hórus de Dois Olhos"**: *Ibid.*

308 **hipótese de punição sobrenatural**: Ver D. Johnson e J. Bering, "Hand of God, Mind of Man: Punishment and Cognition in the Evolution of Cooperation", *Evolutionary Psychology* 4 (1) (2006).

310 **disseram que não olhassem dentro dela**: J. Piazza, J. M. Bering e G. Ingram, "Princess Alice Is Watching You: Children's Belief in an Invisible Person Inhibits Cheating", *Journal of Experimental Child Psychology* 109 (3) (2011): 311-20.

311 **supervisionavam a caixa**: M. Bateson, D. Nettle e G. Roberts, "Cues of Being Watched Enhance Cooperation in a Real-World Setting", *Biology Letters* 2 (3) (2006): 412-14.

311 **exagero acerca dos efeitos**: S. B. Northover *et al.*, "Artificial Surveillance Cues Do Not Increase Generosity: Two Meta-Analyses", *Evolution and Human Behavior* 38 (1) (2017): 144-53.

311 **Pesquisadores da Universidade de Toronto**: C. B. Zhong, V. K. Bohns e F. Gino, "Good Lamps Are the Best Police: Darkness Increases Dishonesty and Self-Interested Behavior", *Psychological Science* 21 (3) (2010): 311-14. Ver também Alice Robb, "Sunglasses Make You Less Generous", *New Republic*, 26 de março de 2014.

312 **escolheram a opção caritativa**: F. Lambarraa e G. Riener, "On the Norms of Charitable Giving in Islam: Two Field Experiments in Morocco", *Journal of Economic Behavior & Organization* 118 (2015): 69-84. Ver também Norenzayan, *Big Gods*.

313 **corpo de Bentham**: Ver C. F. A. Marmoy, "The 'Auto-Icon' of Jeremy Bentham at University College London", *Medical History 2* (1958): 77-86; e "Fake News: Demystifying Jeremy Bentham", University College London, https://www.ucl.ac.uk/culture/projects/fake-news.

314 **"decididamente sem atrativos"**: "Auto-Icon", University College London, https://www.ucl.ac.uk/bentham-project/who-was-jeremy-bentham/auto-icon.

314 **"uma onipresença invisível"**: M. Galič, T. Timan e B. J. Koops, "Bentham, Deleuze and Beyond: An Overview of Surveillance Theories from the Panopticon to Participation", *Philosophy & Technology* 30 (1) (2017): 9-37.

315 **parede separando os espaços de trabalho**: Maria Konnikova, "The Open Office Trap", *New Yorker*, 7 de janeiro de 2014.

315 **diminuem a satisfação no trabalho**: M. C. Davis, D. J. Leach e C. W. Clegg, "The Physical Environment of the Office: Contemporary and Emerging Issues", em *International Review of Industrial and Organizational Psychology* 26, org. G. P. Hodgkinson e J. K. Ford (Chichester, UK: Wiley, 2011), 193-235.

315	**menos interação social**: Ethan Bernstein e Ben Waber, "The Truth about Open Offices," *Harvard Business Review*, novembro-dezembro de 2019.
316	**comprar passagens de trem**: Louise Matsakis, "How the West Got China's Social Credit System Wrong", *Wired*, 29 de julho de 2019.
317	**US$ 250 bilhões e US$ 400 bilhões**: Eugene Soltes, *Why They Do It: Inside the Mind of the White-Collar Criminal* (Nova York: Relações Públicas, 2016).
317	**25 vezes mais caros**: Stephen M. Rosoff, Henry N. Pontell e Robert Tillman: *Profit without Honor: White-Collar Crime and the Looting of America* (Upper Saddle River, NJ: Prentice Hall, 2004).
317	**sem controles rigorosos**: C. Michel, "Violent Street Crime versus Harmful White-Collar Crime: A Comparison of Perceived Seriousness and Punitiveness", *Critical Criminology* 24 (1) (2016): 127-43.
319	**"prender os caras maus"**: Anas Aremeyaw Anas, jornalista disfarçado, entrevista, 8 de outubro de 2018.
319	**pedindo propinas**: "Accused Ghana Judges Shown Bribe Videos", BBC News, 10 de setembro de 2015.
320	**Ahmed Hussein-Suale**: "Journalist Who Exposed Football Corruption Shot Dead in Ghana", Agence France-Presse, 17 de janeiro de 2019.
320	**encostaram um dedo nos lábios**: Joel Gunter, "Murder in Accra: The Life and Death of Ahmed Hussein-Suale", BBC News, 30 de janeiro de 2019.
321	**alteraram com rapidez seu modo de agir**: A. Salisbury, "Cutting the Head off the Snake: An Empirical Investigation of Hierarchical Corruption in Burkina Faso", nº 2018-011, Centre for the Study of African Economies (Oxford: Universidade de Oxford, 2018).
322	**pessoas certas *verem* a coisa**: R. Reinikka e J. Svensson, "Fighting Corruption to Improve Schooling: Evidence from a News-

paper Campaign in Uganda", *Journal of the European Economic Association* 3 (2–3) (2005): 259-67.

322   ***Ipaidabribe*** **(Eu Paguei Propina)**: Ver Y. Y. Ang, "Authoritarian Restraints on Online Activism Revisited: Why 'I-Paid-a-Bribe' Worked in India but Failed in China", *Comparative Politics* 47 (1) (2014): 21-40.

323   **fracassou no teste de integridade**: M. Bertrand *et al.*, "Does Corruption Produce Unsafe Drivers?", n° w12274, National Bureau of Economic Research, 2006.

325   **que não estão sendo monitorados**: N. Ichino e M. Schündeln, "Deterring or Displacing Electoral Irregularities? Spill-over Effects of Observers in a Randomized Field Experiment in Ghana", *Journal of Politics* 74 (1) (2012): 292-307.

325   **operação de rotina de apreensão de drogas**: Este episódio é detalhado em Charles Campisi, *Blue on Blue: An Insider's Story of Good Cops Catching Bad Cops* (Nova York: Scribner, 2017).

326   **"mais difícil roubar"**: Charles Campisi, ex-chefe de Assuntos Internos no NYPD, entrevista pelo telefone, 17 de março de 2020.

327   **12 vezes mais que a realidade**: Ver Campisi, *Blue on Blue*.

328   **inseridos aleatoriamente em uma loteria**: Charlie Sorrel, "Swedish Speed-Camera Pays Drivers to Slow Down", *Wired*, 6 de dezembro de 2010.

Capítulo XIII: Esperando Cincinato

330   **"exército estavam cercados"**: Ernest Rhys, org., *Livy's History of Rome: Book 3* (Londres: J. M. Dent & Sons, 1905), http://mcadams.posc.mu.edu/txt/ah/Livy/Livy03.html.

330   **"concentrado em sua faina agrícola"**: *Ibid.*

331   **"renunciou no décimo sexto dia"**: *Ibid.*

331   **"práticas exatamente opostas em tudo"**: Dionísio de Halicarnasso, *Roman Antiquities*, livro 10, cap. 17.6.

Impresso por :

gráfica e editora
Tel.:11 2769-9056